LES ARTS VISUELS AU QUÉBEC DANS
LES ANNÉES SOIXANTE.
LA RECONNAISSANCE DE LA MODERNITÉ
sous la direction de Francine Couture
est le quatre cent soixantième ouvrage
publié chez
VLB ÉDITEUR
et le quatrième de la collection
«Essais critiques».

Cet ouvrage a été publié grâce à une subvention de
la Fédération canadienne des études humaines,
dont les fonds proviennent du Conseil de recherche
en sciences humaines du Canada.

LES ARTS VISUELS AU QUÉBEC DANS LES ANNÉES SOIXANTE.
LA RECONNAISSANCE DE LA MODERNITÉ

Sous la direction de Francine Couture

Les arts visuels
au Québec
dans les années soixante

La reconnaissance de la modernité

vlb éditeur

VLB ÉDITEUR
Une division du groupe
Ville-Marie littérature
1000, rue Amherst, bureau 102
Montréal, Québec
H2L 3K5
Téléphone: (514) 523-1182
Télécopieur: (514) 282-7530

Maquette de la couverture: Nancy Desrosiers

Photo de la couverture: «Opération Déclic», 1968, Archives nationales du Canada. Photo: Pierre Gaudard.

Distribution:
LES MESSAGERIES ADP
955, rue Amherst
Montréal, Québec
H2L 3K4
Téléphone: (514) 523-1182
Interurbain sans frais: 1 800 361-4806

Dépôt légal — 3e trimestre 1993
Bibliothèque nationale du Québec
ISBN 2-89005-515-9

FRANCINE COUTURE

PRÉSENTATION

Les années soixante: la reconnaissance publique de la modernité artistique

Durant les années soixante, le contexte de la Révolution tranquille, et plus particulièrement celui de l'intervention de l'État dans le secteur culturel, contribue à la reconnaissance publique de la pertinence culturelle des courants modernistes. Par ailleurs, dans le monde des arts visuels, le propos des œuvres, les discours des artistes et ceux des critiques d'art soulèvent des débats qui portent à la fois sur le projet théorique de l'art et sur son rôle social. Le lieu théorique de l'art est-il l'exploration de la nature de l'individu au-delà de toute rationalité? Ou la mise en évidence de la spécificité formelle de la peinture et de la sculpture? À qui s'adressent les œuvres d'art? Doivent-elles jouer un rôle émancipateur au sein de la société? Quelles relations entretiennent-elles avec le champ politique? Et avec celui de la culture de masse?

C'est avec une diversité de points de vue que les auteures de cet ouvrage ont abordé les manifestations de ces discussions qui, au cours des années soixante, donnent principalement forme à la configuration théorique et culturelle de la scène de l'art actuel. À l'intérieur de ce moment de l'histoire de l'art québécois, elles ont choisi certains aspects, ont retenu des œuvres, des discours, des événements qu'elles ont interprétés en fonction de problématiques et de points de vue théoriques spécifiques. Ainsi cohabitent les approches formalistes, féministes, celles de l'histoire sociale de l'art et de l'éducation artistique qui imposent à l'ouvrage une organisation différente de celle de livres d'histoire de l'art qui proposent une analyse, selon une perspective globale, d'une période donnée. Les auteures de cet ouvrage, au contraire, considèrent que toute description et interprétation d'une période de l'histoire de l'art est sélective et que toute entreprise d'analyse historique est partielle[1].

Une nouvelle relation entre l'art et l'État

Avant d'aborder l'analyse des manifestations artistiques des années soixante, il est utile d'examiner leur contexte culturel de production, et principalement de considérer la nouvelle relation qui s'établit entre l'art et l'État, car celle-ci transforme l'image publique de l'artiste moderne.

Au cours des années quarante et cinquante, l'artiste moderne vivait dans une sorte de clandestinité ou de maquis culturel qui avait pris la forme d'une petite communauté composée d'intellectuels, de marchands de tableaux et d'amis collectionneurs. Ensemble, ils avaient progressivement formé un espace social de l'art relativement à l'abri des pouvoirs religieux et politique et où ils pouvaient exposer des œuvres, les commenter, s'échanger des livres, partager les moments d'une vie intellectuelle et artistique. Cette relative indépendance, soustraite au contrôle du pouvoir public, était toutefois bien fragile. Il faut se rappeler qu'en 1948, le peintre Borduas perdait son poste de professeur à l'École du meuble pour avoir signé, avec d'autres artistes, le célèbre *Refus global*. Et comme Borduas, plusieurs peintres et écrivains de la modernité se sont exilés à Paris ou à New York pour fuir la répression idéologique exercée par l'Église et l'État.

Durant les années cinquante, cet espace social de l'art s'est progressivement consolidé avec la formation d'un réseau de galeries d'art contemporain vouées à la diffusion des différentes tendances du modernisme. De plus, les musées du Québec et des Beaux-arts, bien que ce ne fût pas dans leur mandat premier, appuyaient, à l'occasion, l'action des galeries Libre, Denyse Delrue, Agnès Lefort, L'Actuelle et Dresdnère en organisant des expositions d'art actuel. Une autre étape importante de la formation d'un champ artistique autonome, ou d'un lieu social pour l'art vivant, a été la création de la revue *Vie des Arts* en 1956. Son mandat, par contre, comme il avait été défini par ses fondateurs, n'atteignait pas les objectifs d'une revue d'avant-garde axée sur la défense exclusive des pratiques artistiques les plus expérimentales. Le ton du premier éditorial est relativement prudent; ses rédacteurs y déclarent que la revue ne supportera pas tel ou tel mouvement artistique en particulier, mais que toutes les tendances actuelles seront l'objet d'un examen attentif et impartial. L'action de *Vie des Arts* visait surtout la constitution d'un public pour soutenir ce que ses fondateurs ont appelé «la renaissance de nos arts plastiques». Ceux-ci avaient donné la priorité au mandat éducatif de la revue qui devait favoriser une meilleure compréhension, par le public, tant de l'art actuel que de celui du passé. Cette renaissance des arts plastiques, lit-on dans l'éditorial, «ne peut se soutenir et s'épanouir s'il n'existe un contact étroit entre l'artiste et le public, c'est-à-dire entre les producteurs et les consommateurs de la chose artistique. Ce contact étroit, seule une revue d'art peut l'assurer avec plénitude et efficacité. C'est le rôle qu'entend jouer *Vie des Arts* dans la nation[2]».

Au cours des années soixante, on assiste à une transformation de l'image publique de l'artiste moderne résultant d'une nouvelle relation instaurée entre la culture et l'État, effet d'une conjoncture politique présente dans la société québécoise comme dans l'ensemble des sociétés occidentales. En 1961, le gouvernement du Québec crée le ministère des Affaires culturelles, inscrivant le secteur de la culture dans l'ordre des préoccupations publiques. Le gouvernement Lesage réalise ainsi un projet du programme du Parti libéral qui reconnaît les arts et les lettres surtout pour leur valeur politique, en les considérant comme des outils privilégiés de la constitution de l'identité nationale[3]. En outre, la création du ministère des Affaires culturelles s'insère dans le mouvement général d'après-guerre des sociétés européennes et américaines qui avaient ajouté le droit à la culture à la liste des droits démocratiques. Dans ce sens, les arguments culturels et politiques invoqués par le premier ministre Jean Lesage[4] lors de la fondation de ce ministère sont exemplaires du discours public sur la culture, en ce début des années soixante, marqué à la fois par le nationalisme et un humanisme libéral. C'est ainsi que, tout en proclamant que le ministère des Affaires culturelles du Québec doit être le ministère de la «civilisation canadienne-française», le premier ministre présente également la culture et l'art comme des antidotes au matérialisme de la société de consommation.

Cette entrée du gouvernement provincial sur la scène de la vie culturelle avait été précédée par celle du gouvernement fédéral qui, en 1957, créait le Conseil des Arts du Canada. L'établissement de cet organisme répondait aux revendications des artistes canadiens qui, depuis plus de dix ans, demandaient la mise sur pied d'un organisme devant soutenir économiquement la création artistique et sa diffusion auprès d'un public le plus large possible. Le nationalisme ainsi que l'humanisme libéral, affirmant que les réalités de l'esprit sont nécessaires au bien-être des individus et à celui de la nation, ont également justifié la création du Conseil des Arts du Canada à qui fut confié le mandat d'assumer la canadianisation de la culture menacée par la culture de masse américaine[5].

L'établissement de politiques culturelles, à ces deux paliers de gouvernement, signifie que l'État valorise l'art comme un élément de définition de la société. Il s'attribue une nouvelle responsabilité sociale, celle de favoriser l'intégration de l'artiste dans la société par des programmes d'aide aux créateurs et aux organismes de diffusion.

La mise en place du ministère des Affaires culturelles provoque toutefois une résistance de la part du parti d'opposition, ce qui indique que la méfiance à l'égard des artistes était encore bien enracinée dans la mentalité d'une partie de la classe politique. En effet, le chef de l'Union nationale, Antonio Talbot, craint que le ministère ne devienne «le refuge d'esprits supérieurs qui ne trouvent rien de bon dans nos institutions présentes», et qu'advenant la prise du pouvoir politique par la gauche, les artistes et les intellectuels ne trouvent dans le ministère des Affaires culturelles «un outil pour amener insensiblement la population à partager sa façon de voir les choses[6]»!

La lecture des *Mémoires* de Georges-Émile Lapalme, alors ministre des Affaires culturelles, nous apprend que ce dernier a dû à plusieurs reprises défier ce courant d'opinion qui s'exprimait aussi par la voie du Conseil du trésor. Il évoque notamment l'anecdote suivante. Il voulait faire acheter au gouvernement un tableau de Riopelle, «le seul Riopelle que possédait le Québec en 1964[7]»! L'acquisition avait été recommandée par le critique d'art Guy Viau qui était alors directeur du Musée du Québec. Le Conseil du trésor refusa l'achat du tableau après l'avoir fait évaluer par un fonctionnaire. Georges-Émile Lapalme s'indigna de l'autorité qu'avait le Conseil du trésor en matière de culture. Et ce sentiment d'impuissance contribua à sa démission en 1964.

Georges-Émile Lapalme fait une lecture politique de la modernité artistique et la perçoit complice de la modernisation de la société québécoise, en l'interprétant comme un symbole de la lutte menée par la société québécoise pour son émancipation. Son allocution adressée à l'Assemblée législative, pour justifier la création du Musée d'art contemporain, est explicite à ce sujet. Il y déclare: «C'est dans la peinture que nous sommes des maîtres à l'heure actuelle, si nous en sommes[8].» En évoquant implicitement le slogan «Maître chez nous» de la Révolution tranquille, il affirme ainsi que la maîtrise exercée sur le sort de la nation canadienne-française ne peut faire l'économie de la contribution de la production artistique. Il reconnaît le rôle initiateur qu'ont joué les artistes durant les années quarante et cinquante et il est préoccupé de favoriser l'intégration de l'art dans cette nouvelle société qui est en train de prendre forme: «J'avais toujours considéré comme pitoyable la place que l'État avait réservée aux artistes, particulièrement aux peintres. Le sort fait à Borduas m'avait paru inique[9].»

Les propos de Georges-Émile Lapalme sont en accord avec ceux d'intellectuels et d'écrivains qui se sont exprimés lors de la mort de Borduas en 1960. Car, pour souligner cet événement, ceux-ci ont surtout mis en évidence la dimension collective de la démarche picturale de cette figure héroïque du modernisme québécois, en faisant de sa peinture une métaphore du lent processus de transformation de la société québécoise. Le commentaire suivant de Robert Élie est exemplaire de cette évaluation de la peinture de Borduas:

> Il y aurait bien une autre nuit où il pouvait revenir à la toile inachevée, à la lourde matière qui était notre réalité, à un combat épuisant qui se terminerait une fois sur deux par un échec aussitôt repris, mais une fois sur deux par une victoire comme il s'en est peu remportée dans notre pays. Et l'impossible parlait comme le possible,

l'inconnu ne faisait plus peur aux enfants, les frontières étaient abolies. C'était un monde neuf et touffu que l'on commençait à peine à interroger[10].

Cette interprétation de l'automatisme n'était sans doute pas partagée par les collègues de Georges-Émile Lapalme! Les premiers moments du ministère des Affaires culturelles en témoignent. Le gouvernement du Québec ne joue pas pleinement son rôle de mécène culturel, faute de ressources pécuniaires. Au début des années soixante, il met toutefois sur pied un programme d'aide à la création, élève le Musée du Québec au rang de musée d'art, crée le Musée d'art contemporain.

La reconnaissance publique de l'artiste moderne

Il faut dire que, comme dans le cas du Conseil des Arts du Canada, l'institution de ces programmes se veut une réponse aux revendications de la communauté artistique. Celle-ci a exigé de la classe politique, avec qui elle a mené une même lutte contre Duplessis, une reconnaissance publique de ses activités. Le nouveau rapport établi entre l'État et la culture, en ce début des années soixante, transforme donc les relations d'opposition que l'artiste moderne avait entretenues avec le pouvoir politique en un échange prenant la forme de la négociation. Dans ce nouveau contexte social guidé par la pensée libérale, l'artiste moderne juge qu'il est temps de rompre avec son image de marginal. Dès 1961, il adresse au gouvernement québécois des revendications concernant l'exercice de sa pratique; il demande la création de programmes de bourses, d'aide aux expositions, de construction d'ateliers, une réforme fiscale et une politique d'intégration des arts à l'architecture[11]. La fondation d'un musée d'art contemporain lui apparaît également comme l'étape fondamentale de la légitimation de la modernité artistique. En 1963, un groupe de peintres réunis autour d'Otto Bengle, propriétaire de la galerie Soixante, proposent au ministre des Affaires culturelles de donner leurs œuvres pour constituer la première collection du Musée d'art contempo-

rain. Ceux-ci sont appuyés par des critiques d'art et des dirigeants d'institutions culturelles[12] ayant contribué à la diffusion des idées modernistes. Georges-Émile Lapalme devait
donner suite à ces revendications en fondant le Musée d'art
contemporain en 1964.

La scène de l'art actuel

Les artistes sont unis dans la lutte pour la reconnaissance publique de l'artiste et de l'art actuel. Sur le plan esthétique, par contre, ils sont rassemblés en groupes plus ou
moins organisés, chacun défendant une vision différente de
cet art actuel. Des peintres inscrivent leur pratique dans la
continuité de l'automatisme; d'autres donnent à l'art non-
figuratif une orientation venue des plasticiens et inspirée du
formalisme géométrique de Mondrian et de Malevitch. Des
artistes d'une génération plus jeune se réunissent autour des
catégories de l'art pop, du nouveau réalisme, du cinétisme,
de l'art d'environnement et de participation. Tous ces artistes
comptent des défenseurs parmi les critiques d'art qui amènent sur la scène artistique les débats soulevés par ces différentes tendances artistiques.

Pour les peintres s'inscrivant dans la continuité de
l'automatisme, la pratique artistique est une exploration de la
nature authentique de l'individu, au-delà de toute rationalité.
Cette conception se traduit dans des tableaux dont l'espace
construit de taches colorées résulte d'une gestualité plus ou
moins contrôlée. Jusqu'en 1965, le réseau des critiques et des
galeries d'art adhère principalement aux valeurs stylistiques
et éthiques de cette abstraction gestuelle. La présence dominante des femmes peintres, par ailleurs, caractérise la configuration sociologique de cette position artistique. C'est principalement ce phénomène qu'analyse Rose-Marie Arbour
dans le premier chapitre du présent ouvrage. Elle observe
que les critiques d'art contribuent largement à la reconnaissance sociale de la présence stratégique des femmes peintres
dans ce moment historique du modernisme. La réception
de la peinture de Marcelle Maltais est exemplaire de leur

situation dans le champ artistique à cette époque. Après avoir exposé en solo dans les galeries L'Actuelle et Denyse Delrue ainsi qu'au Musée des beaux-arts de Montréal, Marcelle Maltais est perçue, par la critique, comme une figure dominante de l'expressionnisme abstrait canadien; sa peinture est considérée comme étant de plain-pied avec celle de Borduas et de Riopelle, les fondateurs de l'automatisme. La présence dominante de ces femmes peintres sur la scène de l'art actuel modifie donc pour un temps l'image de l'artiste et l'image de la femme artiste qui, entre 1955 et 1965, est reconnue comme un leader de l'art vivant. En effet, pour plusieurs critiques d'art, la vision héroïque de l'artiste moderne, principal acteur de la modernisation culturelle du Québec, s'incarne dans la peinture gestuelle de ces femmes peintres. Dans ce sens, le commentaire de Guy Viau sur la peinture de Rita Letendre est éloquent: «Femme, Rita Letendre incarne la puissance et par son intuition et son lyrisme, elle préfigure un demain, un rêve rempli de merveilles[13]», écrit-il en 1962.

Cette vision lyrique de la peinture moderniste est contredite par les plasticiens qui donnent à l'art non-figuratif une orientation inspirée du formalisme géométrique de Mondrian et de Malevitch. Marie Carani examine dans le chapitre II les éléments de la position théorique de cette tendance.

Les années 1955 et 1959 sont des moments particulièrement stratégiques de l'arrivée de ces artistes sur la scène de l'art actuel. En 1955, lors d'une exposition collective, le premier groupe des plasticiens (Belzile, Jauran, Jérôme et Toupin) présente des «tableaux-objets autonomes[14]», une peinture dépouillée de contenu figuratif qui ne privilégie que les seuls faits plastiques. Aux nécessités subjectives de l'automatisme, ils opposent la stricte plasticité comme fondement d'un tableau abstrait. C'est ainsi qu'ils revendiquent auprès des post-automatistes la définition légitime de l'art abstrait et modifient la structure du champ artistique, modification qui se consolide, en 1959, avec l'exposition *Art abstrait*, présentée à l'École des beaux-arts de Montréal. Cette exposition marque l'entrée en scène des seconds plasticiens regroupant Molinari, Tousignant, Goguen et Juneau dont les démarches picturales s'inscrivent dans la continuité des premiers plasticiens.

Jusqu'au début des années soixante, un petit nombre de critiques et de lieux diversifiés de diffusion soutiennent ces deux groupes de peintres. La peinture plasticienne est exposée à la galerie L'Actuelle, à la Galerie XII du Musée des beaux-arts de Montréal, mais aussi dans des lieux dont la vocation première n'est pas d'exposer des œuvres d'art, tels la librairie Henri Tranquille et le café L'Échouerie. Parmi les défenseurs de cette tendance artistique, certains jouent plusieurs rôles: artiste et critique comme Jauran-de Repentigny, artiste et directeur de galerie comme Molinari qui, avec Fernande Saint-Martin, a ouvert la galerie L'Actuelle en 1955. Par contre, cette tendance est peu soutenue par la critique qui, à l'exception de Rodolphe de Repentigny et de Paul Gladu, exprime de fortes réticences à l'égard de l'abstraction géométrique jugée froide, désincarnée, décorative, et qui fait fi du potentiel expressif de la peinture.

Trois événements, par contre, annoncent, en 1965, la légitimation du formalisme géométrique et l'éviction de l'abstraction gestuelle comme éléments du paradigme de l'art actuel. L'abstraction lyrique ne donne pas le ton à la Ve Biennale canadienne tenue à la Galerie nationale. Guido Molinari et Jacques Hurtubise ont été choisis pour représenter le Canada à la Biennale de Sao Paulo. Et lors de l'exposition d'art optique *The Responsive Eye*, montée à New York, à laquelle Guido Molinari et Claude Tousignant participent, les critiques d'art se demandent: «Les pâtes grasses, le signe et la tache font-ils désormais partie de l'histoire ancienne[15]»? Plusieurs artistes et critiques, en effet, ne s'identifient plus aux valeurs formelles et éthiques de l'abstraction gestuelle; ils jugent ce courant d'un romantisme dépassé, inapte à traduire une sensibilité résolument moderne. Le formalisme géométrique s'impose alors comme figure dominante de l'art actuel. Marie Carani démontre que cette position artistique regroupe des peintres qui, malgré la pluralité des voies d'expérimentation formelle, partagent une même vision de la démarche picturale axée sur la simplification et le dépouillement de la surface selon une structuration géométrique. Les seconds plasticiens, écrit-elle, optent pour une abstraction construite en plans géométriques *hard-edge* à partir d'une utilisation de la couleur structurante. Ils partagent avec d'autres peintres, tels Leduc, McEwen, Barbeau, Ewen, Gagnon, Hurtubise et Gaucher, une même conception de l'espace pictural qui évacue la structure même de l'espace figuratif ou toute référence au monde naturel.

Durant cette période, certains peintres formalistes bénéficient d'une forte légitimation de leurs œuvres; leur reconnaissance est également venue de la scène artistique américaine. Ce phénomène est étudié, dans le chapitre III, par Marie-Sylvie Hébert qui reconstitue le contexte de la diffusion et de la réception du formalisme géométrique. Contribuent à consolider la position de ce courant les expositions à la galerie du Siècle, de Montréal, et à la East Hampton Gallery, de New York, la présence de Guido Molinari et d'Ulysse Comtois à la Biennale de Venise en 1968, mais aussi la participation de peintres plasticiens dans de nombreuses expositions d'art optique tenues aux États-Unis, dont l'exposition remarquée *The Responsive Eye*, déjà mentionnée. Marie-Sylvie Hébert constate également que, malgré cette reconnaissance, la position formaliste est, sur la scène artistique montréalaise, l'objet d'un débat centré sur les relations que l'art entretient avec le domaine social.

En effet, des expositions et manifestations présentées sur le site de l'Exposition universelle de Montréal en 1967, mais aussi au Musée d'art contemporain et dans les galeries du Siècle et Godard-Lefort, indiquent que le paradigme de l'art actuel se transforme. En fait, divers événements incitent des critiques d'art à intervenir dans cette discussion qui avait pris forme en 1965, moment contemporain de la légitimation progressive du formalisme. Comme ils ont remis en question la modernité de l'abstraction lyrique, des critiques d'art rejettent, pour des raisons analogues, cette tendance du modernisme jugée inapte à traduire la sensibilité actuelle formée par l'expérience de la technologie et des communications de masse. Art pop, nouveau réalisme, cinétisme, environnement, art de participation sont alors, pour ces critiques, les voies de l'art actuel. Car, soutiennent-ils, de telles manifestations produisent les signes d'une culture urbaine et technologique résultant, au cours des années soixante, de la transformation du paysage des villes, mais aussi du développement de la culture médiatique de plus en plus présente dans les modes de vie des individus.

Des artistes et des critiques considèrent alors que ce nouveau contexte non seulement met de nouveaux matériaux et procédés techniques à la disposition des artistes, mais transforme aussi les attentes culturelles du public dont l'expérience est de plus en plus alimentée par les produits de la culture de masse. Le chapitre IV est surtout consacré à l'analyse des thèmes du cinétisme, de l'environnement et de l'art de participation. Ces œuvres qui traitent de l'univers technologique remettent en question certaines notions propres au modernisme. Les sculptures cinétiques de Serge Cournoyer et du groupe Fusion des arts, par leur aspect multidisciplinaire, s'éloignent du projet formaliste axé sur la nécessaire affirmation de la spécificité d'une discipline artistique. Les œuvres de Jean-Claude Lajeunie explorent le caractère narratif de la sculpture. Le spectacle à participation les *Mécaniques* de Fusion des arts ainsi que les «environnements» de Maurice Demers expérimentent de nouveaux modes de communication entre l'art et le public et repoussent les limites du territoire de l'art jusque dans les lieux de la culture du divertissement. Fusion des arts et Maurice Demers réactivent ainsi le projet des avant-gardes historiques qui, affirmant que l'art pouvait changer le monde, avaient investi la démarche artistique d'une fonction messianique. Ils partagent aussi avec des intellectuels de la jeune génération, rassemblés par exemple autour de la revue *Parti pris*, une même vision utopique de la culture favorisant l'expression du potentiel créateur des individus et la prise de conscience de leur appartenance à une collectivité où les rapports hiérarchiques sont abolis.

Les artistes engagés dans la production d'un art public désigné, au cours des années soixante, par l'appellation «intégration des arts à l'architecture», redéfinissent également la relation entre l'art et le public. Rose-Marie Arbour en étudie dans le chapitre V les principales réalisations. Le climat de modernisation et d'urbanisation de la Révolution tranquille incite les dirigeants politiques à donner à l'artiste moderne des commandes d'œuvres d'art devant être installées dans les nouveaux édifices publics. Ce climat favorable à la commande publique fournit à l'artiste l'occasion de repenser son rôle social et de reconsidérer la composition de son public. Ainsi la murale de Jean-Paul Mousseau installée dans l'édifice d'Hydro-Québec ou le verre écran de Marcelle Ferron à la station de métro du Champ-de-Mars rendent accessible à un large public l'expérience esthétique de l'abstraction lyrique. Par ce nouveau rapport avec le public, l'artiste moderne des années soixante rompt avec l'isolement et la marginalité qu'il a connus durant les deux décennies précédentes. Il collabore également avec des techniciens de l'industrie, modifiant ainsi l'image de l'acte de création qui, dans un tel contexte, n'est plus un geste solitaire, mais se rapproche du modèle fonctionnel de production propre au design.

Le milieu de l'enseignement des arts participe également à ces débats qui ont lieu sur la scène de l'art actuel. C'est ce que démontre Suzanne Lemerise lorsque, dans le chapitre VI, elle interroge les conceptions de l'art ayant guidé l'orientation des programmes des écoles d'art mais aussi ceux de l'éducation artistique donnée aux enfants dans le système de l'école publique. Elle observe que les écoles d'art tentent, parfois non sans crise, de s'adapter à la configuration de la scène de l'art actuel. Trois institutions offrent alors un programme de formation professionnelle de l'artiste: l'École des beaux-arts de Montréal, l'Université Sir George Williams et le Musée des beaux-arts de Montréal. À partir de 1967, l'enseignement donné à l'École d'art du Musée des beaux-arts de Montréal s'inspire des tendances artistiques les plus actuelles, art pop, minimal ou conceptuel; on y organise aussi des cours de cinéma d'animation, de photographie et de design. Quant à l'École des beaux-arts de Montréal, elle est le lieu d'un débat opposant trois figures de l'artiste moderne devant guider la formation donnée dans une école d'art. Est remise en question l'image de l'artiste libre s'incarnant dans l'abstraction lyrique et qui, depuis 1958, avait orienté les programmes de l'institution. Des étudiants et quelques professeurs souhaitent transformer cette figure par le modèle du Bauhaus orienté vers l'intégration des procédés et des savoirs technologiques et rendant l'artiste apte à répondre à une nouvelle demande sociale. Durant la contestation étudiante de 1968, un groupe d'étudiants se démarque de cette vision de l'art intégré à la société et appelle plutôt l'artiste à la guérilla culturelle ou à la contestation radicale des normes établies. Le Département des beaux-arts de l'Université Sir George Williams, par ailleurs, connaît une décennie plus sereine que l'École des beaux-arts de Montréal. Plusieurs tendances artistiques sont représentées dans son corps enseignant, mais on y discerne, à la fin des années soixante, un regroupement de professeurs autour de l'esthétique formaliste, ce qui met cette école d'art en relation directe avec la figure dominante de l'art actuel. Ces deux institutions offrent également un programme de formation de l'artiste-enseignant qui favorise une approche de l'expérience de l'art guidée par les notions du modernisme.

Suzanne Lemerise met également en évidence le fait que l'intégration des études artistiques à l'université constitue une étape fondamentale de la reconnaissance publique de la discipline artistique qui, au cours de la décennie, est inscrite dans le champ des savoirs universitaires. Le Département des beaux-arts de l'Université Sir George Williams obtient son accréditation en 1965 et l'École des beaux-arts de Montréal est incorporée à l'Université du Québec à Montréal lors de la fondation de cette dernière en 1969. La création des programmes d'enseignement des arts pour les classes du primaire et du secondaire en réponse aux recommandations du rapport Parent constitue également une étape de la légitimation publique de la modernité artistique.

L'action du milieu de l'enseignement de l'art a donc contribué à l'intégration sociale de la modernité artistique qui est un des traits marquants de la vie artistique des années soixante. Par ailleurs, alors que le champ artistique est à peine formé, procurant à l'art un cadre social qui assure son autonomie, des artistes et des critiques craignent qu'il n'éloigne l'art d'un large public, qu'il ne le fasse exister en marge des autres secteurs de la pratique sociale. Ils réaniment ainsi le débat ouvert, au début du siècle, par les avant-gardes historiques européennes qui, à la suite de la consolidation de l'autonomie du champ artistique, se sont opposées à cette institutionnalisation de l'art. L'existence simultanée des deux tendances est, cependant, propre à la conjoncture québécoise: au moment où une institution prend forme pour soutenir les tendances du modernisme, on remet en question ses fondements.

Notes

1. Voir à ce propos, Paul Veyne, *Comment on écrit l'histoire*, Paris, Seuil, 1978.

2. La direction, «Au lecteur», *Vie des Arts*, janvier-février 1956, p. 1.

3. Georges-Émile Lapalme, *Pour une politique. Le programme de la Révolution tranquille*, Montréal, VLB éditeur, 1988, 384 p.

4. Jean-Paul L'Allier, «Pour l'évolution de la politique culturelle», Québec, ministère des Affaires culturelles, 1976, p. 10-11.

5. *Rapport de la Commission royale d'enquête sur l'avancement des arts, des lettres et des sciences au Canada, 1949-1951*, Ottawa, Edmond Cloutier, 1951, 596 p.

6. «Le ministère des Affaires culturelles — Talbot: "l'U.N. appuie le principe mais présentera des amendements"», *Le Devoir*, 3 mars 1961.

7. Georges-Émile Lapalme, *Le paradis du pouvoir, mémoires*, Montréal, Leméac, coll. «Vie et mémoires», t. III, p. 228.

8. Débats à l'Assemblée législative du Québec, mardi 3 mars 1964, vol. I, n° 34, p. 1431.

9. Georges-Émile Lapalme, *Le paradis du pouvoir, op. cit*, p. 157.

10. Robert Élie, «Rencontre avec Borduas», *La Presse*, 27 février 1969, réédité dans *Œuvres*, LaSalle, Hurtubise HMH, 1979, p. 602.

11. Les artistes Louis Belzile, Ulysse Comtois, Lise Gervais, Jean Goguen, Rita Letendre, Jean McEwen, Jean-Paul Mousseau, Claude Vermette, Fernand Toupin et le directeur de galerie Yves Lasnier ont déposé un mémoire au ministère des Affaires culturelles.

12. Guy Viau, Robert Élie, Jean-René Ostiguy, Jean Simard et Edmond Labelle, *Mémoire de l'Association des arts plastiques*, le 12 mars 1965, signé par G. Molinari (président), C. Tousignant, Y. Gaucher, G. Marion (membres du comité), Y. Robillard (rédacteur et conseiller technique).

13. Guy Viau, (sans titre), *Cité libre*, mars 1962, p. 29.

14. Marie Carani, *L'œil de la critique, Rodolphe de Repentigny, écrits sur l'art et théorie esthétique, 1952-1959*, Québec, Éd. du Septentrion/Célat, 1990, 282 p.

15. L. Laurent, «L'Op art à New York, Marion et Merola, Le Salon du Printemps», *Le Devoir*, 21 avril 1965.

ROSE-MARIE ARBOUR

CHAPITRE PREMIER

L'apport des femmes peintres au courant post-automatiste: une représentation critique (1955-1965)

L'hypothèse première à l'origine de cette étude est la suivante: il y a eu coïncidence entre l'élan libérateur du projet des automatistes et l'aspiration des femmes artistes à une autonomie et à une liberté créatrice, tant sur le plan social et collectif que sur le plan individuel et artistique. Ces femmes artistes privilégièrent une conception de l'art valorisant l'imaginaire et exprimant la dimension émotionnelle du geste individuel et singulier; cette conception de l'art n'était pas strictement autoréférentielle, elle éclairait la vie, elle éclairait ce qui peut advenir. En ce sens, l'importance des femmes artistes dans le champ de l'art actuel serait prémonitoire d'une libération plus large sur le plan socioculturel et politique.

Il faut élaborer, en histoire de l'art, une trame événementielle ou une histoire passablement complexe pour justifier le choix des œuvres et des artistes qui servent d'exemples — sinon de modèles — pour discerner les axes d'un mouvement artistique et l'historiciser. Selon le choix des œuvres ou des artistes pris comme objets d'étude, il s'ensuit des mises en place, des questionnements, des directions qui sont facteurs d'interprétation, et ces choix initiaux déterminent la suite de l'histoire. Cette histoire, pour autant, n'a pas la prétention d'être la «réalité»: les œuvres et artistes prises comme initiatrices d'une lignée amènent, en effet, à des considérations qui relèvent plus d'un discours sur l'art que d'une réalité qu'on dirait absolue. Une réalité historique n'existe pas sans qu'elle soit d'abord nommée, formulée, située dans ses relations avec d'autres facteurs qui en forment le contexte. Dans le cas présent, le fait d'avoir associé la peinture post-automatiste à la présence des femmes sur la scène de l'art, dès le milieu des années cinquante, a servi aux critiques à représenter positivement la peinture post-automatiste comme art actuel ou vivant, sans pour autant oublier que les mêmes traits permettront par la suite de le déclarer illégitime.

Il faudrait donc considérer ce chapitre sur les femmes artistes comme une lecture possible du post-automatisme en peinture. Un tel point de vue n'a pas été traité comme tel jusqu'à présent: ce courant a été négligé et sous-estimé, sinon dévalorisé, dans l'histoire de l'art contemporain au Québec et au Canada, coincé entre l'authenticité des automatistes et l'organisation contrôlée des plasticiens. En 1966, par exemple, Fernande Saint-Martin résumait la décennie 1955-1965 en art à Montréal par le «mouvement pictural proprement original, le Plasticisme, qui prit la relève de l'automatisme et qui fit de cette ville un centre dynamique s'imposant sur la scène de l'art international[1]».

Ce sera donc l'objet de cette étude que d'en reprendre les données, de les replacer dans une perspective qui tienne compte d'autres facteurs que celui d'un art abstrait conçu comme stricte progression linéaire de la tache expressive à la surface géométrisée, ou encore d'un *art vivant* conçu comme progrès de la figuration vers l'abstraction par le biais d'une réduction de plus en plus grande des éléments formels et picturaux — comme la conception formaliste de l'art abstrait l'a affirmé.

La représentation que la critique d'art a donnée des femmes artistes liées de près ou de loin au courant post-automatiste en peinture au cours de la décennie 1955-1965 nous amène à nous interroger sur le rôle qu'ont joué ces femmes dans l'art actuel et sur le rôle qu'on leur a fait jouer sur cette même scène. Leur place prépondérante au sein du courant post-automatiste en peinture soulève des questions concernant la position de l'artiste dit d'avant-garde dans la société canadienne-française d'alors et sur les rapports de pouvoir auxquels les femmes artistes durent faire face.

Automatisme et post-automatisme en peinture

Au Québec, une peinture non-figurative fondée sur le geste, l'action de peindre et l'expression de l'inconscient constitua, à la fin des années quarante, l'apport majeur des artistes automatistes (hommes et femmes) à la modernité picturale. Le groupe des automatistes — dont la moitié d'ailleurs étaient des femmes — avait signé en 1948 le *Refus global*, manifeste d'avant-garde dans le sens où le refus de la tradition et de la sclérose à tous les niveaux ainsi que la volonté de changement profond et global en appelaient à un nouvel art et à une nouvelle société.

Quelques passages du manifeste du *Refus global* (1948), rédigé en grande partie par Borduas, rappellent le contexte artistique particulier de cette période: «Rompre définitivement avec toutes les habitudes de la société, se désolidariser de son esprit utilitaire. [...] Refus de toute intention, arme néfaste de la raison. [...] Place à la magie: place aux mystères objectifs: place à l'amour: place aux nécessités: au refus global nous opposons la responsabilité entière[2].» Ce passage évoque l'inscription de l'automatisme dans une modernité qui était plus qu'un style ou une innovation formelle mais une éthique, une philosophie sociale, une foi. C'est dans la perspective éthique du manifeste de 1948 qu'il faut situer le questionnement sur une fonction nouvelle de l'art dans la société, préoccupation qui dirigea la réflexion et la pratique de nombreux artistes de l'*art vivant* dans les années cinquante et soixante[3].

Borduas fut le leader des artistes reliés à l'automatisme pictural et Riopelle en fut le représentant sur la scène internationale, du fait de ses liens avec les groupes parisiens d'art abstrait des années cinquante à la suite de son installation définitive dans la capitale française. Il contribua grandement à légitimer et à concrétiser la notion de *nature* sous-tendant la gestualité spontanée et instinctive dont son style était considéré comme porteur.

Jusqu'au milieu des années soixante, des artistes — particulièrement des peintres — s'inscrivirent dans ce courant pictural qu'on nommera plus tard *post-automatisme:* le geste exprimant l'émotion singulière et immédiate dirigeait l'organisation du tableau et l'articulait autour de la tache. Ces artistes donnèrent le ton à l'art canadien contemporain en se fondant sur les forces de l'inconscient tout en répondant à l'exigence d'un espace pictural se définissant de plus en plus à travers sa spécificité bidimensionnelle.

Dans les écrits et les comptes rendus d'exposition, ces peintres étaient rattachés à l'automatisme pictural, mais l'expression *post-automatisme*[4] nous est ici utile autant pour situer chronologiquement ces artistes venant *après* les automatistes (après 1955) que pour nommer leur option esthétique.

Le terme *post-automatisme* servira donc à désigner une seconde génération d'artistes qui, à la suite des peintres automatistes, furent reconnus officiellement comme des artistes *avancés* sinon d'avant-garde tant au Québec qu'au Canada: on y trouve entre autres Jean Goguen, Peter Gnass, Serge Lemoyne, Pierre Gendron, Claude Dulude, Charles Gagnon qui, d'une façon plus ou moins affirmée ou ponctuellement, se rattachèrent à une expression picturale du geste et de la matière. Bien que Fernande Saint-Martin considère[5] les plasticiens comme les véritables héritiers de Borduas, nous utiliserons le terme *post-automatisme* pour qualifier plutôt un style marqué par la libération du geste et le lyrisme pictural, mais qui est aussi en continuité avec l'élan intense de libération qui avait caractérisé la génération des automatistes. Des peintres comme Rita Letendre (*Vallala II*, 1961, ill. 8) et Lise Gervais (*Arcanes polyphoniques*, 1963, ill. 9) assumèrent l'éthique de liberté propre aux automatistes et leurs déclarations ultérieures allèrent en ce sens. Elles furent parmi les représentantes les plus reconnues, tant sur la scène québécoise que sur la scène canadienne, du post-automatisme en peinture.

Repères historiques

En 1966, le critique et historien d'art Jean-René Ostiguy désigna l'année 1956 comme «le début d'une totale remise en question de toutes les structures de la société québécoise[6]». Il aurait été étonnant que le domaine de la création artistique se soit maintenu dans un *statu quo* d'ailleurs impraticable en regard des débats et groupes qui se manifestaient alors dans le champ de l'*art vivant*.

L'année 1955 fut une année charnière pour l'art actuel au Québec. L'exposition des premiers plasticiens (Belzile, Jauran, Jérôme, Toupin) au café L'Échouerie (Montréal) fut accompagnée d'un manifeste, *Manifeste des plasticiens*, rédigé par Rodolphe de Repentigny (alias Jauran); en 1956, l'exposition inaugurale de la galerie L'Actuelle, dirigée par Molinari et Fernande Saint-Martin, regroupa la nouvelle tendance plasticienne dans un lieu moins ponctuel. Dorénavant une nouvelle tendance géométrique et abstraite s'ajoute à l'abstraction gestuelle ou lyrique des peintres automatistes[7]. Mais un nombre grandissant de jeunes peintres — en grande partie des femmes — endossaient simultanément l'élan expressif et libérateur propre à leurs aînés et aînées automatistes et développaient ces acquis sans pour autant constituer un groupe homogène. Ces artistes du post-automatisme se situaient ainsi en vis-à-vis du groupe des peintres plasticiens. Les artistes non-figuratifs de toutes tendances se regroupèrent, en 1956, dans l'Association des artistes non-figuratifs (AANF) fondée en février à Montréal (Rodolphe de Repentigny en était un cofondateur), dont le premier président fut

Fernand Leduc. L'Association visait ainsi à regrouper toutes les tendances abstraites en arts plastiques, abstraction lyrique aussi bien que géométrique.

Après 1955, c'est-à-dire après la tentative sans lendemain de réunir de nouveau les automatistes à l'occasion de l'exposition *La matière chante* (Montréal, 1954), l'AANF contribua à complexifier et à morceler le champ de l'art vivant à Montréal. Accueillant indifféremment les tenants d'une peinture gestuelle non-figurative et ceux d'une peinture abstraite géométrique, l'AANF caressait le projet d'abolir les limites de l'expression picturale, sans opposer pourtant la peinture gestuelle à l'abstraction géométrique; cette association exaltait de ce fait la liberté propre à la peinture devant les contingences extérieures, accentuant encore davantage une conception de l'art actuel où abstraction et figuration étaient fondamentalement contradictoires[8]. Plusieurs des membres de l'AANF étaient liés au post-automatisme gestuel et lyrique: l'importance d'artistes comme Jean McEwen, Marcelle Maltais, Rita Letendre, Kittie Bruneau y était reconnue, ce qui explique en partie qu'au début des années soixante, le post-automatisme fut le courant dominant de la peinture actuelle au Québec et au Canada[9].

L'année 1965 ferma cette décennie avec l'apparition d'une «nouvelle sensibilité» en art et la reconnaissance officielle des peintres plasticiens. L'exposition new-yorkaise *The Responsive Eye* (New York, hiver 1965), à laquelle participèrent deux artistes québécois, Claude Tousignant et Guido Molinari, fut un signal. Cette exposition internationale regroupait une centaine de tableaux et d'objets d'artistes de dix-huit pays différents, artistes reliés à l'*art optique* et à l'exploitation des phénomènes de perception. Cette même année, la galerie du Siècle (Montréal) sanctionnait la position désormais dominante des plasticiens sur la scène de l'art actuel avec une exposition qui leur était consacrée: il s'ensuivit un rejet des valeurs propres à la gestualité expressive des artistes post-automatistes, d'autant que l'art des plasticiens rejetait nommément toute forme d'abstraction lyrique et mettait de l'avant l'«objectivité» et la «pure opticalité» en peinture. Les peintres post-automatistes furent affublés de qualificatifs dévalorisants et négatifs: «barbouilleurs», «beurreux», «amateurs d'un tachisme dévergondé, gratuit, pâteux[10]». À l'été 1965, à la Galerie nationale du Canada (Ottawa) lors de la Ve Biennale canadienne, l'abstraction lyrique en peinture se révéla en très nette perte de vitesse par rapport aux diverses tendances de l'art actuel et, selon le critique d'art Laurent Lamy, Lise Gervais restait «à peu près seule à apporter à cette option […] une contribution valable par la générosité de l'expression et l'authenticité de l'inspiration[11]». Des notions étaient dorénavant jugées désuètes: authenticité, spontanéité, libération du geste; ces valeurs éthiques, dans l'ordre nouveau issu de la «nouvelle sensibilité», n'étaient plus prioritaires ni ne correspondaient au dispositif régulateur de l'art actuel.

Le contexte de reconnaissance des femmes artistes dans l'*art vivant*

L'importance du nombre de femmes peintres, dans le post-automatisme particulièrement, fut soulignée par une exposition organisée par l'AANF à la Galerie nationale (Ottawa) qui regroupa vingt-sept tableaux de ses vingt-deux membres dont neuf femmes[12]. La présence des femmes témoignait de la situation inédite de ces dernières dans le champ de l'art actuel au Québec, mais aussi au Canada. Cette exposition regroupait ceux et celles qui, considérait-on, avaient défini des problématiques de l'art vivant alors identifié en majeure partie au post-automatisme en peinture: Charles Gagnon, Lise Gervais, Edmund Alleyn, Jean Goguen, Marcelle Ferron (*Sans titre*, 1962, ill. 6), Suzanne Meloche, Suzanne Bergeron, Monique Voyer (*Gouache n⁰ 4*, 1962, ill. 4), Jacques Hurtubise, Laure Major, Jean-Guy Mongeau, etc.

Les femmes artistes furent majoritaires dans l'esthétique et le courant post-automatistes et rapidement reconnues comme telles. Leur présence sur la scène de l'art actuel dès 1948 avait été un phénomène nouveau et remarquable, et on peut à bon droit se demander comment et pourquoi tant de femmes artistes endossèrent le manifeste des automatistes et s'inscrivirent dans la voie picturale qu'il avait inaugurée.

Cette peinture abstraite automatiste était caractérisée par l'importance accordée aux gestes et aux mouvements de l'artiste au travail, inscrits dans une pâte épaisse et colorée sur une toile dont le caractère bidimensionnel, le plan *all-over* étaient relativement respectés. Le *sujet* peignant pouvait donc être considéré comme le contenu de l'œuvre. Cette identification sujet-contenu sera particulièrement soulignée dans les œuvres des femmes peintres: leur «nature» spécifique était vue comme authentique, située au-delà de toute rationalité et de tout ordre prescrit. Le contenu de l'œuvre peinte en était directement informé. D'ailleurs, le choix stylistique des femmes peintres (abstraction lyrique, expression gestuelle...) confirmait la valeur de libération métaphorique qui avait été attachée à la peinture des automatistes — libération à la fois éthique et esthétique autant pour les hommes que pour les femmes. De plus, et contrairement aux hommes, les femmes artistes n'avaient pas de modèle d'artiste femme ayant travaillé dans une perspective moderniste et, sur le plan social, le projet de réaliser l'autonomie des femmes n'était pas encore formulé. Le seul modèle libérateur et émancipateur était l'art des automatistes.

Dans les années cinquante, un public très restreint avait favorablement reçu la peinture automatiste: la société québécoise amorçait lentement son entrée dans une nouvelle ère économique et culturelle qui sera baptisée «Révolution tranquille» dix ans plus tard. Cette conjoncture est importante à souligner, si l'on veut comprendre le rôle et la position des femmes artistes sur la scène de l'art de cette période.

À son tour, la peinture post-automatiste fut accueillie avec un intérêt grandissant par les critiques d'art et les collectionneurs, et les expositions qui lui étaient consacrées dans les galeries d'art montréalaises, particulièrement dans la première moitié de la décennie 1960, furent de plus en plus nombreuses. Un tel intérêt coïncidait avec la montée diffuse mais généralisée, depuis la seconde moitié des années cinquante, d'un élan de libération nationale lié à l'imminence de la fin de la période duplessiste. Cet élan libérateur se concrétisait chez les peintres, et pour un public grandissant, dans ces couleurs giclées, ces grands gestes sans entraves, ces pâtes épaisses où la présence physique de l'artiste se faisait sentir concrètement. Cette flambée de modernité fut donc prise en charge par les critiques et historiens d'art[13], tous des hommes à une exception près, rattachés aux grands quotidiens francophones et anglophones du Québec et aux quelques rares revues d'art qui existaient alors au Canada.

Tentons d'éclairer brièvement la trajectoire de cette montée des femmes au sein du champ de l'*art vivant* en faisant un bref retour en arrière afin de situer globalement la place de ces dernières dans le champ artistique.

Depuis 1923, une grande partie de la population étudiante était composée de femmes à l'École des beaux-arts de Montréal (EBAM[14]). La vocation éducative de l'EBAM consistait surtout à développer la culture et le goût; en vue de parfaire leur culture et leur goût, pour être des épouses et des mères d'autant plus parfaites par la suite, les femmes s'y retrouvaient donc nombreuses. On pouvait s'inscrire à l'EBAM après un cours secondaire seulement; aussi cette formation était-elle accessible aux femmes, particulièrement à celles qui n'auraient pu autrement entreprendre des études plus longues, tel le cours classique, ou bien fréquenter l'École normale. C'est qu'au cours des années quarante une réforme scolaire avait été entreprise, à la suite de la loi sur l'instruction obligatoire, qui finit par renouveler les structures et les programmes de l'école secondaire. Ainsi, entre 1954 et 1959 fut institué un véritable cours secondaire public qui marqua le début de l'accession des filles à une éducation prolongée[15]. Peu à peu, des femmes accédèrent à des professions qui leur avaient été fermées avant 1950, à condition cependant qu'elles demeurent de «vraies femmes» et respectent leur vocation d'épouses et de mères. Elles pouvaient donc se préoccuper de questions sociopolitiques, de culture et d'art dans la mesure où elles restaient les «anges du foyer[16]». La revue *Châtelaine*, en 1960, se faisait le porte-parole d'une telle idéologie:

> Il importe que la femme cultive avec une perfection toujours plus grande l'élégance et la beauté, ainsi que les divers arts ménagers qui perpétuent dans notre vie quotidienne les plus belles traditions françaises. D'autre part, les beaux-arts et la politique, l'éducation, la science ou les problèmes sociaux ne sont plus aujourd'hui une chasse gardée du sexe fort; il est bon aussi que l'honnête femme ait des lumières sur tout puisque son sort et celui de ses enfants sont liés au destin du monde[17].

La décennie 1955-1965 fut marquée au Québec, socialement et culturellement, par une ouverture de la société québécoise à de nouvelles valeurs. Des femmes se cherchaient un nouveau lieu social et des pratiques émancipatrices qu'elles devaient inaugurer. Rappelons que le domaine des arts visuels avait été traditionnellement un lieu plus accessible aux femmes du fait, entre autres, que les écoles des beaux-arts de Montréal et de Québec admettaient les élèves après le secondaire ou son équivalent et que l'enseignement y était gratuit. Certaines de ces élèves, après leurs études ou du moins après un passage à l'EBAM, s'étaient taillé une réputation enviable, telles ces artistes qui avaient reçu leur formation à l'Art Association of Montreal entre 1879 et 1942: Marjory Smith, Mary Dale Scott, Claire Fauteux, Anne Savage, Lilias Newton, Louise Gadbois, Prudence Heward, Mabel May, et d'autres encore. De plus, les femmes peintres exposaient régulièrement au Musée des beaux-arts au cours des années trente et quarante, particulièrement lors d'une exposition qui leur était annuellement consacrée.

Les femmes artistes du post-automatisme étaient des novatrices, car leur choix stylistique symbolisait et affirmait publiquement l'adéquation entre leur liberté gestuelle et leur volonté d'un rapport différent à la réalité sociale, individuelle et collective. Cette affirmation de la subjectivité devenait celle de l'individu par rapport à sa collectivité, et c'est cela que les femmes peintres inaugurèrent alors. Dans l'acte même de peindre, elles se réalisaient et s'authentifiaient, l'automatisme leur servant de voie d'accès à ce processus émancipateur.

La critique d'art appuie le courant post-automatiste

Si donc la communauté artistique reliée à l'*art vivant* était relativement réduite, le nombre des femmes artistes y était élevé. Pendant un certain temps, selon les critiques d'art Guy Viau[18], Jean Sarrazin[19] et Jean Cathelin[20], les femmes artiste dominèrent la scène artistique non seulement au Québec mais au Canada.

Pour certains, cette place était acquise aux femmes d'abord à cause de leur nature: «[...] la peinture abstraite leur convient. Les femmes sont à l'aise dans cette forme d'expression où le moi et l'intuition tiennent une grande place[21].» D'autres se limitaient à une apparente objectivité mais n'en prêtaient pas moins aux femmes une affinité particulière avec un certain style: Claude Jasmin constatait que des artistes comme Marcelle Ferron, Marcelle Maltais, Rita Letendre, Laure Major, Monique Charbonneau, Suzanne Bergeron et Monique Voyer avaient marqué d'une façon décisive le champ de «l'abstraction tachiste, gestuelle[22]». Jean Cathelin, présentant en 1961 l'école de Montréal principalement par ses femmes artistes, écrivait: «Nombre d'œuvres et d'artistes en plein devenir [...] donneront une idée de ce que tend à être l'école de Montréal de demain. Faute de temps, limitons à quatre artistes ces ultimes analyses [...]. Dans l'art comme dans les lettres, la participation croissante des femmes constitue un facteur énorme de transformation de la société canadienne[23].» Il nommait Marcelle Ferron, Rita Letendre, Suzanne Meloche, Henriette Fauteux-Massé (*Oasis, sables et mers n⁰ 2*, 1965, ill. 7),

Tobie Steinhouse ainsi que Charles Gagnon et plaçait dans cette catégorie le peintre Jean McEwen, «l'un des meilleurs parmi les talents nouveaux».

Les affirmations des critiques et le nombre élevé des femmes artistes dans le courant post-automatiste incitent donc à s'interroger plus en profondeur et plus particulièrement sur le rapport existant entre les valeurs de liberté inaugurées par le mouvement automatiste et les femmes artistes qui s'y identifièrent et s'y rallièrent.

Une figure exemplaire: Marcelle Maltais

Dans le courant post-automatiste entre 1955 et 1965, l'attitude et la production picturale de Marcelle Maltais sont exemplaires. Le point de vue monographique sera donc adopté ici et des observations faites à propos de plusieurs autres femmes artistes seront évoquées sans pour autant prétendre ou sous-entendre que Marcelle Maltais ait été un modèle pour chacune d'elles. Ces femmes étaient plus ou moins de la même génération et pratiquaient leur art pendant la même période (1955-1965): c'est pourquoi elles avaient de nombreux points communs.

Avant de se joindre au courant automatiste en peinture, Marcelle Maltais (*Composition*, 1958) avait pratiqué la figuration qu'elle délaissa de 1955 à 1967, date après laquelle elle y reviendra définitivement[24]. Dès 1957, elle était comparée à Borduas et Riopelle et assimilée à ceux-ci. Ses distances mais aussi ses liens avec ses «pères» étaient soulignés par le critique d'art Rodolphe de Repentigny; devant les gouaches exposées à la galerie L'Actuelle, celui-ci fut surpris de trouver une telle maturité chez une débutante qui se faisait valoir autant par la «spontanéité et la fraîcheur» que par la rigueur et le contrôle (le terme de contrôle était utilisé plutôt que celui de maîtrise, chez plusieurs critiques). «Cela nous promet, écrivit-il, des œuvres plus éclatantes encore, plus coupantes, plus dures, plus déclamatoires aussi[25].» Marcelle Maltais présenta à la fin de cette même année une exposition spectaculaire de vingt-sept tableaux au Musée des beaux-arts de

Montréal. Sa recherche, qualifiée de passionnée et de vitale, était reliée à celle de Borduas et de Riopelle; sa peinture s'affirmait en de grandes surfaces noires ou colorées, imbriquées dans des blancs. Le terme de «dur» fut repris à cette occasion par le même critique et cela avait évidemment trait à l'affirmation d'une structure claire du tableau. Repentigny évoqua Nicolas de Stael pour «la tension superbement contrôlée de son œuvre», notant que si plusieurs peintres canadiens avaient subi cette influence, «jamais encore n'avait-elle paru si fertile[26]».

Dans le cadre référentiel de l'opposition abstraction-figuration qui fut déterminante pour le positionnement de la peinture automatiste dans le champ de l'art actuel nord-américain, ce rapprochement avec le peintre Stael, représentant majeur de ce qui alors était nommé École de Paris, était significatif et d'autant plus intéressant que ce peintre ne s'inscrivit jamais dans une abstraction stricte, se rangeant plutôt du côté d'une non-figuration (sorte de paysagisme abstrait) pratiquée alors par certains artistes français tels Bissière, Manessier, Bazaine, Le Moal. Mais ce qui ici avait le plus frappé le critique était moins cette affinité avec Stael que le type d'organisation et d'enchâssement des surfaces colorées des œuvres de Maltais: il en reconnaissait l'intérêt intrinsèque, tout en le comparant avantageusement à d'autres styles.

Rodolphe de Repentigny loua la concentration et l'énergie de Maltais[27] à propos des œuvres exposées à la galerie Delrue (Montréal) en 1958; cette exposition témoignait d'un assouplissement des moyens picturaux et d'une subtilité qui laissaient loin derrière la dureté volontaire des tableaux antérieurs.

Rapprocher et comparer la production artistique d'une femme peintre avec celle d'hommes artistes (ses «maîtres» et ses pairs) précéda sinon amorça la tendance de plusieurs critiques d'art à invoquer l'argument du sexe pour expliquer et interpréter les œuvres des femmes artistes. La signification sociale et symbolique attachée à ce critère devenait déterminante dans l'évaluation esthétique des œuvres. Rodolphe de Repentigny et Réa Montbizon, la seule femme critique d'art régulièrement attachée à un quotidien anglophone[28], furent les seuls à considérer la peinture des femmes dans sa spécificité et comme pratique autonome, à ne rappeler qu'à titre bien secondaire le sexe de l'artiste.

En 1962, Rodolphe de Repentigny considérait Marcelle Maltais (*Scarabée des glaces*, 1960, ill. 3) comme une figure dominante de l'expressionnisme abstrait canadien, sans faire aucune référence à des critères sexuels, ce qui était exceptionnel comme divers témoignages le démontrent: «De tous ces jeunes peintres de l'art canadien actuel, Maltais semble être l'un des meilleurs éléments. [...] Elle est le creuset des vertus de la vigoureuse jeune école de Montréal: crudité des tons chauds, clarté franche de ses fonds, rythme endiablé des taches, des lignes, des formes[29].»

En fait, la plupart des critiques recouraient à des expressions comme «femmes fortes» et la force «naturelle» de leur instinct pour qualifier Maltais, Gervais et Ferron.

La nature et le féminin

Guy Viau (1964) tenta de cerner la place des artistes canadiens-français et leur rôle sur la scène nord-américaine et européenne. Il considérait que les Canadiens français assumaient une fonction stratégique dans le mélange des cultures auquel ils assuraient, disait-il, la dynamique et la dimension créatrice. De là à présumer que l'artiste canadien-français était investi d'une mission — celle d'être la synthèse entre le Nouveau Monde et l'Ancien —, il n'y avait qu'un pas. Cette mission, selon Viau, consistait à être un modèle de courage, de réalisme, dont la capacité de vision pouvait seule permettre de réaliser cette synthèse et, ajoutait-il, «paradoxe, l'illustration de ce courage, de cette virilité nous vient en particulier des femmes-peintres[30]...» Il faut rappeler ici que l'opposition entre nature et culture sous-tendait celle qui existait entre automatisme et plasticisme depuis le milieu des années cinquante chez plusieurs critiques d'art. Cette opposition fut utilisée aussi pour représenter les femmes post-automatistes et leurs œuvres face aux hommes peintres et face aux tenants du plasticisme. À ce titre, Rita Letendre, à qui on attribuait une nature primitive et sans entrave, fut caractérisée par son goût de liberté, son élan instinctuel du geste marquant d'une façon expressive la pâte épaisse et sensuelle. On expliquait même ce «goût farouche de liberté» par ses origines amérindiennes[31]. Cependant, les exigences de rigueur de l'artiste et la maîtrise de son art constituaient l'élément salvateur, la balise qui seule assurait la grandeur et la valeur de cette peinture, car le désordre, l'instinct, la «nature» n'y suffisaient pas. Ordre et culture étaient le principe organisateur qui permettait à l'art d'exister: «Sa peinture est fougueuse mais aussi réfléchie que passionnée; le geste aussi rapide qu'est lente la réflexion. [...] Femme, Rita Letendre incarne la puissance et par son intuition et son lyrisme, elle préfigure un demain, un rêve rempli de merveilles[32].» On disait aussi de la peinture de Rita Letendre qu'elle exprimait la nature dans toute sa force mythique: elle était «forte, percutante, violente comme une nature vierge d'hommes[33]».

Une crainte était évidente chez la plupart des critiques: la *nature*, par définition sauvage, risquait de faire de la peinture un acte et un lieu incompréhensibles. Menaçante mais source d'énergie et d'expression, la *nature* était particulièrement présente chez les femmes peintres du courant post-automatiste mais n'était aucunement évoquée à propos d'un Jean McEwen, d'un Charles Gagnon ou d'un Pierre Gendron. L'adéquation entre nature et féminin rendait difficile une évaluation plus objective du travail pictural des femmes selon des caractéristiques qui seront un peu plus tard reliées au formalisme à l'américaine (construction, caractère bidimensionnel[34], etc.). Cette adéquation concrétisait admirablement bien par ailleurs la vérité première réfugiée au plus profond de l'inconscient et dont l'abstraction gestuelle se voulait l'instrument privilégié de formalisation et d'expression. Pour Guy Viau, la «force» des femmes était «virile», ce qui expliquait leur vraie nature. Si, pour la plupart des commentateurs et critiques de cette période, les qualités majeures de la peinture étaient d'être forte et contrôlée (qualités viriles), ses défauts étaient d'être décorative, molle et facile (défauts féminins). Une journaliste reprit ce type d'argumentation en 1966 à propos de Marcelle Maltais: si les femmes peintres (Lise Gervais, Rita Letendre, Françoise

Sullivan, 1962) étaient maintenant importantes dans l'art actuel, écrivait-elle, cela était dû au fait qu'il n'y avait plus, en peinture, de distinction reliée au sexe, impliquant ainsi la disparition du féminin ou du moins sa neutralisation.

Raison/émotion: un binarisme réducteur

La quête et l'exercice de la liberté pris en charge par les automatistes et la plupart des artistes nord-américains de l'expressionnisme abstrait avaient été symbolisés (surtout du côté américain) par la figure du défricheur et de l'artiste comme héros; les figures de l'explorateur, du bûcheron étaient implicitement associées à une nature primordiale, originelle, à une sorte d'inconscient collectif. Ce mythe de l'origine dont l'artiste expressionniste était une sorte de *chaman* se transforma dans le contexte propre à la Révolution tranquille: s'il avait été évoqué à propos des femmes peintres du post-automatisme, on voyait maintenant ces femmes en train de rejeter un passé aliénant et tournées vers le futur (Guy Viau). Pour sa part, Fernande Saint-Martin rappelait, à propos de Lise Gervais, le processus réactionnel plutôt qu'organisateur propre à ce type de peinture lyrique, qui était à l'origine de sa façon de peindre, soulignant que cet aspect préconceptuel limitait le développement de l'artiste. Lise Gervais se trouvait enfermée dans la répétition du *même*, ce qui la rapprochait de la «véhémence caractéristique du groupe COBRA[35]». Cette démarche réduisait la richesse plastique de sa recherche picturale qui était aussi privée de dimension intellectuelle: «En refusant de participer à la problématique actuelle de la peinture et en choisissant d'être à contre-courant, Lise Gervais est acculée à trouver les ressources de son art dans sa seule expérience émotive[36].» Pour Fernande Saint-Martin, l'élan gestuel dont le tableau est en partie la trace ne pouvait se transformer en une action organisatrice d'un nouvel ordre visuel et optique (*Cinétique contre-op n° 1*, 1967, ill. 5).

Selon le témoignage d'une autre artiste, Laure Major, le processus réactionnel propre au geste expressif ne se vivait pas pour elle comme une exclusion:

La peinture constitue pour moi la possibilité de m'exprimer et surtout de me créer un univers à ma dimension; je n'ai aucune intention préconçue quand je commence à peindre, je laisse l'imprévu enrichir la toile et c'est à la fin que je reprends en main tous les éléments pour constituer une totalité plastique valable. [...] Pour comprendre un tableau, il faut d'abord se comprendre soi-même; on ne participe à l'art que dans la mesure du potentiel d'authenticité que l'on possède soi-même[37].

Ici la peinture était vue comme représentation symbolique, sans que soient niées pour autant les spécificités du médium, alors que pour Fernande Saint-Martin la réduction formaliste était la seule valable.

Écrivant à propos de Jacques Hurtubise, cette dernière explicitait bien sa propre conception réductiviste en peinture:

Il est sollicité depuis sa sortie des Beaux-Arts, en 1960, par la double exigence qui confronte aujourd'hui les artistes du Québec, soit le besoin d'une affirmation émotionnelle et le désir d'élaborer une structure picturale plus rigoureuse et abstraite. De la libération automatiste, il a gardé le sens de l'expressivité de la tache et certaines techniques de production, comme la décalcomanie. Du post-plasticisme, il a adopté des préoccupations structurales et un nouveau vocabulaire formel qu'il tente d'intégrer à son tempérament lyrique[38].

Ajoutant qu'il était allé chercher à New York la brisure radicale, là où pendant une courte période les tenants québécois de la géométrie et du *hard-edge* en art crurent à un lieu possible d'exposition et de diffusion artistiques en participant à des expositions telles que *Geometric Abstraction in Canada* et *The Responsive Eye* (1965), Fernande Saint-Martin établissait une hiérarchie progressive dans les manifestations de la peinture actuelle.

Contrairement à cette critique, Yves Robillard voyait s'opérer dans la peinture de Lise Gervais, après 1963, une sorte de mutation: la tache se présentait comme masse positive ou négative selon sa situation sur la toile, et cette opposition-affirmation dynamique résolvait une apparente antinomie: «C'est peut-être pour cela que certains commentateurs ont, les uns parlé du tragique dans la démarche picturale de Lise Gervais, les autres mis surtout l'accent sur son aspect hautement joyeux[39].»

Finalement, il ressortait de ces perceptions et jugements que la peinture gestuelle et lyrique était particulièrement reliée à un sexe, que le manque de contrôle y était une menace spécifique et constante. On sent que les convictions picturales des plasticiens devenaient valeurs dominantes et que les peintres de l'abstraction lyrique post-automatiste étaient de plus en plus considérés comme suspects.

Fonction idéologique de l'appartenance à un sexe pour caractériser la peinture post-automatiste

La différence sexuelle vue comme fonction du sexe biologique entraîne la croyance en une «nature féminine». C'est ainsi que l'adoption, par les femmes peintres, d'un style pictural déterminé apparut naturelle plutôt qu'option réfléchie et lieu de construction d'identité qui, elle, se produit et se reproduit continuellement dans les pratiques sociales. Le discours des critiques, autant par rapport à l'art que par rapport aux artistes, était marqué par un binarisme fondé sur l'opposition masculinité/féminité: raison/émotion, dureté/mollesse. Un tel binarisme affecta la lecture des œuvres chez la plupart, et le langage qui fut utilisé pour en rendre compte expliquait moins la peinture qu'il ne l'interprétait au moyen de schémas sexistes stéréotypés. Marcelle Ferron, apparentée à Borduas sur le plan du style, était censée s'en distinguer néanmoins par «ses résultats passionnés plutôt que raisonnables (*cool*[40])». Ce langage était un *discours* dans le sens où il prétendait définir la réalité selon la *vérité*.

Guy Viau, parmi d'autres, avait sanctionné l'importance des femmes artistes dans la peinture post-automatiste. Grâce à leur nature féminine, elles auraient été prédisposées à l'échange: «La peinture abstraite convient aux femmes, à leur mode de connaissance intuitive, à leur capacité de communication[41].» Quelle que soit la vision que les critiques avaient du geste spontané sur la toile en peinture, on constate qu'il y avait consensus quasi unanime à maintenir l'adéquation entre l'automatisme gestuel et le féminin. Guy Viau soutint même qu'un destin marquait le travail de tout artiste dans ses choix stylistiques et formels: dans le cas présent, les femmes avaient bien choisi la peinture gestuelle et lyrique en raison de leur sexe, y reconnaissant pour ainsi dire les formes qui convenaient le mieux à leur instinct et à leurs intuitions profondes. Ce qui ressortait d'un tel discours était une conception de l'artiste comme être prédestiné, choisissant un style déjà existant plutôt que ne le produisant lui-même ou elle-même à travers un processus de travail pictural.

Il s'ensuivit une neutralisation de la portée contestataire et critique de l'automatisme originel: au meilleur, la peinture post-automatiste était expression d'émotions profondes à la condition d'être contrôlée. Au pire, elle basculait dans la sauvagerie et l'incohérence. Dans tous les cas, le post-automatisme pictural était considéré comme le reflet d'une nature dite féminine plutôt qu'un lieu critique de construction formelle.

Les critiques se rassuraient ainsi eux-mêmes en même temps que leur public en ce qu'ils donnaient un *sens* mesuré à l'art abstrait qui soulevait toujours la méfiance de la part du grand public. Il était important de faire accepter l'art moderne, et la présence des femmes artistes dans le champ de l'art actuel le rendait plus familier et accessible, semblait-il, du fait que, traditionnellement, le rôle des femmes était précisément celui-là.

Dimension historique de la dichotomie raison/émotion

La recherche d'une *nature* originelle avait été propre à la modernité artistique, depuis Manet en passant par Kandinsky et Klee jusqu'à Jackson Pollock (qui voulait exprimer ses sentiments plutôt que les illustrer, se considérant lui-même comme *nature*). La *nature* était ce «fond de l'être» occulté et même dévoyé par les conventions et les normes artistiques.

Le maniement libre des instruments et la souplesse des médiums propres à la peinture permettaient de faire affluer à la surface, de concrétiser dans la pâte et les couleurs, des sentiments et des affects, des pulsions et des élans autrement informulés.

À Montréal comme à New York, la peinture était, par rapport aux autres domaines de pratiques sociales, un lieu radical de liberté, propice à l'expression de nouvelles réalités. Il convient de rappeler ici cette réponse de Borduas à Gilles Hénault au sujet des «rapports entre la peinture et l'activité sociale, ou plus généralement entre l'art et la vie»: «Dans mon esprit il n'y a aucun doute aussi lorsque l'homme est aux prises avec ces nécessités émotives, intellectuellement, il est dans un état particulier. [...] Dans la détermination de ces états, l'éducation, une des formes de l'activité sociale, a beaucoup à voir. L'œuvre ainsi déterminée à son tour devient déterminante. Et c'est là son rôle social[42].» Le *Refus global* avait proposé à la place de l'«intention, arme néfaste de la raison, la magie, les mystères objectifs, l'amour et les nécessités».

L'intensité, la spontanéité, la reconnaissance de sa propre expérience, le rejet des valeurs et compromis aliénants furent donc considérés comme un legs central par les artistes plus jeunes du courant post-automatiste. Si, en 1957, l'esthétique de Marcelle Maltais était avantageusement comparée à celle de Borduas: «[...] la peinture de Maltais en est une d'action, d'agressivité et de conquête», alors que la peinture récente de Borduas «est le fait d'un contemplatif à l'orientale [43]», c'est que la dimension performante de cet art sous-tendait l'affirmation du *sujet* peignant en tant qu'individu, et cela était jugé commun à la plupart des femmes peintres de ce courant.

Michel de Certeau écrit au sujet de l'affect: «Les affects, c'est la forme que prend chez Freud le retour des passions[44].» «Avouer l'affect, écrit-il, c'est aussi réapprendre une langue *oubliée* par la rationalité scientifique et réprimée par la normativité sociale. Enracinée dans la différence sexuelle et dans les scènes enfantines, cette langue circule encore, déguisée, dans les rêves, les légendes et les mythes[45].» En ce sens, on peut avancer qu'une recherche d'identité caractérisa les femmes peintres québécoises dans leur pratique artistique. Contrairement aux allégations de plusieurs critiques, aucune d'elles n'était à la recherche de *l'origine* qui était si fréquente chez les hommes artistes pratiquant une abstraction lyrique et gestuelle. Les quelques déclarations des femmes artistes ont trait à leur propre expérience et à leur volonté d'établir des relations nouvelles avec le monde — la peinture abstraite gestuelle étant un lieu et un moyen pour ce faire.

Si entre le corps (la main de l'artiste) et la toile se joue l'espace de la peinture, cet espace — à la fois extérieur au peintre tout en lui étant intimement lié — peut être considéré comme lieu d'élaboration de l'identité. Chez les femmes peintres, particulièrement dans ce contexte historique précis, la construction de la toile était métaphore de la construction de leur monde. Mais si quelques rares critiques mentionnè- rent indirectement comme élément critique et significatif ce chevauchement art-vie, la plupart ne songèrent à le voir que comme reflet plutôt que comme construction symbolique et plastique.

On peut donc penser que les femmes artistes profitèrent effectivement de l'élan de libéralisation de la scène artistique québécoise amorcée par le *Refus global*. Elles seront à leur tour des figures émancipatrices sur le plan social, objet du dis- cours de la critique d'art dans les grands quotidiens et les magazines à grand tirage, et dès lors modèles pour d'autres femmes. Ces femmes peintres permirent en effet de dessiner, à la veille de la Révolution tranquille, la figure possible des femmes nouvelles en démontrant, dans le champ de l'art ac- tuel, leur capacité de production et leur concentration au travail.

En 1957, Rodolphe de Repentigny écrivit que Marcelle Maltais était «un des plus intéressants jeunes peintres de Montréal[46]». À l'occasion d'une exposition qu'elle présenta l'année suivante à la galerie Denyse Delrue, il ne cacha pas son étonnement devant le travail impressionnant de l'artiste et souligna le danger qui aurait guetté toute autre artiste à montrer coup sur coup un nombre aussi grand d'œuvres. «Mais ici, écrit-il, il faut faire exception. Marcelle Maltais travaille avec tellement de concentration et d'énergie[47]...»

Jean Sarrazin, critique d'art à *La Presse*, tenta de comprendre la conjoncture dans laquelle se situait cet apport exceptionnel des femmes en art. Il rappela les événements socioculturels qui marquèrent la situation des femmes de la décennie 1955-1965 et établit un lien pertinent entre la présence actuelle des femmes en art, l'émancipation de la femme en général et l'évolution de la société canadienne-française: «L'amélioration des conditions matérielles de cette société [...] laissent à la femme les loisirs suffisants pour la liberté de choisir une carrière artistique. C'est ainsi qu'aujourd'hui nous comptons toute une génération de Canadiennes françaises pour qui l'art est la raison de vivre et qui y consacrent leur existence. Mieux... qui ont conquis la célébrité et qui comptent parmi nos meilleurs artistes[48].» Ce texte est remarquable pour le rapport qui y est établi entre les conditions sociales et économiques d'un individu et la pratique d'une profession, mais il fut isolé et sans écho, du moins dans le milieu artistique de l'époque, et il faudra attendre un texte signé par Rita Letendre en 1975 pour que se poursuive cette réflexion. Letendre y affirmait — d'ailleurs en termes contredisant ceux de Sarrazin — l'existence d'un lien entre la situation d'une femme et sa position d'artiste. Quant au fait d'être une femme dans le milieu artistique, elle témoigna qu'il y avait eu là moins de difficulté à l'être qu'au sein de l'espace social en tant que tel, où les critiques d'art renforçaient les stéréotypes dominants: «Au moins, je n'avais plus à me défendre d'être une femme. [...] Nous étions des peintres contestataires à la recherche d'un nouveau langage Seuls les critiques, lorsqu'ils daignaient s'intéresser à nous, trouvaient le temps de s'arrêter à ces niaiseries: "Mais elle peint comme un homme[49]."» Baudelaire avait utilisé la même phrase à propos d'une femme peintre en 1846 pour la soustraire à cette différence sexuelle qui signifiait alors son infériorité par rapport aux hommes mais aussi dans sa condition d'artiste; cela, Rita Letendre ne le savait pas.

Une conception holistique de la peinture: Laure Major

Laure Major (*Oriflammes d'orage*, 1958, ill. 2) représenta également une sorte de paradigme de la trajectoire de plusieurs artistes du courant post-automatiste — trajectoire qui ne se résume nullement à une opposition réductionniste de l'émotion et de la rationalité comme nous venons de le démontrer.

Dans *Vol au vent* (1962), c'est à partir de «taches» découpées, dépliées et disposées en regard de la surface plane que s'organise l'espace du tableau (non à partir d'un espace tridimensionnel préexistant). L'usage de la spatule permettait à l'artiste d'inscrire ses surfaces colorées non seulement selon le plan de la toile, mais aussi en fonction du rythme du geste, les taches colorées créant leur espace propre en une rythmique dense, serrée. Paradoxalement, Laure Major se défendait d'être automatiste, et on parla en ce sens d'une spontanéité contrôlée, d'un lyrisme «organisé[50]», tout en maintenant sa filiation avec Riopelle. En 1959, elle obtenait le prix de la Jeune Peinture et était considérée comme une des jeunes artistes les plus prometteuses du post-automatisme. Rodolphe de Repentigny rappela du coup la trajectoire typique des artistes de l'abstraction lyrique: d'abord attachés aux modèles de Borduas et de Riopelle, ils s'en détachent par la suite: «[...] l'on peut espérer que tout comme McEwen, elle prendra le large[51]», écrit-il à propos de Laure Major. Non seulement celle-ci n'entérinait pas la supposée dichotomie ou opposition entre l'élan spontané concrétisé dans la tache et l'organisation contrôlée de la toile, mais il n'y avait pas pour cela de rupture entre son activité de peintre et celle qu'elle consacrait à l'intégration de l'art à l'architecture. L'intensité, l'émotion, l'expressivité étaient intégrées dans le processus créateur d'un *art public*, et cela indépendamment d'une stylistique qui les avait désignées comme lyriques. Marcelle Ferron partageait cette même attitude et cette conception.

Post-automatisme et figuration: la peinture de Kittie Bruneau

Si le formalisme moderniste avait évacué toute forme de référence à une réalité extérieure et prôné l'abstraction géométrique au détriment d'une gestualité lyrique, une artiste, Kittie Bruneau, se trouvait marginalisée à plus ou moins long terme en raison de son option esthétique pour la figuration, option qui négligeait de voir la finalité de la peinture moderne comme progression vers une pure opticalité, celle du formalisme à l'américaine. L'artiste abstrait pouvait encore parler de *sujet* dans sa peinture (Barnett Newman) en le nommant *sublime,* mais le *contenu* n'avait plus de valeur référentielle et se confondait à l'objet matériel, le tableau.

À contre-courant, Kittie Bruneau (*Oiseaux de nuit,* 1961, ill. 1) opta pour la figuration au début des années soixante à un moment où, au Québec, l'art non-figuratif commençait à être accepté par un public élargi. La singularité de cette option fut doublée, chez elle, de références à des mythologies puisées dans les légendes amérindiennes, les contes de la Gaspésie et particulièrement ceux de l'île Bonaventure (sise en face de Percé). Les dessins d'enfants furent aussi pour elle une source de références, tant pour ses motifs et figures que pour l'organisation picturale et spatiale de ses tableaux (la *Bonaventure,* 1963-1966).

De 1958 à 1961, soit au début de sa carrière de peintre, Kittie Bruneau avait été proche de l'abstraction lyrique française, celle d'un Manessier, d'un Bissière, d'un Bazaine. Séjournant à Paris depuis le début des années cinquante, elle avait été mise en rapport avec les courants non-figuratifs européens en peinture, particulièrement avec l'abstraction lyrique pratiquée par les peintres français: elle leur emprunta la trame ou grille de fond qui constitue le plan de ses premières toiles. Les interstices plus ou moins serrés et réguliers reçoivent ici les taches de couleurs en soulignant le caractère bidimensionnel de la surface. Ce jeu de va-et-vient, d'avancées et de reculs, suscite une impression d'espace pictural plus ou moins profond, résultat de l'intensité et de la densité des couleurs. Une zone laissée libre à la périphérie de la toile constituait parfois un arrêt, un cadre à l'intérieur même de la toile et ramenait le regard vers le centre. Les structures traditionnelles du tableau étaient toujours organisées selon celle de l'*œil centré*. Cependant, certaines toiles non-figuratives laissaient entrevoir l'attirance de l'artiste vers la figure: une toile sans titre, proche d'un Manessier, était articulée autour d'une figure composée selon la forme d'un 8 dressé au premier plan, créant un espace pictural plus ou moins profond autour de lui. Un certain volume émergeait des facettes géométriques de la figure, chaque facette étant d'une couleur différente.

Contrairement à l'espace illusionniste qu'avaient adopté nombre de surréalistes (Dali, Tanguy), l'espace figuratif chez Kittie Bruneau a été plus proche de celui de Miro ou de Klee. Quand, en 1961, elle opta définitivement pour la figuration, elle se rapprocha de celle des peintres de COBRA[51] qui ne s'interdisaient aucun des moyens picturaux et plastiques, figuratifs ou non-figuratifs, pour faire naître, au-delà d'une culture occidentale trop spéculative et analytique, des formes surgies de l'enfance et de l'inconscient.

Si Kittie Bruneau s'approchait de Pellan pour l'invention figurative de mondes imaginaires, elle était aussi proche de la peinture automatiste pour les valeurs accordées à l'inconscient, à la spontanéité, à l'irrationnel et à l'expressivité du geste. Son option figurative la distingua et la distancia de l'orthodoxie post-automatiste en peinture bien qu'elle n'eût pas été la seule à faire référence à un monde imaginaire et mythique proche d'une nature archaïque: Françoise Sullivan avait évoqué, dans ses chorégraphies, l'archaïque, le primitif, le mythique (*Danse dans la neige*, 1948[52]).

Il faut rappeler que, depuis les années quarante, deux courants s'étaient ainsi partagé les voies en peinture: celle de Borduas (rejet de la représentation du monde extérieur) et celle de Pellan (la figuration intégrée à la modernité). La marginalisation de Pellan s'était faite dans ce contexte précis, jusqu'au milieu des années soixante. Après cette date, les plasticiens prirent la place qu'il occupait par rapport à Borduas, et la division binaire du champ de l'art actuel, plutôt que de s'articuler dans l'opposition abstraction/figuration s'opéra dans celle d'abstraction dite gestuelle contre abstraction géométrique et optique (post-automatistes/plasticiens).

Néanmoins, et malgré cette nouvelle configuration du champ de l'art, Kittie Bruneau retint l'attention de quelques critiques d'art. On la situa à la jonction d'un nouveau monde, là où la reconstruction commence. «Elle bâtit une vision nouvelle [...] elle ne subit pas l'influence, par exemple, de Miro ou de Pellan, elle s'accorde avec eux, poursuit cette recherche d'une *neuve figuration*», écrivit Claude Jasmin[53].

On peut situer autour de 1965 cet aboutissement de la double voie tracée par Pellan et Borduas: le nouveau Musée d'art contemporain, inauguré en 1965, présenta une exposition double (1966) comprenant les œuvres de Kittie Bruneau et celles d'Henriette Fauteux-Massé. Cette dernière avait été de presque toutes les expositions des automatistes, depuis la première en 1946[54], et Kittie Bruneau affirmait pour sa part des valeurs référentielles où le mythe et le symbole étaient intimement liés à des préoccupations modernistes en peinture (caractère bidimensionnel de la toile, rejet des procédés illusionnistes, etc.). Mais elle affichait un intérêt marqué pour les cultures amérindiennes (utilisation de couleurs naturelles, végétales et minérales, de teintures fabriquées avec des herbes et des terres), les mondes de l'enfance et de l'inconscient.

Les origines, la nature

L'option figurative en peinture chez Kittie Bruneau était liée à un questionnement sur le rapport entre nature et culture. Son choix de la Gaspésie et de l'île Bonaventure pour y vivre témoigna d'une conception et d'un sentiment de la nature qui furent perçus par les critiques comme un moyen de s'approprier un passé et un territoire, mais sans connotation passéiste ou folklorique: «Il faut tout de même, enfin, saluer un jeune peintre qui semble décidé de faire la preuve que le monde réel, le pays, ses habitants peuvent fournir autant de sujets d'une inspiration modernisée, accordés à la sensibilité visuelle actuelle. Nous avons besoin de Kittie Bruneau [qui] a épousé de toute son âme un pays: la Gaspésie […]. C'est net et sans fioriture comme le travail des Plasticiens[55].» La rencontre d'une mémoire individuelle et d'une mémoire collective mettait ici au premier plan une conception nouvelle de la tradition: Micheline Beauchemin s'était déjà approprié des techniques et des manières de faire artisanales et populaires (le tapis crocheté) pour ses tapisseries, faisant la preuve qu'une réactualisation de la culture rurale était possible et légitime dans un contexte d'art moderne et de culture technologique.

Dans les toiles de Kittie Bruneau coexistaient des éléments formels modernistes et une symbolique étrangère au formalisme en peinture: *Oiseaux de nuit* (1961[56]) présentait un espace pictural profond sans pour autant être illusionniste; une grille formée d'ailes d'oiseaux enchevêtrées soulignait la surface et, en même temps, laissait percer l'espace profond entre les ailes. Une tête tirée de dessins d'enfants, circulaire et plate, située dans la partie inférieure de la toile, réaffirmait à son tour le plan du tableau et son caractère bidimensionnel. Le fond bleu en aplat redevenait à son tour espace profond à cause de l'inscription dans la partie inférieure droite de petites silhouettes d'oiseaux en vol. Les structures formelles et les rapports colorés n'étaient en rien diminués par la référentialité au monde de l'artiste, monde fabuleux et onirique, peuplé de légendes amérindiennes, de contes inventés par les habitants de la Nouvelle-France ou ceux d'un Québec actuel non urbain. L'environnement naturel et culturel surgissait sous forme épique et populaire sans pour autant glisser dans le folklore ou l'illustration. Une mémoire menacée se réinscrivait en peinture, métaphore d'un territoire à réinventer et à s'approprier. En 1965, Kittie Bruneau demanda une bourse pour «peindre de grandes toiles en s'inspirant du paysage gaspésien»: cette nature gaspésienne était brandie comme option esthétique mais aussi comme lieu anthropologique. Chez Kittie Bruneau, la figuration en peinture, plutôt que d'être un anachronisme, rejoignait ce qui allait peu à peu se dessiner, mais plus tard, comme futur possible, à travers des formes figuratives qui seront qualifiées de pop et de ti-pop.

Lors d'une exposition qui eut lieu à la galerie Libre (1963), les peintures et sculptures que l'artiste présenta furent reçues par certains avec réticence — les sculptures en particulier étaient vues comme du bricolage[57]; pour d'autres, ces objets étaient au contraire subversifs, car ils abattaient «avec une féroce ironie nos chers canons de l'art consacré[58]». Cette force subversive était présente dans les peintures «sorte de grossièreté plastique qui fait du bien à voir. [...] Bruneau peint avec la simplicité brutale d'un enfant. Mais son art n'est pas enfantin [...]. Je considère cette exposition de Bruneau comme une sorte d'événement capital chez la jeune génération de nos peintres[59]», écrivit le critique qui la rattacha au courant désigné sous les noms de «nouvelle réalité» ou «nouvelle figuration».

Les leçons de la modernité et ses exclus

En 1965, Kittie Bruneau s'était fermement déclarée contre l'abstraction en peinture: elle la considérait, au Canada et principalement à Montréal, comme débouchant sur une pratique de tout repos, où la sincérité envers soi-même n'allait pas sans problème[60]. Elle avait adopté la conception de l'artiste vu comme être d'exception, la croyance en l'authenticité comme fondement de l'expression artistique. Selon ces positions, elle avait, comme les automatistes, favorisé le contact le plus direct avec la matière picturale, contact qu'elle avait recherché autant dans le contexte naturel qui était le sien en Gaspésie que dans les figures mythiques et les personnages de légendes qui avaient réglé le rapport de l'imaginaire des habitants de ces régions avec leur espace géographique et culturel. Mais la voie automatiste lui était apparue comme une impasse, et elle avait opté pour la figuration alors pratiquée par Pellan, Dallaire et bientôt par Dumouchel.

Si Bruneau était passée de la non-figuration lyrique à une figuration de type surréaliste, c'était à cause du rapport singulier qu'elle avait établi entre art et expression poétique, entre nature et culture qui, contrairement à l'abstraction moderniste, s'assumait par des voies figuratives à références anthropologiques — ce qui l'éloignait définitivement des automatistes et des plasticiens. Cette artiste ouvrait par contre une autre voie, celle qui, après 1965, sera reliée directement ou indirectement au courant ti-pop et dont les manifestations seront orchestrées par Dumouchel et la génération de jeunes graveurs qu'il avait formée.

La fin de l'ère des femmes peintres

Clôturant la décennie 1955-1965, une exposition importante, organisée par la Galerie nationale (*La femme imagiste*, 1965, Ottawa) et présentée ensuite au Musée des beaux-arts de Montréal, eut passablement de retentissement dans le milieu artistique d'alors pour la reconnaissance publique et définitive de l'apport des femmes à l'art actuel. L'objectif de cette exposition était de retracer la trajectoire de l'émancipation artistique des femmes au Québec depuis la fondation du groupe du Beaver Hall (1920) à Montréal jusqu'à ce qui apparaissait alors comme le point culminant de l'art moderne au Québec: le post-automatisme[61].

Des toiles récentes d'artistes telles Kittie Bruneau, Marcelle Ferron, Henriette Fauteux-Massé, Monique Charbonneau, Laure Major, Lise Gervais, Monique Voyer, Suzanne Bergeron et Rita Letendre côtoyaient des toiles d'artistes plus âgées telles Anne Kahane et Marian Scott. La «nouvelle tapisserie» était présente avec Micheline Beauchemin, Mariette Rousseau-Vermette, la sculpture était représentée par Françoise Sullivan et Audrey Taylor.

Les critiques de cette exposition admirèrent la contribution artistique de ces créatrices et la place qu'elles avaient acquise dans le champ de l'art actuel. On annonçait néanmoins qu'allait bientôt disparaître des œuvres des femmes artistes toute trace de différence due à leur sexe: «Aujourd'hui, aucune différence de valeur entre les œuvres des hommes et des femmes [...]. Les femmes présentes à cette exposition ont abordé ou abordent la peinture avec autant de gravité que les hommes [...] le problème de la création est le même pour tous[62].»

Cette exposition ferma donc l'ère du «leadership» des femmes artistes (1955-1965) et il n'y eut pas d'autres tentatives pour établir la problématique du rapport des femmes artistes à leur environnement culturel et politique, ni pour analyser la portée de leur production artistique. Ce questionnement émergera à nouveau explicitement en 1972 avec l'ouverture de la galerie Powerhouse (Montréal) et en 1975 (l'année de la Femme) quand la revue *Vie des Arts* consacra une partie de son numéro du printemps à un bilan du rôle des femmes dans le champ de l'art actuel[63].

En 1966, la critique d'art Gail Dexter, dans un de ces nombreux bilans où l'on tentait de faire le point sur l'état de la culture et des arts au Canada, à la veille du centenaire de la Confédération canadienne, désigna Guido Molinari et Marcel Barbeau comme les peintres importants de l'art optique et Lise Gervais comme l'unique représentante de l'expressionnisme abstrait. Elle situait cette dernière à la tête du peloton de l'avant-garde artistique au Québec, comme l'avait fait, l'année précédente, un autre critique lors de la Ve Biennale canadienne (Ottawa). L'abstraction lyrique y avait été vue en très nette perte de vitesse et Lise Gervais considérée comme «à peu près seule à apporter à cette option [...] une contribution valable par la générosité de l'expression et l'authenticité de l'inspiration[64]». On constatait que les valeurs et l'esthétique dominantes s'étaient déplacées vers un nouveau type de sensibilité (l'objectivité éliminant radicalement toute forme de subjectivité en art), commandant des moyens picturaux et plastiques différents.

Dans les années soixante, les plasticiens revendiquèrent la filiation à l'automatisme originel de Borduas et des automatistes: en d'autres termes, plutôt que de s'opposer au maître, ils jugeaient obsolète tout autre discours se réclamant de cette esthétique. Véritables fils de Borduas, ils déniaient aux artistes du post-automatisme en peinture la filiation légitimante dont les femmes peintres se trouvaient ainsi dépouillées. Pourtant, avant de devenir entièrement masculin, le post-automatisme avait été féminin et emblématique d'une notion de *nature* où irrationalité, instinct, subjectivité, émergence de l'inconscient avaient permis à tant d'artistes de se joindre à la modernité dans le Québec francophone de l'après-guerre.

Les femmes artistes s'engagent dans l'art public

Les femmes peintres, identifiées à la peinture abstraite lyrique, perdirent pour ainsi dire toute reconnaissance dans le champ de la peinture actuelle. Se faisait jour en même temps, autant chez les hommes que chez les femmes artistes, une aspiration à atteindre un autre public, plus vaste, celui de la rue et des lieux ouverts.

Un art monumental et urbain fut pratiqué par Marcelle Ferron, Rita Letendre, Laure Major, Micheline Beauchemin. Après s'être révélée, à la fin des années cinquante, à l'avant-garde en inaugurant le courant de la «nouvelle tapisserie», cette dernière proposa ses «murs flexibles» (1967) , apogée de son projet de décloisonnement des disciplines et d'accès de l'art à l'espace public et à des médiums et procédés non traditionnels en art. Cela n'était pas de la tapisserie, ni de la sculpture, ni de la peinture: cela tendait à tout englober, à devenir autre chose.

Laure Major, dès la fin des années cinquante, s'adonnait à l'intégration de l'art à l'architecture; au milieu des années soixante, Marcelle Ferron se tourna vers l'art public en proposant ses verres écrans. Rita Letendre exécuta des fresques sur des édifices urbains (Toronto) et modifia radicalement son esthétique picturale. Lise Gervais construisit, en collaboration avec l'industrie, des sculptures en matériau synthétique avant de disparaître de la scène de l'art actuel.

Les femmes artistes du courant post-automatiste étaient attirées par les nouvelles technologies et par la perspective de l'intégration de l'art aux espaces urbains, perspective qui soulevait alors des débats enflammés, principalement chez les hommes artistes montréalais en quête d'une conception de l'art plus ouverte sur le social (Jean Lefébure, Yves Trudeau, Jean-Paul Mousseau, Mario Merola, Richard Lacroix, etc.).

Cette nouvelle orientation des femmes peintres posait problème: jusque-là, la recherche du *féminin* avait dirigé chez les critiques d'art la lecture des œuvres picturales des femmes. Maintenant, devant des œuvres reliées à l'architecture surtout, ce critère n'était plus applicable. Le nouvel intérêt pour l'art intégré aux espaces urbains reposait en partie sur la recherche d'un rapport différent au public et sur la conception du rôle de l'artiste comme élément transformateur de la vie quotidienne et urbaine. De sorte que sans être ridicule, l'opposition instinct/raison ne pouvait plus être reprise devant des formes clairement découpées (Rita Letendre, Marcelle Ferron), aux minces couches de couleurs, aux effets contrôlés sur le plan optique (Laure Major, Mariette Rousseau-Vermette, Micheline Beauchemin). Qui plus est, Micheline Beauchemin se tournait vers une technologie extrêmement sophistiquée qui allait rendre possible la réalisation d'un rideau de scène au Centre national des arts (Ottawa), dont les caractéristiques formelles, techniques et monumentales n'avaient rien de commun avec les clichés et préjugés qui continuaient toujours d'affecter l'œil de nombreux critiques devant l'art des femmes.

Passage problématique de l'abstraction lyrique à la «nouvelle sensibilité»: le cas de Lise Gervais

Au milieu des années soixante, les voies d'accès à une «nouvelle sensibilité» et les changements structurels qui en caractérisaient l'acceptation par le milieu artistique pouvaient être partiellement circonscrits par et dans un changement de discipline: c'est ainsi qu'à partir de 1966, Lise Gervais opta provisoirement pour la sculpture. Peintre dans la lignée de Borduas, comme Rita Letendre ou Marcelle Ferron[65], elle incarna le malaise qui affecta nombre d'artistes post-automatistes, femmes et hommes, en regard d'autres sensibilités et d'autres attitudes en art. En voici un exemple: exposées à la galerie du Siècle, les sculptures titrées *Immobiles* (*Luna Park*, 1967, ill. 30), formes blanches en matière synthétique qui se déployaient là, étaient-elles œuvres abstraites ou, au contraire, reproduction d'une réalité extérieure? Quoi qu'il en soit, leur organisation spatiale, l'assemblage et l'accumulation qui en dirigeaient la mise en place apparurent encore trop liés au processus instinctuel de la gestualité lyrique. L'équilibre de la composition, faite d'unités semblables, fut considéré comme fragile et l'ambiguïté du projet plastique fut notée[66].

Dans un article sur l'art actuel à Montréal en 1965, Fernande Saint-Martin[67] tenta de cerner, à propos de la peinture de Lise Gervais, les causes de l'effondrement de la notoriété de cette artiste et, par ricochet, de la carrière de tant d'autres artistes engagés dans la voie post-automatiste où le geste, l'intuition et la volonté d'expression par la tache caractérisaient la pratique et le style. Elle analysa en termes plasticiens l'impasse dans laquelle était pris le travail pictural de Lise Gervais. Elle retraça les prémices de cette impasse dans des «tableaux monochromatiques de Borduas ou [dans] de certains heureux moments des tableaux de Riopelle, où la répétition systématique de la tache instaurait une impérieuse affirmation de la surface». Elle reprenait l'argument avancé en 1955 par Rodolphe de Repentigny qui avait parlé du *drame de l'homme révolté*:

> La peinture dépasse en ce sens son cadre, avait-il écrit, pour apporter une analyse symbolique de la situation d'un homme ici et en ce temps. Deux possibilités s'ouvrent en effet au-delà de la révolte fougueuse et agressive qui suit la découverte du caractère insatisfaisant du monde. L'une est le suicide, par la fuite dans le rythme obsessionnel et fragmentaire, l'autre est cette dureté qui permet de dépasser l'ordre insatisfaisant par un ordre plus rigoureux encore[68].

Commenté en des termes semblables par Fernande Saint-Martin, le travail pictural de Lise Gervais apparaissait dans un éclairage dramatique, coincé entre les exigences de la peinture formaliste (surface bidimensionnelle, *all-over*, absence de tout procédé illusionniste, etc.) et la véhémence caractéristique du groupe COBRA: «En refusant de participer à la problématique actuelle de la peinture et en choisissant d'être à contre-courant, Lise Gervais est acculée à trouver les ressources de son art dans sa seule expérience émotive[69]», qualifiée de voie difficile, entraînant un équilibre chromatique constamment menacé par une expérience trop exclusivement émotionnelle.

Lise Gervais, en 1966, expliqua son intérêt pour la sculpture et ses nouveaux médiums dans des termes proches de ceux qui servirent à décrire sa peinture: «[...] une dimension qui n'existe pas en peinture: le contact direct avec l'objet que l'on crée, et une prise de contact de tous les sens[70]». Gervais était intéressée par les nouveaux matériaux industriels et la sculpture dans la mesure où sa recherche expressive s'en trouvait stimulée. En réalité, son attitude de peintre (élan, expressivité, authenticité) n'était pas changée. L'analogie qu'elle établissait entre le processus de croissance des plantes et sa nouvelle recherche plastique la ramenait constamment à la nature[71]; elle utilisait la répétition des formes dans des combinaisons et des volumes différents, ce qui rattachait le processus de sa création, et conséquemment son esthétique, à la nature plutôt qu'à un travail sur les codes et les signes (la tendance pop) ou bien sur l'éclatement de l'objet comme tel. Les processus fondés sur des analogies avec la botanique et la biologie, faut-il le rappeler, avaient été exploités par des artistes de la fin de la décennie 1940 et des années cinquante. Mais les plus jeunes artistes étaient davantage sollicités par une objectivation des processus de perception et de construction que par une fusion avec la nature considérée comme absolue.

Lise Gervais avait été amenée à une collaboration multidisciplinaire en art par la réalisation de décors pour le Groupe de danse moderne de Montréal dirigé par Jeanne Renaud[72] (1965), ce qui l'avait initiée au travail dans et sur l'espace. Les grands formats ainsi que ses rapports avec des artistes de la danse et de la musique actuelles contribuèrent sûrement à orienter son attention et son intérêt vers des questions débordant le cadre traditionnel des arts plastiques. Comme l'écrivit Normand Thériault à propos de son exposition en solo (1970, galerie de Montréal) et de l'ensemble de sa conception créatrice: «le tableau communique donc l'individu[72]» plutôt que des situations d'ordre visuel ou formel auxquelles le spectateur aurait à «répondre» plus ou moins activement. Par l'œuvre et par le processus créateur de Lise Gervais, une esthétique propre aux années cinquante, celle du post-automatisme, était ainsi révélée et située historiquement.

Le post-automatisme dans le champ de l'art vivant: analogie avec la position des femmes dans la société québécoise

La reconnaissance des femmes peintres du courant post-automatiste ne signifia pas une reconnaissance acquise définitivement pour elles ni une reconnaissance intégrée historiquement. Cette reconnaissance fut en effet éphémère et ponctuelle, et cela d'autant plus que les femmes peintres étaient vues comme les continuatrices d'une esthétique picturale inaugurée par les automatistes (principalement des hommes) plutôt que comme des initiatrices. De plus, ce sont les spécificités sexuelles qui avaient ainsi été utilisées pour appuyer et justifier un mouvement pictural, le post-automatisme, qui continuait la mise au ban des valeurs conservatrices de l'art traditionnel. La mise en évidence de caractéristiques picturales reliées à l'identité, au sexe des femmes, avait été faite cependant en dehors d'une analyse des conditions sociales et historiques de ces dernières: car là n'était pas l'enjeu, ni pour les critiques ni pour le public. Il s'agissait plutôt de relier l'automatisme en peinture à des réalités proches de l'inconscient et hors des contingences locales figuratives de l'art traditionnel dominant dans les années quarante au Québec. Une nature féminine, définie comme capacité exceptionnelle d'expression et de communication, permettait de légitimer auprès d'un public élargi l'art abstrait des automatistes car, sur le plan de l'intention et de l'expressivité, les femmes constituaient des sujets privilé-

giés pour thématiser la peinture non-figurative gestuelle et lyrique, ou encore pour lui donner un contenu.

L'introduction de ces valeurs dites féminines dans le commentaire des œuvres de femmes fut le fait des critiques d'art
montréalais des années cinquante et soixante[74]. Une telle approche avait eu pour objectif d'analyser le contexte anthropologique des œuvres liées au post-automatisme et moins son
contexte social. Ainsi, la notion et la pratique de l'art post-
automatiste avaient été interrogées par le biais d'un élément
nouveau: les femmes artistes devenues *sujets* de l'histoire et
non plus seulement *objets*, comme la tradition le voulait. Les
femmes peintres du mouvement automatiste et celles liées au
courant post-automatiste avaient choisi de s'inscrire dans un
courant stylistique à portée émancipatrice (tant sur le plan symbolique que sur le plan pictural) sur la scène de l'*art vivant*.
Elles chambardaient ainsi, en tant que *sujets*, le rôle et la place
qu'elles avaient auparavant occupés en tant que portraitistes,
paysagistes ou peintres de natures mortes. Cependant, une part
du discours critique banalisa la peinture gestuelle lyrique en
utilisant des traits dits féminins pour la caractériser, ce qui ren-
versa le premier effet, positif, de la critique qui avait été d'abord
favorable aux femmes. Ce deuxième temps, donc, au milieu des
années soixante, contribua à abolir l'apport des femmes
peintres à l'*art vivant* au Québec. La désaffection pour l'expressivité gestuelle en peinture était un fait accompli à New York
depuis la fin des années cinquante, mais il apparaît qu'au Québec, à l'examen du discours critique même, cette désaffection
fut de surcroît fortement empreinte de références défavorables
aux femmes. Même si, comme nous l'avons vu, les femmes
peintres furent d'abord louées par la critique, si les collectionneurs et les galeries d'art vouées à la diffusion de l'art actuel
contribuèrent à leur reconnaissance, il n'en resta pas moins que
leur participation à la mise en place des valeurs et orientations
de l'*art vivant* ne fut que transitoire et ponctuelle. On est en
droit de se demander si l'apport spécifique, et à plus long
terme, des femmes artistes à l'art actuel n'a pas été d'un autre
ordre: celui d'inscrire dans la pratique de l'art actuel une recherche de construction/déconstruction d'identités, instaurant
la mouvance de l'artiste en tant que sujet.

Avant 1965, les femmes artistes du post-automatisme furent de celles, parmi les artistes modernistes, qui profitèrent avantageusement d'une reconnaissance par la critique et par le marché de l'art.

Leur esthétique picturale fut interprétée comme le surgissement d'une *nature* profonde, exprimée par et dans un geste libre et libérateur et à l'origine d'un processus créateur qui leur aurait été propre (intuition, élan, générosité). Cette perception des femmes peintres était partagée par la majorité des critiques; si ces artistes la partageaient moins, elles s'y opposèrent rarement (sauf Rita Letendre), car elle leur permit de se construire une identité propre, même transitoire et fragile, entre 1955 et 1965.

La reconnaissance de ces femmes comme leaders du courant post-automatiste en peinture fut bien réelle: les expositions de Marcelle Maltais, Lise Gervais, Marcelle Ferron, Micheline Beauchemin, Laure Major, Rita Letendre, Monique Voyer, Françoise Sullivan furent souvent accueillies avec surprise et éloges. Cet étonnement révélait une croyance selon laquelle les femmes artistes ne font pas partie de la modernité, ne s'inscrivent pas dans la vision novatrice de l'art actuel généralement défini au cours de ces années-là comme comportant un élément d'héroïsme et de risque, un aspect *universel*. Le corps masculin, contrairement à celui des femmes, n'était pas considéré d'abord comme sexué mais comme figure d'universel. Or si les femmes entraient dans le champ de l'art actuel, leur production artistique se devait de rencontrer les critères de l'*art vivant*, et plusieurs des critiques, tout en faisant valoir les liens de l'œuvre avec le sexe de l'artiste, en appelaient à la disparition du critère sexuel à mesure que les femmes accédaient au champ de l'*art vivant*. Elles devaient, en effet, pour avoir droit à l'universalité, oublier leur propre corps marqué par le particulier, le différent, l'altérité. Les propos des critiques tendaient à cela — à louer le *féminin* pourvu qu'il disparaisse ou soit occulté.

Le critique d'art de *La Presse*, Claude Jasmin, avait prédit que «dans peu de temps, personne ne sentira plus le besoin de souligner, par de telles expositions [consacrées aux œuvres de femmes], la valeur des peintres féminins. Cela ira de soi[75].» Il faut replacer cette prédiction dans le contexte des années cinquante et soixante où la disparition de la dimension locale, régionale au profit d'une dimension universelle[76] avait été souvent évoquée et où, conséquemment, toute forme de particularisme apparaissait comme un empêchement pour y arriver. Néanmoins, si était annoncée l'imminence de la disparition du caractère sexuel dans le travail des artistes et dans l'art en général, elle était évoquée moins en faveur d'une ouverture vers l'extérieur, d'un éventail élargi et de la polyvalence des valeurs que d'une affirmation des valeurs dominantes, masculines et viriles, fondées sur la figure d'exception de l'artiste qui président toujours à la notion de *qualité* en art.

Au cours de la décennie 1955-1965, ce fut le fait d'être *artistes* dans une société en voie de libéralisation qui rendit *politique* la position des femmes peintres. Cela rejoignait le comportement et le discours antérieurs des automatistes, comme l'a analysé Fernand Leduc qui avait affirmé que ce n'était pas l'art des automatistes qui était politique, mais leurs propos en tant qu'individus, dans le manifeste du *Refus gobal*, et que c'étaient ces déclarations-là qui avaient contribué à politiser l'image de leur art. Pour les femmes peintres par contre, on peut avancer que ce fut le fait de se faire reconnaître comme artistes qui constitua la dimension politique de leur art. Leur présence en grand nombre sur la scène de l'*art vivant* les incita à opérer un profond changement d'attitude et de perception d'elles-mêmes, et impliqua, de la part des critiques d'art et des marchands, un même changement par rapport à elles. En effet, ces femmes francophones du Québec composaient une nouvelle génération et étaient les premières à vivre une vie d'artiste dans un cadre non traditionnel, à se situer dans le champ de l'art actuel, à s'inscrire dans des recherches novatrices. Certaines (telle Micheline Beauchemin) contribuèrent à ouvrir le milieu de l'art au monde extérieur: le seul fait que Micheline Beauchemin aille au Japon afin d'y réaliser matériellement un projet artistique contribua à la visibilité internationale du milieu artistique québécois.

On peut formuler l'hypothèse que la présence dominante des femmes artistes dans le milieu de l'art vivant, depuis le *Refus global* jusqu'en 1965, leur assigne une position radicale dans un contexte de société où les femmes n'avaient jamais encore joué de rôle de leader sur une scène publique, fût-elle artistique. Ces artistes ont ainsi contribué à structurer une nouvelle position sociale pour les femmes en général, affirmant un lieu professionnel et, par là, producteur de sens. Le rôle qu'elles jouèrent sur la scène de l'art avancé au Québec et au Canada, particulièrement de 1955 à 1965, fut cependant vite oublié, et cet effacement, jusqu'à maintenant, est révélateur des intérêts qui se sont partagé et qui se partagent toujours la scène de l'art actuel.

Notes

1. Fernande Saint-Martin , «Le dynamisme des Plasticiens de Montréal», *Vie des Arts,* n° 44, automne 1966, p. 44-48.
Le *Manifeste des plasticiens* en 1955 et le manifeste *Art abstrait* en 1959, rédigé à l'occasion de l'exposition à l'École des beaux-arts de Montréal du second groupe des plasticiens (Molinari, Tousignant, Juneau, Goguen, Perciballi), étaient caractérisés par le *hard-edge,* axé sur le dynamisme de la «couleur pure» et en réaction contre l'exubérance et la véhémence qui avaient été prônées par les tenants de l'accident et de la tache. Nous sommes donc devant deux points de vue divergents sur l'importance du plasticisme par rapport au post-automatisme pictural au cours de la décennie 1955-1965.
2. André-G. Bourassa et Gilles Lapointe, *Refus global et ses environs 1948-1988,* Montréal, l'Hexagone et Bibliothèque nationale du Québec, 1988, p. 49-63.
3. La recherche de cette fonction s'articula en grande partie autour des valeurs de socialisation de l'art que rendait possible l'intégration de l'art à l'architecture et aux espaces publics. Des artistes signataires du *Refus global* (Marcelle Ferron, Jean-Paul Mousseau) et de nombreux autres se situaient dans les perspectives ouvertes par l'automatisme (sur le plan tant esthétique qu'éthique) tels Micheline Beauchemin, Mariette Rousseau-Vermette, Mario Merola.
4. Fernande Saint-Martin, «Introduction», *Trois générations d'art québécois, 1940, 1950, 1960,* Montréal, Musée d'art contemporain, 1976, p. 14. Cette critique utilisa le terme en 1976 à propos de la génération suivant celle de Borduas: «C'est par une prise de conscience des contraintes de ce langage pictural [automatiste] que se sont formés, au début des années 50, le Post-Automatisme et la contestation plus radicale du mouvement plasticien.»

5. *Ibid.*

6. Jean Ostiguy, «L'âge nouveau de la peinture canadienne», *Vie des Arts*, n⁰ 44, automne 1966, p. 19-25.

7. En mars-avril 1955, dans *L'Autorité,* un débat Borduas-Leduc avait été publié ce qui, selon Marie Carani, inaugurait la période post-automatiste. (Marie Carani, *L'œil de la critique, Rodolphe de Repentigny, écrits sur l'art et théorie esthétique, 1952-1959,* Québec, Éd. du Septentrion/Célat, 1990, p. 98.)

8. À sa fondation en 1956, les principaux membres de l'AANF étaient, outre Fernand Leduc qui en était l'animateur, Léon Bellefleur, Kittie Bruneau, Paterson Ewen, Henriette Fauteux-Massé, Marcelle Ferron, Pierre Gendron, Jean Goguen, le frère Jérôme, André Juneau, Rita Letendre, Marcelle Maltais, Jean McEwen, Tobie Steinhouse et Fernand Toupin.

9. Marie Carani décrit ainsi le positionnement des post-automatistes dans le champ de l'art. À propos de Rodolphe de Repentigny, elle écrit: «Dans ses articles publiés en 1952 et 1955, Repentigny est nécessairement confronté à l'automatisme qui s'impose dans la création montréalaise tout en demeurant peu connu, non assimilé par le grand public et rejeté par les institutions culturelles. Même s'il est déjà débordé par un post-automatisme plus structuré et l'émergence d'un plasticisme abstrait et géométrique, le mouvement surrationnel reste le point de mire de l'art vivant et de la critique.» (*L'œil de la critique…, op. cit.,* p. 99.)

10. Claude Jasmin, «De la profusion des moyens d'expression», *La Presse,* 22 mai 1965.

11. Laurent Lamy, «Vᵉ Biennale canadienne», *Le Devoir,* 21 septembre 1965.

12. Ces neuf artistes étaient: Kittie Bruneau, Henriette Fauteux-Massé, Marcelle Ferron, Rita Letendre, Laure Major, Marcelle Maltais, Suzanne Meloche, Suzanne Rivard, Tobie Steinhouse.

13. Parmi les critiques d'art mentionnons les principaux: Rodolphe de Repentigny, Laurent Lamy, Claude Jasmin, Réa Montbizon.

14. Témoignages d'artistes ayant alors fréquenté l'EBAM.

15. Collectif Clio, *L'histoire des femmes au Québec depuis quatre siècles,* Les Quinze, éditeur, 1982. Voir en particulier le chapitre XII, «L'impasse — 1940-1969».

16. *Ibid.,* p. 405.

17. Fernande Saint-Martin, éditorial, *Châtelaine,* vol. I, n⁰ 1, octobre 1960, p. 3.

18. Guy Viau, *La peinture moderne au Canada français,* Québec, ministère des Affaires culturelles, 1964, p. 80.

19. Jean Sarrazin, «La Canadienne française et la peinture», *La Presse,* 23 juin 1961.

20. Jean Cathelin, «L'école de Montréal existe», *Vie des Arts,* n⁰ 23, été 1961.

21. Laurent Lamy, «La femme imagiste: galerie l'Étable», *Le Devoir,* 9 janvier 1965.

22. Claude Jasmin, «Peinture féminine», *La Presse,* 20 janvier 1965.

23. Jean Cathelin, *loc. cit.*

24. Les trajectoires de Marcelle Maltais ou de Kittie Bruneau dans le post-automatisme gestuel, lyrique et non-figuratif ne doivent pas faire oublier l'importance de l'option figurative chez ces deux artistes.

25. Rodolphe de Repentigny, «À L'Actuelle», *La Presse,* 8 février 1957.

26. Rodolphe de Repentigny, «Expo au MBAM», *La Presse,* 23 novembre 1957.

27. Rodolphe de Repentigny, «À la galerie Delrue. Les tableaux peints de sève de Marcelle Maltais», *La Presse,* 24 octobre 1958.

28. *The Gazette,* Montréal.

29. Rodolphe de Repentigny, «À L'Actuelle», *loc. cit.*

30. Guy Viau, *La peinture moderne au Canada français, op. cit.,* p. 85.

31. Guy Viau, (sans titre), *Cité libre,* mars 1962, p. 29.

32. *Ibid.*

33. B. J., «Rita Letendre: j'enseignerai la vie», *Le Devoir,* 11 octobre 1966.

34. Clement Greenberg, «La peinture moderniste» (1961), trad. de l'américain par Anne-Marie Lavagne, *Peinture, cahiers théoriques,* nos 8-9, février 1974, p. 33-38.

35. COBRA (1948-1950): groupe d'artistes des pays néerlandais et scandinaves opposés à l'hégémonie exclusive de Paris dans le champ de l'art européen. Le mot COBRA est formé des initiales des villes d'où les peintres étaient originaires. (N.D.A.)

36. Fernande Saint-Martin, «Lettre de Montréal», *Art International,* vol. IX, no 5, p. 59-60. Elle ajoutait que l'«op art» et le «pop art» partageaient cette même inconscience...

37. Fernande Saint-Martin, «Au Concours de la jeune peinture '59, travailleuse sociale, lauréate en peinture» (à propos de Laure Major), journal non identifié, 19 février 1959.

38. Fernande Saint-Martin, «Le dynamisme des Plasticiens de Montréal», *loc. cit.,* p. 44-48.

39. Yves Robillard, «Montréal, aujourd'hui», *Vie des Arts,* no 44, automne 1966, p. 48.

40. *Ibid.*

41. Guy Viau, *La peinture moderne au Canada français, op. cit.*

42. Interview de Borduas par Gilles Hénault intitulée «Un Canadien français — un grand peintre — Paul-Émile Borduas», *Combat,* 1er février 1947. Cité par F.-M. Gagnon dans *Paul-Émile Borduas (1905-1960),* Montréal, Éd. Fides, 1978, p. 208.

43. Guy Viau, (sans titre), *La Revue des arts et des lettres,* vol. III, décembre 1957.

44. Michel de Certeau, *Histoire et psychanalyse entre science et fiction,* Paris, Gallimard, coll. «Folio», 1987, p. 132.

45. *Ibid.,* p. 134.

46. À propos des œuvres de Marcelle Maltais, exposées à la galerie L'Actuelle (Montréal) et au Musée des beaux-arts de Montréal (1957).

47. Rodolphe de Repentigny, «À la galerie Delrue...», *loc. cit.*

48. À l'occasion spéciale de la fête nationale des Canadiens français, la Saint-Jean-Baptiste, en 1961. (Jean Sarrazin, «La Canadienne française et la peinture», *loc. cit.*)

49. Rita Letendre, «Rita Letendre», *Maclean,* mars 1975.

50. Pierre Saucier, «"Les blondes avalanches" du peintre Laure Major», journal non identifié, février 1960.

51. Rodolphe de Repentigny, «Céramiques, jeunes peintres et deuil national», *La Presse,* 21 février 1958.

52. Plus tard, Françoise Sullivan reviendra explicitement sur certains mythes anciens entre autres dans une chorégraphie *(Et la nuit à la nuit)* exécutée par son groupe au Tritorium (Montréal) en mars 1981.

53. Claude Jasmin, «Kittie Bruneau chez Norton», *La Presse,* 13 janvier 1962.

54. La photo d'Henriette Fauteux-Massé parmi les artistes automatistes fut publiée dans le *Montreal Star* du 26 août 1967.

55. Claude Jasmin, «Kittie Bruneau chez Norton», *loc. cit.*

56. *Oiseaux de nuit,* huile sur toile, 127 cm sur 157,5 cm, 1961.

57. Dorothy Pfeiffer, «Kittie Bruneau's Art», *The Gazette,* 23 février 1963. «[...] *the majority of them may appear almost painfully contrived or too consciously naive to be considered seriously.*»

58. Claude Jasmin, «Kittie Bruneau: la joie», *La Presse,* 16 février 1963.

59. *Ibid.*

60. Jacques de Roussan, «Kittie Bruneau, peintre», *Cité libre,* mai-juin 1965, p. 28-32.

61. Laurent Lamy, «La femme imagiste: galerie l'Étable», *loc cit.*

62. *Ibid.*

63. Voir entre autres l'article rédigé par Rose-Marie Arbour et Suzanne Lemerise, «Le rôle des Québécoises dans les arts plastiques depuis trente ans», *Vie des Arts,* vol. XX, nᵒ 78, printemps 1975, p. 16-24.

64. Laurent Lamy, «Vᵉ Biennale canadienne», *loc. cit.*

65. Bill Bantey, «Lise Gervais — Vigor and Change», *The Gazette,* 17 avril 1965. L'auteur écrit: *«Lise Gervais is considered among the front rank of French-Canada's painters.»*

66. Yves Robillard *(loc. cit.)* et Laurent Lamy («Lise Gervais, à la galerie du Siècle», *Le Devoir,* 18 mars 1967) commentèrent ces œuvres.

67. Fernande Saint-Martin, «Lettre de Montréal», *loc. cit.* Le tableau, *Ce double anneau de l'œil* (91,4 cm sur 91,4 cm, huile sur toile), était considéré comme exemplaire.

68. Rodolphe de Repentigny, «Chez Fernand Leduc et André Jasmin», *La Presse,* 3 septembre 1955.

69. Fernande Saint-Martin, «Lettre de Montréal», *loc. cit.*

70. *Catalogue de l'exposition en plein air de sculptures canadiennes,* exposition présentée par la Galerie nationale (programme du Centenaire) à l'hôtel de ville de Toronto, 1967. Cette exposition fut préparée par Dorothy Cameron: sur cinquante artistes, treize artistes québécois furent choisis dont quatre femmes: Lise Gervais, Françoise Sullivan, Anne Kahane, Suzanne Guité. Lise Gervais sera également sélectionnée pour l'exposition *Sculpture du Québec* au musée Rodin à l'hiver 1970-1971.

71. Lise Gervais ayant été invitée à participer aux célébrations du centenaire de la Confédération, elle exécuta en grand format et présenta les œuvres suivantes:

Confédération 1967, fibre de verre, structure en métal (hauteur: 7 pi; largeur: 12 pi; profondeur: 3 pi 6 po); *Luna Park*, 1967, fibre de verre, structure en métal, acier inoxydable (hauteur: 7 pi; largeur: 6 pi 6 po; profondeur: 5 pi 6 po).
72. Groupe de danse moderne de Montréal, dans une pièce intitulée *Réseaux 1958*, chorégraphie de Jeanne Renaud, décors et costumes réalisés par Lise Gervais, Jeanne Renaud et Vincent Warren en 1965.

Le Groupe d'expression contemporaine, formé de Jeanne Renaud, Lise Gervais, Serge Garant et Gilles Tremblay, présenta également un spectacle intitulé *Expression 65*. Lise Gervais avait réalisé les décors et les costumes pour la pièce *Phases et réseaux*.
73. Normand Thériault, «Lise Gervais et l'Automatisme», *La Presse*, 14 février 1970. «Le tableau attache donc par ses qualités plastiques et non (ce qui est plus habituel maintenant) par les mécanismes de participation qui le justifient [...] [l'œuvre] étant un fait plastique qui demande à être jugé comme tel [...] sans l'utilisation d'une structure nécessaire.»
74. Pour autant ils n'avaient pas été les seuls ni les premiers à avoir axé leur interprétation des œuvres en fonction du sexe de l'artiste; de tels commentaires avaient été faits par des critiques d'art anglophones entre les deux guerres et les références sexistes y avaient été passablement plus négatives et incriminantes qu'elles ne le furent chez les critiques d'art francophones du Québec.
75. Claude Jasmin, «Peinture féminine», *La Presse*, 30 janvier 1965.
76. Borduas avait déjà appelé à la disparition de toute forme de nationalisme («nationalisme» étant habituellement employé dans le sens politique) en art au profit d'«un humanisme ardent». (Lettre à Joséphine Hambleton-Dunn (1946), journaliste, critique d'art et ex-peintre, engagée par le Service d'information du Canada pour assurer la diffusion de l'art canadien à l'étranger et spécialement en Amérique latine. Cité par F.-M. Gagnon, *Paul-Émile Borduas (1905-1960), op. cit.*, p. 209.)

MARIE CARANI

CHAPITRE II

Le formalisme géométrique: positions des peintres formalistes québécois

L'art des années cinquante et soixante au Québec est traversé au premier chef par des problèmes esthétiques de forme, de structure et de couleur, dont les enjeux «formalistes» se révèlent par la priorité accordée au médium, au rôle du support et à l'application de la matière en surface. Une abstraction géométrique et bidimensionnelle en est le principal révélateur. L'objet de ce chapitre sera de situer ce «formalisme géométrique» dans l'histoire de l'art contemporain québécois selon le triple principe influence, évolution, œuvre.

J'ai choisi de me pencher sur les sources d'inspiration des artistes qui ont privilégié cette démarche, sur ce qu'ils ont créé, sur les avenues de recherche qu'ils ont ouvertes. Une méthode historique et critique est utilisée: mettre à jour les concomitances, relever les corrélations, produire les rapprochements philosophiques, esthétiques, stylistiques, formels. Étant donné son importance dans l'après-guerre, je me suis concentrée exclusivement sur la peinture en tant que médium. Le problème concernait donc la découverte, l'identification et l'interprétation d'un corps d'images peintes et d'idées sur la peinture, problème délimité par une même préoccupation qui lui donne sa cohérence: ce que l'on pourrait appeler un processus partagé de simplification rigoureuse et de dépouillement de la surface en fonction d'un art solidement géométrique qui est gouverné par des effets de formes et de couleurs dans un espace non mimétique et par une certaine conception de la symétrie.

Je me suis intéressée d'entrée de jeu à une certaine manière de conjuguer la surface et le matériau, soit à la notion inédite de «plasticisme», inventée et développée initialement ici par Rodolphe de Repentigny (alias Jauran) et les premiers plasticiens au milieu des années cinquante. La notion fut reformulée et menée à terme par les seconds plasticiens

Molinari, Tousignant, Juneau et Goguen, à la fin des années cinquante et pendant les années soixante. Plusieurs artistes ont travaillé épisodiquement dans les parages de cette conception plasticienne de la peinture: Fernand Leduc, Jean McEwen, Marcel Barbeau, Rita Letendre, pour ne nommer qu'eux. Confrontés et réagissant au monde formel en équilibre théorisé par Jauran, les seconds plasticiens proposaient le concept de plan-surface dynamique énergisé en tous ses points, optant pour une abstraction construite en plans géométriques *(hard-edge)* à partir d'une utilisation de la couleur structurante. L'intérêt ne réside plus alors dans les problèmes de composition post-cubiste ou dans un équilibre relationnel, mais dans une recherche de structure, c'est-à-dire la recherche d'une nouvelle structure de l'image proprement bidimensionnelle, ayant évacué toute référence possible au monde naturel, ainsi que dans une expérimentation active du langage de la couleur pure et des relations de masses, de formes, de tonalités ou de divisions internes. Molinari et Tousignant, en particulier, choisirent de travailler par le biais de la série, la rythmique structurelle complexe et vibratoire, en exacerbant les relations chromatiques de larges champs colorés qui s'emparent de toute la surface du tableau. Cette exploration de la structure plastique aboutit à l'affirmation d'un nouvel espace pictural, où les capacités structuralistes de la couleur résultent en une reconstruction des modes de représentation de l'expérience humaine, démarche formaliste menée par les seconds plasticiens qui se situe alors à la fine pointe des recherches plastiques contemporaines et qui devient en quelques années, à Montréal, le pôle d'attraction de la jeune peinture.

Dès les premières années de l'art abstrait, les peintres théoriciens croient que les formes géométriques équivalent à des valeurs universelles ou à des idées. On veut aussi intensifier les pouvoirs expressifs des éléments formels — surtout la couleur —, les tableaux offrant une charge d'énergie imprégnée d'une capacité et d'une simplification symboliques. Ces *a priori*, qui accompagnent l'histoire de l'abstraction depuis Malevitch, Strzeminski, Mondrian ou Van Doesburg, concernent une même préoccupation plastique: le formalisme géométrique, c'est-à-dire un art gouverné par des règles et des procédures logiques, mathématiques, des effets de formes et de couleurs, des surfaces épurées, dépouillées et une certaine conception de la symétrie[1]. Après 1950, ces caractéristiques sont partagées par les artistes nord-américains, qu'ils aient adopté, assimilé ou voulu contourner une structuration géométrique, qu'ils aient travaillé selon celle-ci ou s'en soient rapprochés. Tout cela est alors possible parce que l'art abstrait géométrique — avec son idéal et son processus d'autoréflexion sur les matériaux — est devenu en moins de dix ans (entre 1950 et 1960) le pôle d'attraction de la jeune peinture.

Au Canada anglais, surtout à Toronto, l'évolution picturale favorise vers 1955 une forme plus ouvertement expressionniste, une forme lyrique de l'abstraction qui se rapproche des expériences américaines, du *painterliness* de l'École de New York. Mais au début des années soixante, les *hot licks* (l'expression est de Clement Greenberg[2]) de Kooning et de Motherwell ne séduisent plus. L'abstraction torontoise rassemblée autour de la galerie Isaacs évolue suivant un va-et-vient entre l'émergence de la figure sur le fond, donc le maintien du référent figuratif, et les champs de couleur. Là, la peinture devient un événement, les surfaces peintes sont des espaces contenant des éléments formels qui relèvent de la complexité et de la variété des expériences personnelles de l'artiste, ce qui permet le décodage de l'image abstraite à partir du vécu, des souvenirs, des références à l'environnement, etc. À New York, la peinture *color stain* (la *post-painterly abstraction* de Greenberg), quand elle instaure des modes d'organisation plus réguliers et géométriques sur la surface par rapport à la gestualité exacerbée de l'action *painting*, conserve néanmoins une prédilection avouée pour la portée sublime des matériaux utilisés. Préférant l'effet immédiat d'une image globale qui absorbe les spectateurs dans sa configuration et sa structure jusqu'à ce qu'ils perdent toute notion de temps, les peintres new-yorkais semblent proposer à la fin des années cinquante des tableaux qui mettent en valeur l'activité perceptivo-visuelle qui amène l'effet couleur, minimisant les rapports plastiques structuraux. Ils offrent des champs de couleur modulés qui attirent l'attention sur les propriétés des éléments de la surface — notamment sur la couleur — pour insister sur la tendance de cette peinture à l'autocritique, à l'autoréférentialité moderniste au détriment de l'acte de peindre. Les peintres de l'abstraction post-picturale manifestent ainsi une volonté d'examiner les éléments formels constitutifs de la peinture; ils produisent des tableaux qui continuent à montrer les matériaux de leur réalisation, leur ancrage dans la matière colorante et non dans une idéologie structuraliste.

Au même moment, à Montréal, la situation est inversée. Les premiers plasticiens — Jérôme, Belzile et Toupin — expriment leur suspicion contre le geste de peindre, contre l'exubérance et la prétendue liberté rattachées au travail du matériau et de la surface, dans une peinture d'ordre et d'équilibre relationnels de composition plus objective. Peu après, les seconds plasticiens — Molinari, Tousignant, Juneau et Goguen — affirment la notion de plan-surface, d'espace-plein énergisé en tous points et optent pour une abstraction construite en plans géométriques (*hard-edge*) à partir d'une utilisation inédite de la couleur structurante[3].

Sans qu'il soit question d'évaluation esthétique ou critique de cette orientation picturale, on peut avancer d'entrée de jeu que le formalisme géométrique a vu se consolider et s'imposer à Montréal, entre 1950 et 1970, un mouvement pictural original, le plasticisme, dont les différentes tendances s'affirment progressivement sur la scène canadienne et internationale. Tout en reconnaissant que ce mouvement s'est étendu à d'autres forme d'art, en particulier à la sculpture, au muralisme, à la photographie, précisons qu'étant donné l'importance de la peinture durant les années cinquante et soixante, nous nous limiterons ici aux pratiques picturales les plus significatives et les plus engagées dans une recherche formelle.

Le plasticisme québécois

La question d'un art formaliste découle d'un débat sur la peinture en réaction à la subjectivité et au spontanéisme exacerbés de l'automatisme. Vers 1954-1955, plusieurs peintres font valoir les qualités intrinsèques de l'œuvre picturale abstraite; ils épurent plus objectivement la forme déjà débarrassée de son contenu figuratif pour en dégager et en saisir les capacités expressives des éléments constitutifs: forme, couleur, ligne. Se distanciant du naturalisme et cherchant une pratique autre qui permettrait d'évoquer les valeurs proprement plastiques du tableau, les premiers et les seconds plasticiens proposent une composition renouvelée de la peinture, soit un géométrisme fondé sur la vitalité des éléments formels. En conséquence, déjà au début des années soixante, plusieurs peintres montréalais partagent une démarche très particulière: ils amorcent leur pratique avec une forme d'automatisme dans la tradition québécoise, puis leur évolution artistique les amène à construire des surfaces plus rigoureusement abstraites dans la foulée du mouvement plasticien[4].

Faisant table rase des effusions gestuelles, des préoccupations atmosphériques des automatistes, autant les formes géométriques découpées, superposées ou juxtaposées, traitées en aplat des premiers plasticiens que les couleurs-formes primaires dans des espaces dynamiques des seconds apparaissent entre 1955 et 1965 comme les deux plus importantes manifestations d'une conception formalisante de l'art. L'une ou l'autre démarche est le résultat d'une interrogation sur la simplification rigoureuse des formes, sur la raréfaction des moyens, donc sur les finalités propres de la peinture. Sous l'appellation de «plasticiens», on trouve ainsi à Montréal deux groupements distincts de créateurs dont les rassemblements semblent engendrés dès l'abord par la critique de l'automatisme de Borduas et dont, à première vue, les valeurs picturales peuvent se concilier, bien qu'en fait leurs recherches soient plutôt antithétiques: les premiers plasticiens se concentraient sur une question de «détermination de forme», les seconds, sur le «plan-couleur» énergétique.

Mais on doit aussi considérer quelques indépendants comme faisant partie d'un mouvement plasticien au sens large. Fernand Leduc, Jean McEwen, Marcel Barbeau, Paterson Ewen, Rita Letendre produisent à la même époque, parallèlement aux deux groupes de plasticiens, des structures picturales plus ordonnées à partir d'éléments formels simplifiés, ce qui nous autorise à les rattacher au formalisme montréalais. Cette école se prolonge même au-delà des années soixante avec le ralliement de nombreux jeunes artistes tels Charles Gagnon, Jacques Hurtubise, Yves Gaucher, dont les travaux louvoient entre ces deux pôles déterminants de l'art québécois contemporain: l'abstraction gestuelle (lyrique) et l'abstraction structurale chromatique.

Tous partagent le souci d'un formalisme inspiré prioritairement du néo-plasticisme de Mondrian. Mais déjà cette filiation originelle installe des différences importantes dans le mouvement. Revendiquant le Mondrian des années trente, celui du groupe parisien Cercle et Carré, les premiers plasticiens adhèrent à ses recherches d'équilibre relationnel des éléments formels et chromatiques dans un espace non mimétique. Les seconds se réclament plutôt du Mondrian de la période new-yorkaise (1941-1944) pour récuser toutes traces d'une structure de composition naturaliste ou de notions d'un monde formel en équilibre, et ainsi définir une nouvelle problématique spatiale fondée sur les possibilités dynamiques de la couleur pure dans de larges champs de surface. De même, Fernand Leduc gravite initialement vers les premiers plasticiens, vers leur critique post-cubiste de l'objet, mais rapidement, conscient de la nécessité d'un ressourcement plus profond, il se rapproche de la structuration visuelle, plus près de l'«image», des seconds.

Ponctuellement, McEwen, Hurtubise et Gaucher s'approprient eux aussi la relation horizontale-verticale développée par Mondrian, l'inscrivant comme une étape nécessaire dans l'évolution de leurs pratiques. Barbeau, Ewen et Gagnon font de même. L'émergence d'un espace plasticien passe donc, au tournant des années soixante, puis soixante-dix, par l'exploration d'une composition plastique qui a évacué tout recours aux schèmes de reconnaissance du monde naturel (à la figuration), mais aussi à la structure même de l'espace figuratif. Le formalisme géométrique québécois y trouvera sa richesse inventive, ses principaux représentants, ses productions les plus marquantes, dans une pluralité de voies d'expérimentations formelles.

Jauran et les premiers plasticiens

En 1954, les expositions collectives de la librairie Tranquille réunissent trois jeunes peintres, Belzile, Jérôme et Toupin, à peine sortis de l'École des beaux-arts, et le critique artiste Rodolphe de Repentigny. Une préoccupation les rassemble alors: élaborer un espace pictural non mimétique qui sera dégagé des impressions de profondeur, de gravitation ou de latéralité rattachées à la perpétuation d'un ordre illusionniste. Alors que les automatistes surrationnels ont choisi de valoriser uniquement l'organisation spontanée ou accidentelle des éléments psychiques jaillissant de l'inconscient, les premiers plasticiens privilégient plutôt la constitution d'un ordre rigoureux des éléments formels qui soit dégagé de l'émouvant, donc d'une expression primaire du moi. Aux nécessités subjectives de l'automatisme, ils opposent les nécessités plastiques, les seuls faits plastiques, comme fondements d'un tableau abstrait, bidimensionnel et géométrique.

À cette époque, Paul-Émile Borduas, alors en exil à New York, désavoue la filiation «archaïque» de l'automatisme surrationnel avec le cubisme, à la suite de ses contacts avec les surfaces *all-over* de Pollock, reconnaissant dans sa peinture québécoise et dans celle de ses disciples un espace cubiste rapproché. Repentigny — l'animateur et le théoricien du mouvement plasticien — en vient lui aussi à mettre en cause le caractère proprement bidimensionnel et abstrait des pratiques automatistes, même s'il en avait salué initialement la signification et la portée radicales[5]. Quelques mois avant l'exposition *Espace 55*, il dénonce, dans *La Presse* et *L'Autorité*, le rêve cosmique automatiste qu'il qualifie de «romantique» et s'en prend à sa fuite, à son évasion dans les structures naturalistes. Cette évaluation le pousse à envisager la constitution d'une nouvelle peinture véritablement «plasticienne», qui serait inspirée du formalisme géométrique de Mondrian et de l'École de Paris[6]. Dans le *Manifeste des plasticiens*[7], rédigé par Repentigny et publié en février 1955 au moment de la première exposition collective du groupe à L'Échouerie, on note l'appel à un art qui ne se justifie que dans et par la peinture, indépendamment de toutes considérations littéraires (par opposition aux influences surréalistes avouées de l'automatisme montréalais).

Refusant toutes notions extérieures à la plasticité, les plasticiens proposent un espace proprement pictural, où l'attention serait limitée devant un tableau aux «faits plastiques: ton, texture, formes, ligne, unité finale qu'est le tableau, et [aux] rapports entre ces éléments. Éléments assumés comme fins[8].» Repentigny définit la pratique du groupe comme un effort de réduction, d'épurement. Car tout le travail des plasticiens doit porter seulement sur les éléments plastiques et leur arrangement formel. Dit autrement, les plasticiens veulent élaborer des «objets plastiques» autonomes et entrevoient l'avènement d'un «objectivisme pictural» où cet ordre se fonderait sur une nécessité plastiquement justifiée remplaçant la «nécessité intérieure» de Kandinsky. Repentigny formule à cette fin une «pure problématique plastique» de «détermination de forme» abstraite géométrique, qui évacue toute expression des «petits drames personnels», qui met en scène un nouvel ordre interne articulant la surface peinte, sublimant l'insatisfaction du monde et qui a une résonance universelle.

Si les fondements historiques, esthétiques et philosophiques des plasticiens furent clairement exposés par Jauran, ce programme demeure ambigu, même plutôt muet en ce qui concerne les pratiques effectives, les procédures de réalisation concrète. Les œuvres produites par les peintres plasticiens entre 1954 et 1956 peuvent nous renseigner à ce sujet et préciser le sens réel du travail formaliste.

Dans le *Manifeste*, Repentigny indique que le tableau-objet plasticien doit être signifiant par sa totalité et ne laisser percevoir que ce qui relie les formes géométriques juxtaposées ou superposées, imbriquées, quelquefois texturées et colorées, les unes aux autres. L'espace qui résulte de cette concentration sur la forme n'accorde qu'un rôle complémentaire à la couleur (à l'opposé du rôle prédominant et structurant que lui accorderont Molinari et Tousignant). Chez les premiers plasticiens, la couleur est surtout tonale, assombrie, en valeurs rapprochées, dans la tradition automatiste. Les structures de cet espace conservent de même les distinctions figure/fond, centre/périphérie, qui ont été expérimentées dans l'art québécois par Borduas. Évoquant ainsi le concept même de l'espace pictural de l'automatisme, les plasticiens proposent une focalisation qui reçoit la construction et une périphérie plus dégagée où les formes sont presque absentes. Aussi, leur volonté de construire un art proprement bidimensionnel est confondue par leur maintien de plans superposés et de textures rappelant le mode de composition cubiste. C'est donc à l'intérieur d'une structure qui n'est pas nouvelle, qui a déjà cours dans la peinture québécoise, que le plasticisme va s'exercer, s'articuler initialement dans le courant post-cubiste de manipulation de l'objet tridimensionnel, de façon à ne pas se réfugier dans ses limites, mais pour en explorer et en éprouver les modalités constitutives.

Jauran

L'évolution de la peinture de Jauran entre 1953 et 1956 l'éloigne (relativement) de l'automatisme. Elle suggère néanmoins la persistance des structures générales liées au cubisme[9]. Son point de départ est l'exploration d'un espace tridimensionnel rapproché dans des essais de gouaches automatistes et dans ses premières huiles (*Équilibre*, 1953), où des masses focalisées sont organisées en relations formelles et chromatiques par superposition et enchâssement, par cohésion organique. Jauran cherchera peu après à se libérer de cette mise en forme par l'épuration de ses contours, par le traitement de sa couleur en aplat, donc par l'affirmation d'une surface-plan bidimensionnelle (du moins vue comme telle) qui contredirait l'espace indéterminé des automatistes.

Pour contrer l'emprise de ces plans aux contrastes de couleurs claires et sombres — masses désaxées en équilibre instable des premiers tableaux —,le peintre multiplie tout d'abord les focalisations pour occuper toute la surface (dans *3-54*, par exemple) grâce à un processus de réduction et de multiplication des formes. Puis, inversement, l'année suivante avec *N° 197*, il les agrandit (quatre ou cinq plans-formes remplissant le champ) et les imbrique par juxtaposition séquentielle, par lignes brisées, proprement en «crochet», tout en conservant des contrastes de masses sombres et claires. Située souvent au centre du tableau, cette forme claire, refermée sur elle-même, ramène encore l'espace focalisé, malgré la présence d'obliques vectorielles orientées dans plusieurs directions. C'est comme si, sans remettre en question l'organisation cubiste de l'ensemble, le morcellement des formes en avait épousé les modalités.

En ce qui concerne les rapports chromatiques, la peinture de Jauran présente une évolution encore plus marquée. Alors que l'ensemble de sa production se caractérise par une utilisation de teintes en valeurs, dans des harmonies sombres, aux contrastes réduits, le peintre introduit la couleur pure en 1956 et élimine les tonales, dans une ultime série d'huiles sur papier. Il limite tout de même les possibilités énergétiques de la couleur et les contrastes trop accentués en cernant ses plans de couleur pure par des traits noirs fortement marqués ou par des réserves. Des plans rouges, bleus, jaunes sont ainsi entourés de larges traits noirs aux courbes expressives et lyriques. On peut voir là à la fois l'influence des réflexions contemporaines de Molinari sur les potentialités émotives et énergétiques de la couleur et la portée continue de l'expressivité gestuelle automatiste dans le milieu montréalais.

Jauran cesse de peindre en 1956 pour éviter les conflits d'intérêts entre sa pratique picturale et son métier de critique d'art. Jusqu'à sa mort prématurée en 1959, il poursuivra cependant sa démarche formaliste en photographie dans une production centrée sur l'exploration des capacités formelles du médium[10]. Bien que sa pratique de la peinture ait été de courte durée et que son œuvre peinte ait été peu vue du public, son influence sur le développement du formalisme géométrique au Québec sera considérable, autant en raison de ses relations avec ses amis plasticiens qu'en raison de son intervention socioculturelle, comme critique, en faveur de la non-figuration et de l'abstraction constructive. Quand Jauran se fait le défenseur de normes extérieures, néo-plasticiennes, qu'il intègre dans le milieu québécois par le biais de la philosophie française (Bergson, Sartre), il se présente pour la génération des années cinquante comme l'alternative à l'automatisme.

LOUIS BELZILE, FERNAND TOUPIN, JEAN-PAUL JÉRÔME

Comme Jauran, tous les premiers plasticiens conservent une version cubiste de l'espace, leurs démarches particulières les dissociant d'un espace rigoureusement abstrait[11]. Chez Louis Belzile, la disparition du motif figuratif en 1954 favorise un enchâssement systématique de formes étroites, verticales, lumineuses, fortement texturées, qui sont déployées à partir du centre. Dans un *Sans titre* de 1954-1955, l'espace du tableau résulte de l'imbrication et de la superposition de ces plans colorés aux textures grattées, s'élaborant en relations harmoniques. La richesse des matières (de ces textures), en accrochant différemment la lumière, crée une surface modulée. Progressivement, cependant, l'espace focalisé de Belzile évolue pour englober tout autant le centre que les périphéries par des relations d'étroites bandes aux rythmes voyageant de droite à gauche (et vice versa), donnant une importance égale à toute la surface. Dans les *shaped-canvas* que l'artiste expose à L'Actuelle en février 1956, les plans imbriqués sont des éléments de même format, au sein d'un plan de quadrilatère inégal, accusant encore l'objectivisme du tableau et brisant l'illusionnisme perspectif. Par la suite, Belzile tentera d'intégrer le plasticisme à une peinture de matière, de texture éminemment lyrique, d'épaisseur de la surface (par opposition à son caractère bidimensionnel).

Du côté de Fernand Toupin, les tableaux réalisés en 1954-1955 présentent des masses triangulaires, focalisées, découpées en crochet, plutôt sombres et qui s'imbriquent dans des masses, parfois claires, comme chez les autres plasticiens. L'aplatissement de la surface provient des lignes et des plans qui brisent la forme. La délimitation de ces plans par d'épaisses lignes noires permettent les décrochements de plans. Quand Toupin expose lui aussi des formats irréguliers (*shaped-canvas*) à L'Actuelle, son recours à l'effet produit par la ligne est renforcé sur deux des quatre côtés de ces tableaux aux contours polygonaux par le rebord même de la toile. Dans *Aire avec arcs réciproques* (1956), la surface colorée et le cadre jouent un rôle architectonique dans la composition, permettant d'ouvrir l'espace plasticien vers l'extérieur, dans l'ambiance, et aussi de ne laisser aucune hiérarchie d'éléments pouvant créer localement un effet de profondeur illusoire. La qualité bidimensionnelle recherchée n'est contredite que par certaines superpositions malhabiles. Avec ces tableaux-objets irréguliers, Toupin (et aussi Belzile) renouait par contre avec les notions d'autonomie et de prééminence de l'objet valorisées par l'automatisme, car la configuration inhabituelle du canevas apporte une valeur d'expressivité lyrique qui est en opposition avec le projet plasticien d'épurement incessant. De 1956 à 1959, à l'instar de Belzile, Toupin s'éloignera encore davantage de ce programme dans des formats habituels où des courbes noires (dans un jeu complexe, raffiné) soulignent des zones colorées. Ensuite, la texture s'imposera comme valeur importante.

Jean-Paul Jérôme quant à lui veut, dès 1955, déborder l'espace focalisé par le biais d'une structure verticale, frontalisée, aux lignes brisées et posées en crochet, où un plan-forme central, peint en aplat, est traversé par une oblique qui rivalise structurellement avec la notion de forme. L'année précédente, comme chez Jauran, des masses polygonales, sombres, flottaient encore dans un espace cubiste forme/fond. Ensuite, avec le *N° 19* et le *N° 23*, l'oblique qui découpe la surface d'une extrémité à l'autre engendre un rythme sur l'ensemble du tableau (par opposition au point focal), rythme accentué par l'intensité de nouvelles relations chromatiques. L'année suivante, Jérôme s'installe subitement à Paris; à son retour, en 1958, il a opté pour une orientation plus lyrique.

Le groupe des premiers plasticiens n'a donc exposé en commun qu'entre 1954 et 1956[12]. Pendant cette brève période, on note de nombreuses convergences entre les travaux des quatre peintres, une communauté d'intérêts et de préoccupations formalistes, géométriques. En particulier, on peut apprécier leur juxtaposition et leur imbrication de plans-formes découpés en crochet ou en angles aigus et obtus, composition plasticienne qui privilégie la surface entière du tableau-objet et qui anticipe subtilement la question du *all-over*. Si la couleur demeure le plus souvent dans des tons sombres, les contrastes colorés des plans juxtaposés posent néanmoins d'une façon surprenante le problème de l'énergisation chromatique qui sera au même moment le sujet déterminant de la peinture des seconds plasticiens. Ces derniers vont d'ailleurs rendre un hommage particulier au rôle de pionnier joué par Jauran et ses amis, en les saluant dans le catalogue-manifeste de l'exposition *Art abstrait* qui se tient à l'École des beaux-arts de Montréal en 1959. À cette occasion, on invite même Belzile et Toupin à participer à l'événement avec ceux qui seront dorénavant connus comme les «nouveaux plasticiens» montréalais[13].

Les seconds plasticiens

La démarche picturale des seconds plasticiens découle d'une volonté d'élaborer un langage plastique sur les bases du plan-couleur. Après 1955, cette approche obéit principalement aux thèses défendues par Guido Molinari et théorisées par Fernande Saint-Martin[14]. En 1955, Molinari et Saint-Martin ouvrent L'Actuelle, première galerie montréalaise consacrée exclusivement à l'art non-figuratif. C'est aussi l'époque où ce jeune peintre publie un article intitulé

«L'espace tachiste ou Situation de l'Automatisme[15]», dans la foulée du débat sur la peinture entre Borduas et Leduc[16]. Molinari maintient que le caractère foncièrement tridimensionnel de l'automatisme, c'est-à-dire son attachement à l'objet-accident à l'intérieur des structures spatiales naturalistes héritées de la composition cubiste et du surréalisme, laisse l'automatisme en retrait quant à l'évolution de la plastique par rapport à l'expressionnisme abstrait américain. «Alors que l'automatisme canadien centrait sa projection sur l'accident en tant qu'objet, écrit-il, l'automatisme de l'École de New York valorisait en lui la "tache" qui est au contraire un éclatement de l'objet[17].»

Comme chez les premiers plasticiens, l'esthétique de Molinari et de ses amis Tousignant, Goguen et Juneau a donc comme point d'ancrage initial une critique sévère de l'automatisme. Ils s'éloignent aussi radicalement de l'équilibre relationnel revendiqué par Jauran. Reprenant la filiation Cézanne-Mondrian-Pollock avancée précédemment par Borduas, Molinari suggère que la coupure des automatistes de la «peinture vivante universelle» a limité ses expérimentations à l'utilisation de la notion d'objet dans un espace tridimensionnel. D'un autre côté, l'originalité de Pollock, qui s'insère dans l'évolution picturale du cubisme à Mondrian, c'est l'emploi de la tache dans l'espace dynamique réalisé par Mondrian, lequel a transcendé l'espace traditionnel en détruisant le volume par un recours à la couleur-énergie[18].

Molinari accuse Borduas de méconnaître cet espace énergétique non euclidien développé par Mondrian à New York, de le restreindre à un espace tachiste et de ne privilégier dans ses écrits qu'une lecture de la couleur comme lumière et non comme énergie structurante. Car, quand Borduas conserve le rapport tache/objet/fond, il refuserait à la couleur ses capacités d'activation de la surface. De même, l'emphase spirituelle et ce qu'il considère être une psychologie émotive désuète des premiers plasticiens ne le satisfont pas. Il soulève par conséquent la nécessité de définir un structuralisme abstrait investi d'une nouvelle sensibilité, de concevoir un espace qui dépasse la structure perspective. Mondrian y serait arrivé en affirmant l'espace-plan propre au tableau; les réseaux linéaires *all-over* de Pollock auraient aussi démantelé cet espace focalisé. Par contre, la peinture québécoise s'en tiendrait encore à une exploration de cette conception euclidienne, aux structures cubistes de l'espace figuratif.

Cette orientation de recherche (qui sera partagée à la fin des années cinquante par les autres défenseurs de l'abstraction chromatique montréalaise) s'appuie sur la lecture par Molinari, en 1951, d'un article paru dans *Art News* où l'auteur, James J. Sweeney, cite une lettre que lui a adressée Mondrian à l'été 1943, peu après son établissement à New York[19]. Mondrian y exprime son désir de briser définitivement le caractère volumétrique de l'espace cubiste, c'est-à-dire d'éliminer ses relents naturalistes, pour constituer enfin un espace proprement abstrait. La forme prédéfinie est niée en tant que telle, puisqu'elle résulte désormais de la dynamique des rapports linéaires et chromatiques. Ce nouvel espace en perspective frontale, où l'évocation de l'objet naturel n'existe plus, est complètement ouvert; il s'empare de toute la surface du tableau. La notion d'objet dans l'espace est mise en cause par cette structure spatiale qui est fondée seulement sur le rapport expressif des éléments plastiques purs, sur les rapports de dimension, de position et de proportion produisant un rythme dynamique dans le champ d'énergie que constitue le tableau. Mais alors que Mondrian privilégie comme élément structurant le rapport énergétique de l'angle droit, la rencontre horizontale-verticale, Molinari et Tousignant feront plutôt intervenir l'énergie chromatique. Leur utilisation du *hard-edge*, c'est-à-dire l'élimination de la tonalité et de la texture par les aplats de l'émail et la délimitation nette des contours des plans-couleurs, en affirmant le caractère frontal de ceux-ci et le caractère bidimensionnel de l'espace, permet justement à la couleur de jouer ce rôle, et aux relations des couleurs-formes d'établir une rythmique structurelle complexe et vibratoire.

À première vue, cette évolution simplificatrice des seconds plasticiens semblerait s'accorder avec les principes de la critique formaliste américaine, voire même les dédoubler[20]. Pour Clement Greenberg, le progrès en art résulte d'une volonté de «réduction puriste» et, à ce titre, les travaux de

Molinari et de Tousignant seraient une recherche de formes «purifiées» d'abstraction comme celle d'Ad Reinhardt. Une telle interprétation néglige cependant l'intention ultime des seconds plasticiens, qui est d'amener une redéfinition structurale du phénomène et du dynamisme propre de la couleur, à partir, entre autres, des notions d'interaction développées par Albers[21] et réintroduites dans l'optique d'un processus d'organisation qui devient sériel. Ainsi, dès 1954, Molinari fait siennes les observations d'Albers sur les interactions de plans colorés adjacents: leurs effets réciproques nuisent à la «juste» perception de leur tonalité ou intensité spécifique. Molinari reproche cependant à Albers d'avoir recours à une couleur dominante comme base d'ordonnancement de la surface; il préfère un assemblage structurel de couleurs-formes. Tousignant procédera de même.

Ainsi, dès 1956, quand ils exposent des tableaux *hard-edge* à L'Actuelle, ces peintres ont renoncé à la figuration et veulent aussi détruire son espace particulier dans un formalisme géométrique beaucoup plus radical que celui des premiers plasticiens, un formalisme global, plat et frontal, basé sur des plans de couleur pure sans variations de tonalités, donc uniformes. En outre, Molinari utilise la qualité réversible du noir et du blanc dans un espace où l'un et l'autre peuvent être fond ou forme; Tousignant réduit de même le tableau à un bichromatisme dynamique, à l'interaction de deux couleurs situées frontalement dans deux plans identiques. À l'exemple de Mondrian, les seconds plasticiens proposent donc la réduction à un système géométrique surtout binaire, où les rapports entretenus par les éléments deviennent constitutifs de l'œuvre et hautement expressifs.

La puissante charge d'émotivité et d'expressivité — «le choc couleur» démontré par les études de Rorschach — serait incontournable[22]. Selon Molinari, c'est par l'expérimentation de cette fonction dynamique que l'œil du spectateur parcourt un trajet où l'œuvre n'est plus définie comme un donné préalable, mais justement comme un champ ouvert, un donné à construire. Dans cette relation active, le spectateur «produit» l'objet de connaissance en effectuant une reconstruction mentale de l'œuvre. C'est par la perception des rapports dialectiques des plans colorés (centre/périphérie, haut/bas, droit/gauche), par celle des tensions réelles ou virtuelles suscitées par les plans ouverts et fermés, ainsi que dans l'expérience de la structure réversible (et non seulement dans celle des formes sur la toile), que s'élabore ce trajet de connaissance et que se constitue le sujet du tableau. D'après Molinari, le rapport décisif entre la toile, son créateur et le spectateur est donc essentiellement basé sur la matérialité même de la couleur. Le tableau plasticien devient la somme des rapports chromatiques que le spectateur est invité à compléter dans le temps de l'expérience.

À ce sujet, les seconds plasticiens se réclament aussi de Malevitch, du suprématisme comme métaphore de la couleur. Ils apprivoisent le concept de «planéité du plan» de ce pionnier de l'abstraction et veulent abolir, comme lui, toute notion de figure sur un fond ou tout procédé figuratif — couleur locale, texture, volume, etc. — qui engendre la troisième dimension. Seuls la couleur et le plan, comme éléments dynamiques de la peinture abstraite plasticienne, seraient «propres à l'élaboration d'un nouveau langage qui soit vraiment adéquat à l'expression de l'individu[23]».

Dans le catalogue de l'exposition *Art abstrait*, tant Molinari que Tousignant reviennent encore sur l'importance du rapport entre la toile et le spectateur, ce dernier étant invité à expérimenter la force concrète et émotive de la couleur comme plan. Pour exprimer «les relations multiples de l'individu avec ce qui l'entoure», seule la méthode abstraite et authentique «tente d'inventorier, de découvrir par ses nouveaux moyens d'action, la structure de ce réel, à partir d'une expérience concrète et émotive de l'homme projetée dans une élaboration constante de ses rapports avec l'univers[24]». Aux adversaires de l'abstraction géométrique qui la qualifient alors de «froide» et de «désincarnée», Molinari répond que le «langage de l'âme» qu'ils revendiquent n'a pas plus d'affinité avec les éléments plastiques de ton et de transparence qu'avec des organisations structurales et colorées extrêmement sensibles, appelées à exprimer les différentes facettes du monde intérieur humain. C'est parce que la peinture plasticienne produit cette adéquation totale où la couleur est une fonction dynamique de certains moments de perception et d'expérience qu'elle définirait de nouvelles structures spatiales et mentales.

Pour les seconds plasticiens, l'abstraction est aussi le véhicule de positions philosophiques et esthétiques qui relèvent d'un des principaux courants de la pensée du XXe siècle, le structuralisme[25]. À l'opposé, Jauran et les premiers plasticiens se réclamaient des thèses intuitionnistes d'intégrité et de vérité issues de la phénoménologie d'Husserl et de l'existentialisme français[26]. C'est la lecture de l'essai de Fernande Saint-Martin, *La littérature et le non-verbal*, publié en 1958[27], qui initie notamment Molinari aux travaux d'Alfred Korzybski sur l'application des langages non aristotéliciens aux notions de matière, d'espace, de temps, de mathématiques et «autres formes élevées d'abstraction». En niant les catégories aristotéliciennes, tributaires d'un espace défini spécifiquement en peinture comme illusionniste, Korzybski se faisait le défenseur des nouvelles géométries non euclidiennes. Ces conceptions auront une influence considérable sur Molinari, l'entraînant à rejeter le rapport figure/fond au nom d'un espace topologique. Par la suite, sa réception des théories de la Gestalt, des théories de la perception d'Arnheim et de l'épistémologie génétique de Piaget sera toujours ancrée dans cet horizon structuraliste.

GUIDO MOLINARI

Les premiers travaux que Molinari expose en 1953, à la *Place des artistes*, manifestent déjà ses préoccupations pour la structure et la couleur. Il s'y démarque des atmosphères de l'espace automatiste[28]. Concluant que Borduas n'a pas vraiment libéré le geste spontané, que ce geste demeure encore trop contrôlé et limité dans un espace tridimensionnel para-surréaliste, Molinari exécute d'abord, au début des années cinquante, des peintures tachistes, au *dripping*, inspirées de Pollock, les yeux bandés ou dans le noir. Par cette méthode peu commune, il cherche à briser les canons de l'illusionnisme et le conditionnement spatial instauré par la couleur-lumière. Il veut cesser de refaire le tableau «trop refait déjà».

Puis il compose des tableaux comportant des taches de couleurs uniformes, appliquées à la spatule, qui sont exposés en 1954.

Vers 1955, tout en reconnaissant son influence germinale, et comme il ne s'agit surtout pas de refaire des Mondrian au Québec, Molinari s'engage dans des recherches structurelles qui ont pour but de détruire la grille linéaire toujours présente dans les productions new-yorkaises du peintre néo-plasticien. À travers des travaux calligraphiques (1953-1955) et des huiles en noir et blanc, il affirme l'analogie entre le plan énergétique de Mondrian et la tache de Pollock pour la réalisation d'un espace non-euclidien; il veut intégrer les expérimentations techniques de Pollock dans un espace réversible positif-négatif. Pour ce faire, Molinari recrée visuellement le plan dynamique de Mondrian, son équilibre dynamique de la surface, par l'intensité du contraste de deux couleurs, le noir et le blanc. Ainsi, dans *Abstraction* (1955), le noir brillant, au lieu d'agir comme un arrière-plan «en profondeur» sur la surface blanche, s'affirme plutôt comme couleur et partie intégrante de la surface avec le blanc. Il en est de même des tableaux exposés à L'Actuelle l'année suivante, dont *Angle noir* et *Vertical blanc*. Ces œuvres à structure binaire sont à l'origine de ses recherches subséquentes avec des formes de dimensions plus égales, verticales, qui rompent l'orthogonalité, où la nécessité d'un espace plat interrelationnel est réaffirmée par l'opposition entre deux ou quelques plans colorés[29].

Entre 1956 et 1960, Molinari poursuit sa critique du naturalisme inhérent à l'œuvre de Mondrian. Il considère maintenant que cette peinture conserve la structure figure/fond: ainsi les lignes et les plans-couleurs de Mondrian pourraient être lus comme étant contenus dans un fond blanc, uniforme, bien qu'assez plat. La vingtaine de peintures de 1956-1957 en noir et blanc, peintes à l'émail, s'attaquent donc au problème de la réversibilité; elles représentent une rupture complète avec la tradition locale. Les huiles de 1958-1959, dont certaines seront exposées à l'*Art abstrait*, utilisent aussi les couleurs primaires pures (rouge, jaune, bleu) en forte saturation, en plus du noir et blanc, pour appuyer les effets d'arrière-plan et d'avant-plan qui reculent ou avancent l'un par rapport à l'autre. La profondeur qui est suggérée n'est qu'optique, elle est conférée par l'énergie et la tension surtout verticale des surfaces colorées, faites d'éléments géométriques simples: le carré et le rectangle. Si elles sont une mise en question de l'orthogonalité et du rapport fond/forme, plusieurs des couleurs-formes qui sont posées sur toute l'étendue de cette surface maintiennent des accents horizontaux dans la composition du tableau. Car aux bandes verticales colorées sont associés de courts segments horizontaux sur les côtés, disposition qui trouble la perception, qui fait jouer les rapports des formes géométriques entre elles, perçues comme superposées ou juxtaposées. Les bandes verticales fonctionnent souvent comme des figures sur un fond de bandes horizontales sous-jacentes: en divisant la surface en quatre registres horizontaux, ou trois, ou deux, les mouvements vibratoires entre ces bandes produisent, par association optique, des relations dynamiques verticales et obliques.

Un tableau noir et blanc de 1958, *Multi-blanc*, présente une épuration et un contrôle total de la surface. L'énergie optique des contrastes y est organisée selon un schéma qui reprend les qualités verticales et horizontales de la surface mondrianesque. *Poly-relationnel* et *Diagonale rouge* de 1959 prolongent cette exploration des capacités vectorielles du tableau, mais en introduisant des plans-couleurs contrastés. Molinari veut ainsi constituer un espace vibratoire où une même couleur aurait une fonction différente de par sa position dans la structure. *Diagonale rouge* inclut des bandes verticales noires et blanches juxtaposées parallèlement à des bandes rouges, blanches et orangées. La diagonale du titre s'obtient visuellement des obliques des côtés des bandes et de l'équivalence visuelle entre les secteurs orange et blancs superposés et inversés l'un par rapport à l'autre à gauche et à droite de la composition. En variant l'épaisseur des bandes, en les subdivisant en sections de couleurs variées, Molinari joue sur les prolongements virtuels que les obliques et les espaces ouverts/fermés suggèrent, ce qui souligne la relation dialectique des horizontales et des verticales et accentue le *push and pull* avant-plan/arrière-plan. C'est aussi avec *Diagonale rouge* que l'artiste met en scène, pour l'une des premières fois, des vibrations optiques à la rencontre des plans et un mode de composition sériel, où la répétition d'une bande d'une même couleur à différents endroits sur la surface manifeste ses qualités énergétiques selon le lieu qu'elle occupe (en relation avec les autres bandes), affirmant les multiples lectures possibles d'une œuvre à structure ouverte.

La dernière rupture de Molinari avec ce principe d'horizontalité et de verticalité, rupture entreprise après 1955, trouve son accomplissement dans les compositions à bandes parallèles de couleur des années soixante. Avec *Asymétrique rouge* (1962, ill. 17), l'effet vertical se développe pleinement, le concept de sérialité prend forme. L'apparente symétrie des bandes jaunes (étroites), rouges (larges) et bleues (étroites), à gauche, dédoublée dans la partie droite du tableau, ne résiste pas au balayage perceptif[30]. Par la juxtaposition, l'impression de symétrie et d'ordre est détruite, chacune des séries de bandes ne pouvant plus être lue comme identique. Malgré le recours à des couleurs semblables et à des bandes de largeur égale, le système perceptif de chaque individu semble transformer l'œuvre en un événement nourri par les vibrations qui résultent de ces combinaisons. Les six bandes peuvent être l'objet d'une diversité de lectures relationnelles en fonction de la focalisation effectuée par le spectateur: soit une bande individuelle, une paire de bandes ou tout autre regroupement possible. Les possibilités perceptuelles, comme les vibrations conséquentes de couleurs et les modifications de tonalités juxtaposées, sont nombreuses et peuvent ainsi être complexifiées selon le choix d'une lecture séquentielle ou d'un focus temporaire. De plus, manipulant la dialectique individuation colorée/unité sérielle, Molinari fait aussi intervenir les forces centrifuges/centripètes, le milieu et les périphéries de la série, le centre et les côtés des couleurs, chacune de celles-ci ayant un centre, une gauche et une droite. L'emploi de bandes *hard-edge*, asymétriques, uniformément en haute saturation et d'une même intensité, crée un espace plasticien qui résulte des transformations des couleurs-formes en séries d'interactions expressives (lumineuses, colorées) sur toute la surface. La composition si simple de cette peinture a ainsi un caractère autant analytique que synthétique.

On peut parler d'*all-over* chez Molinari, toute la surface du tableau étant activée, sans hiérarchisation, selon une rythmique structurelle qui répond à la seule perspective optique. L'espace y est fonction de la durée de perception. Dans ce champ, la couleur qui possède une tonalité objective est un élément actif: si on change de point de vue, on change le phénomène des contrastes simultanés. Regarder une couleur, c'est voir les autres différemment. Sitôt perçue, sa tonalité est modifiée par les couleurs qui lui sont contiguës. Le même processus se produit quand il s'agit d'une série. Il n'y a donc pas de fait objectif, tout dépend du voisinage. La répétition de la série initiale de couleurs bouleverse la perception de la modification des couleurs. Dans *Hommage à Jauran* (1961), où on trouve treize bandes de largeur légèrement variables et quatre couleurs, il est possible de considérer une lecture séquentielle qui irait de gauche à droite: après les quatre couleurs — noir, blanc, bleu et rouge —, on rencontre trois séries tripartites consécutives ayant un ordre *a-b-a* de tonalités, soit une bande noire entourée de deux blanches, une bleue flanquée de deux rouges et une autre noire enserrée par deux bleues. Mais on pourrait aussi voir l'ensemble de l'œuvre comme une unité individuelle ou binaire, voire même la lire de droite à gauche[31].

Pendant toute la décennie 1960, Molinari élabore sa notion fondamentale de «mutation rythmique», basant celle-ci sur la constatation que les perceptions chromatiques se transforment constamment dans le temps et que leur qualité est modifiée par la perception des intensités colorées qui les entourent[32]. Les motifs de bandes parallèles constituent des systèmes de couleurs-formes déduites les unes des autres, formes qui sont bordées par le cadre du tableau sans que celui-ci ne les découpe. C'est comme si tout se déroulait dans un système organisé, selon des permutations prévisibles. À la lecture synthétique de l'ensemble des bandes, des mutations chromatiques de chacune, se superpose une lecture discontinue. En répétant ses bandes dans un ordre légèrement irrégulier, Molinari invite la participation active du spectateur qui doit localiser où la répétition fait défaut et ce qu'elle produit: vibrations, ondulations. Des séries colorées qui ne sont jamais reproduites de façon identique entraînent la perception de cette situation[33].

Pour Molinari, cet ordonnancement de bandes colorées dans des patterns sériels réguliers ou irréguliers implique, à partir de 1962, une exploration intensive des capacités structuralistes de la couleur. Entre 1963 et 1968, il mène dans une succession de séries différentes expériences ou «mutations» (du nom d'une de ces séries) qui complexifient ses problématiques initiales: utilisation d'une couleur unique différenciée en tonalités diverses, réduction des couleurs à quelques teintes, mouvement ascendant ou descendant des bandes, intégration des contrastes violents par l'insertion de bandes rouges, multiplication du nombre de bandes parallèles (jusqu'à seize et vingt) en quatre ou cinq teintes différentes, etc. C'est toute la surface qui se transforme. Toujours l'effet optique des images à retardement (l'*after-image*) est considéré comme secondaire par rapport à la restructuration recherchée du langage pictural: notions de symétrie et de tension verticale, sérialisation, individuation des couleurs, répétition de tonalités choisies, rejet d'une couleur dominante unique, élimination des oppositions secondaires (c'est-à-dire des textures et des contrastes de formes). Les *Sériels* et *Bi-sériels* de 1967-1968 (ill. 18 et 19) marqueront l'apogée de ces recherches formalistes dont les mutations voulaient détruire la géométrie initiale des éléments formels pour découvrir un espace nouveau en transformation perpétuelle, situé entre l'œil du spectateur et la surface en mouvance du tableau qu'il perçoit. L'importance de cette recherche aurait résidé dans sa mise en question de l'expérience picturale.

En 1969, Molinari instaure une nouvelle procédure: abandonnant les verticales et les damiers (qu'il a utilisés l'année précédente comme retour critique sur Mondrian), il introduit des arrangements modulaires triangulaires et rectangulaires, fondés sur la diagonale[34]. Pendant près de cinq ans, ses tableaux sont organisés en fonction d'une notion d'équilibre entre les zones centrales et la nature triangulaire des coins de la surface. Mais, vers 1975, Molinari revient aux bandes verticales des années soixante, cette fois-ci beaucoup plus élargies. Au contraire d'une composition qui repose sur des effets chromatiques immédiats, les *Quantificateurs* constituent une expérience contemplative étendue qui est fondée sur la masse colorée réduite à des valeurs sombres quasi monochromes, lesquelles se transforment subtilement au moment de la perception. C'est dire que, dans les années soixante-dix, la réduction abstraite géométrique que propose Molinari ne renie jamais ses expériences de 1955-1956 sur la constitution d'un espace plasticien à la fois plat et frontal, *hard-edge*, basé sur une systématicité structurale.

CLAUDE TOUSIGNANT

C'est initialement au contact de la peinture américaine — celle de Rothko et celle de Kline — que Tousignant entreprend vers 1954-1955 de pousser plus loin leur recherche de dépouillement et de simplification. Travaillant de concert avec Molinari, il s'intéresse à une forme-tache abstraite *(all-over)* pour se démarquer des espaces atmosphérique et cubiste proposés respectivement par les automatistes et les premiers plasticiens. Pour son exposition *hard-edge* de 1956 à L'Actuelle, au moment où Molinari privilégie l'espace réversible du noir et du blanc, Tousignant utilise le premier la couleur pure dans des œuvres extrêmement minimales, rigoureuses. Il n'y a plus de lignes, mais des plans colorés qui investissent toute la surface. Affirmant la qualité spatiale de la peinture, Tousignant réduit le tableau à un système binaire ou ternaire, c'est-à-dire à l'interaction de deux (rouge/noir) ou trois couleurs. L'espace plat qu'il recherche est ainsi dévoilé et activé par l'opposition formelle entre quelques plans-couleurs, géométriques et ouverts, qui donnent à la surface sa monumentalité et son expansion[35].

Auparavant, sa peinture avait évolué dans le contexte d'un art tachiste. Les tableaux exposés à L'Échouerie en mars 1955 veulent nier l'espace naturaliste et posent une notion de champ-surface. Tousignant refuse également la pauvreté des palettes assombries. En valorisant la qualité rythmique et spatiale de la couleur, il veut lui redonner sa suprématie. À la même époque, il découvre la peinture industrielle — le «duco» — qui accentue le caractère frontal des plans-taches.

Il s'en servira pour ses tableaux *hard-edge* de 1956 qui s'insè-
rent dans une problématique de dépouillement formel. Il
abandonne alors les surfaces transparentes et les contours
soft-edge, il met en scène des œuvres à structure horizontale
ou verticale, où la frontalité des plans-couleurs, le caractère
bidimensionnel de la surface appuient la fonction relationnelle des masses colorées. La coupure permise par les
contours *hard-edge* accentue à cet égard les tensions énergétiques du champ[36].

Le *Lieu de l'infini* (1956) est un rectangle noir enveloppé
au sommet et à la base par des bandes horizontales rouges.
L'œuvre renvoie à Malevitch, à l'élimination d'éléments des-
criptifs en faveur de formes élémentaires et constructivistes.
Affects (1956), avec ses trois bandes horizontales de largeurs
différentes, aux valeurs très rapprochées, suggère le plan dynamique de Mondrian, non seulement par le jeu optique des
valeurs, mais surtout par les espaces géométriques strictement régularisés qu'elles occupent. *Verticales jaunes* de 1958,
qui sera exposée l'année suivante à l'*Art abstrait*, est une autre
structure simplifiée qui s'inscrit dans l'évolution de Tousignant axée sur la réduction. L'œuvre définit les rapports
chromatiques entre six plans verticaux — rouge, jaune, vert
— de formes irrégulières, opérant la synthèse de la structure
et de la couleur à partir de ce vecteur privilégié. Peu après,
c'est l'angle droit emprunté à Mondrian que le peintre voudra approfondir dans des surfaces chromatiques en équilibre
dynamique. Graduellement, ses tableaux se complexifient,
débouchant même, vers 1961, sur une recherche en trois
dimensions: du relief monochromatique aux structures
spatio-dynamiques. Mais ce travail en sculpture ne pouvant
alors rendre compte du caractère abstrait qu'il recherche,
Tousignant revient à des tableaux simplifiés selon un schéma
focalisé, circulaire et pulsatoire[37].

À ce moment, les démarches de Molinari et de Tousignant, qui avaient été parallèles au cours des années
cinquante, se séparent radicalement. Pendant que Molinari
élabore un système chromatique de bandes verticales, Tousignant opte pour des séries de «disques». C'est l'exploration
du phénomène de la lumière-énergie entreprise avec le

Carreau jaune (1963), où la qualité rayonnante de la couleur est rehaussée par une structure simplifiée blanc/jaune, qui entraîne l'introduction d'une forme ronde par laquelle l'artiste veut se démarquer de la composition classique. Dorénavant, le cercle reviendra comme un leitmotiv dans son travail. Il peut être au centre de l'œuvre, flanqué de deux bandes parallèles verticales qui rappellent les bords du tableau, comme dans la *Dernière nature morte* de 1964 (ill. 2): là, la tension entre les éléments est néanmoins atténuée par la présence de relations tonales entre trois couleurs — bleu, jaune, vert —, et une masse flottante noire, circulaire, ainsi que par la persistance d'un rapport forme/fond. On peut parfois retrouver ce cercle légèrement à gauche ou à droite, ou même un peu plus haut ou plus bas que le centre.

Cette organisation, fondée sur les relations lumineuses et formelles d'une couleur-forme circulaire, évolue rapidement au début des années soixante en une surface de bandes concentriques qui envahissent le support rectangulaire (ou carré) dans des rythmes chromatiques de plus en plus mouvementés. Le «tableau-cible» est l'aboutissement du travail de la couleur; il répond à la dichotomie primordiale entre le cercle et le carré (ou rectangle) que forme habituellement le canevas. Ses multiples bandes déterminent une structure qui tend à nier les éléments de formes pour ne poser que l'effet vibratoire coloré. L'équivalence forme/format, révélée dès 1956, se trouve donc confirmée et associée à une structure plus articulée[38].

Entre 1965 et 1968, la structure formelle des séries *Transformateurs chromatiques* (1965), *Gongs* (1966) et *Accélérateurs chromatiques* (1967) est ainsi basée sur les rapports modulaires de séquences de couleurs, perçus comme une expérience dynamique de lumière colorée. Les *Transformateurs chromatiques* sont caractérisés par les mouvements centrifuges et centripètes des cercles concentriques qui engendrent, avec la vibration chromatique, une pulsation rythmique sur toute l'étendue de la surface. En regard du fond, la position et la qualité des couleurs disposées en bandes de même largeur, subdivisées en bandes plus étroites, créent un phénomène de perception optique. Les *Gongs* sont constitués de plusieurs bandes concentriques qui rendent compte d'une dimension et d'un positionnement hiérarchisés. Des énergies centrifuges/centripètes donnent à la surface un mouvement qui se creuse ou s'avance vers le spectateur, une dynamique de l'avant-plan et de l'arrière-plan. C'est dire que dans le même sens que chez Molinari, une profondeur optique intervient au chapitre de la réception de l'œuvre, corollairement à la frontalité du travail *hard-edge*.

De plus, les *Gongs* se distinguent des *Transformateurs chromatiques* par la réduction du nombre de couleurs et l'égalisation de la largeur des bandes, procédures qui bouleversent la qualité et la position des couleurs créant le mélange optique. La surface des *Gongs* est divisée en larges bandes concentriques sur lesquelles se trouvent d'étroites bandes d'égales dimensions. Les larges bandes sont ensuite divisées en deux bandes égales par la superposition de cercles de couleurs différentes; il s'ensuit quatre cercles concentriques recouverts d'un film lumineux résultant de la vibration optique, donc une troisième couleur par juxtaposition de ces couples de couleurs. Mais, comme Molinari, Tousignant récuse néanmoins toute affinité de sa peinture avec une recherche d'effets optiques qui ne seraient que secondaires. Peu après, la structure chromatique reprendra de l'importance sur ces vibrations produites par les images à retardement (*afterimages*).

Vers 1968, l'utilisation d'une structure sérielle lui permet d'obtenir une plus grande capacité structurale. Tousignant suggère l'indétermination de l'élément coloré particulier et insiste sur la conception ordonnée du travail de la couleur. Pour ses *Accélérateurs chromatiques* (1968), il exploite au maximum sept couleurs et explore leurs qualités tonales et chromatiques, de même que leurs fonctions dans la série. Le nombre et l'organisation des éléments dépendent du format retenu. Prolongeant le temps de perception, la répétition (inhérente à l'organisation sérielle) de ces éléments multiplie les relations chromatiques. De plus, la lumière qui joue sur la surface plate accentue le surgissement particulier du tableau, le mouvement intrinsèque de la structure colorée.

En 1969, tout en réintégrant le cercle, les doubles ronds, Tousignant revendique parallèlement le format diagonal.

Rejetant ensuite la complexité optique des anneaux concentriques, il opte pour une structure monumentale composée de deux peintures circulaires reliées (les diptyques) qui utilisent seulement deux couleurs. Ses travaux se concentrent sur les distinctions fondamentales symétrie/asymétrie, droite/gauche, etc. C'est dire que la notion de relation dynamique entre les éléments apparue en 1954-1956, puis développée au cours des étapes subséquentes, conserve encore son importance et sa fonction déterminantes dans le travail de l'artiste. Les séries de tableaux circulaires des années soixante-dix et quatre-vingt, que Tousignant dispose sur les quatre murs d'une pièce, témoigneront de la constance de cette problématique dans sa recherche.

Denis Juneau et Jean Goguen

La formation en design moderne de Juneau lui fournit un vocabulaire fonctionnel et strictement géométrique. Lors de sa première exposition à la galerie Delrue en 1957, il présente des arrangements de couleurs-formes géométriques dans un espace plat comme source de mouvement: mouvement des cercles, mouvement des figures. À partir d'une forme centrale posée en déséquilibre sur un fond, il évolue au début des années soixante vers une occupation de toute la surface[39]. Les figures vont se loger aux périphéries et dans les coins, faisant du tableau une totalité homogène. *Fond rouge* (1960) suggère l'indifférenciation d'une forme et d'un fond. Le fond (rouge et vert) est doublement actif: formes noires, oblongues, placées devant, dont l'une est divisée arbitrairement en une aire jaune et une aire noire rappelant le traitement du fond et complexifiant davantage l'espace optique, et en lui-même, par ses teintes rouge et vert, le rouge avançant, le vert reculant.

Pour Goguen, la couleur-énergie est la donnée de base qui révèle les formes géométriques élémentaires qui la contiennent; elle préside à l'organisation du tableau. L'interaction de ces éléments colorés crée une surface vibratoire. Dans *Rouge multiple* (1961), des masses réelles et virtuelles (résultant d'effets positifs/négatifs) s'activent tels des éléments d'une machine articulée autour d'une forme centrale. Le géométrisme de l'ensemble n'est donc pas statique, l'impression de gravitation constituant le facteur qui influe sur la perception de la ligne d'horizon.

S'ils adhèrent très tôt à la stricte géométrie du formalisme abstrait lancé par Molinari et Tousignant, tant Juneau que Goguen semblent vouloir construire un appareil extrêmement élaboré qui ne cadre pas facilement avec le bond simplificateur de Molinari et Tousignant. Ils exposeront néanmoins à l'*Art abstrait* et à l'événement *Espace dynamique*, mais leurs recherches manifesteront toujours une volonté d'édifier un art fondé sur la vitalité de la couleur et de la forme qui dépasserait le langage expressif et personnel de l'artiste, le procès de communication créateur/spectateur, pour englober l'architecture d'une cité idéale, comme ils l'affirmeront dans le catalogue de l'*Art abstrait*[40].

Des indépendants

FERNAND LEDUC

Jeune automatiste signataire du *Refus global,* Leduc prend ses distances par rapport aux thèses de Borduas dès la publication du manifeste de 1948. Faisant sien un désir de réduction et d'ordre, d'objectivisme de la peinture, il ne peut plus accepter la dichotomie spontanéité/raison qui sous-tend alors la condamnation automatiste de la peinture plus géométrique. Réduction des moyens, épurement des formes, ordonnancement de la surface, de ses éléments formels et chromatiques, autant de valeurs plasticiennes qui deviendront les fondements structurels de sa démarche constructive, amorcée parallèlement aux recherches de Jauran et des premiers plasticiens[41].

De retour en 1953 d'un séjour en France où il s'était initié aux exigences plastiques (tachistes) de la peinture, il s'oriente d'une façon décisive vers des espaces plus ordonnés, vers une abstraction relationnelle. Comme Jauran, il est alors à la recherche d'un ordre global dont l'homme serait partie intégrante; il est préoccupé d'une hiérarchie visuelle sur la surface, qu'il veut bidimensionnelle, et d'évolution dans l'harmonie et l'équilibre des éléments constitutifs (par opposition à «l'anarchie resplendissante» de Borduas). Leduc cherche à établir des rapports entre l'expressivité émotive des formes et des couleurs et la rigueur indispensable de la composition géométrique. Cette montée vers un ordre se veut une structuration plus rationnelle du tableau[42]. Se ralliant ainsi à une définition de l'abstraction centrée entièrement

sur la notion de «détermination de forme» comme façon
d'ordonner des valeurs picturales, c'est-à-dire où le tableau-
objet pictural est «une unité autonome manifestant une solidarité interne et ayant des lois propres», Leduc participe aux
activités des premiers plasticiens. C'est dans ce contexte qu'il
est, en 1956, avec Jauran et Molinari l'un des fondateurs de
l'Association des artistes non-figuratifs de Montréal et son
premier président jusqu'en 1959. Ce qui le préoccupe surtout,
c'est la dispersion des forces créatrices au Québec: il en résulte un rassemblement où toutes les tendances de la non-
figuration et de l'abstraction sont représentées et actives.

Les premières œuvres proprement «constructives» de
Leduc sont des gouaches réalisées dans l'île de Ré au début
des années cinquante. Ce sont des paysages étagés, qua-
drillés, s'étendant presque à l'intégralité de la toile, où la
palette sombre, terreuse, des automatistes s'éclaire maintenant subtilement en luminosités et en transparences. Dans
les huiles de 1952, les taches automatistes se condensent
manifestement sur l'ensemble de la surface: un groupe-
ment, une structure formelle signifiante apparaît. En 1954,
les taches créent les premières zones colorées: de grandes
zones de couleur se précisent. Leduc s'oriente vers une
construction plus ordonnée. Ce besoin de multiplier les taches et de leur donner un sens culmine avec les tableaux-
pavés de 1955 dans des juxtapositions de plans orthogo-
naux aux contours nettement tracés. Les taches prennent
forme de carrés et de rectangles interreliés, imbriqués les
uns dans les autres. La construction se développe à partir
des bords du tableau et ne possède plus de centre, de noyau
focalisé[43].

Dans *Quadrature* (1955), des plans géométriques sont en
rapports dynamiques engendrés par les relations de forme et
de couleur. Les tonalités deviennent vibrantes. Le tableau est
dépouillé de toute référence naturaliste au profit des seules
valeurs plastiques, de leur résonance symbolique. C'est
l'étape où Leduc est le plus près des préoccupations existen-
tielles et artistiques véhiculées par Jauran. Peu après, entre
1955 et 1960, la recherche de l'unité formelle conduit Leduc à
l'abstraction dynamique. Ce faisant, il dépasse les intérêts des

premiers plasticiens pour définir une conception particulière de la couleur-lumière énergétique. Indépendamment du plan dynamique des seconds plasticiens, il avance une redéfinition «constructive» de l'art abstrait, «où formes et couleurs s'édifient en qualités relationnelles dans un espace strictement pictural respectant la surface du tableau[44]». Là, «l'intensité résulte du dynamisme plan-couleur». Cette conception se veut, d'après le peintre, une évolution, une continuité qui intensifie ses préoccupations antérieures: il y voit un accomplissement de sa production plasticienne.

Après avoir exploré en 1955 un système orthogonal, dans lequel les éléments formels et colorés demeuraient très *soft-edge* en une construction ordonnée, Leduc élimine rapidement de sa peinture l'angle droit par l'introduction de lignes obliques expressives, d'angles aigus, puis de cercles, de courbes et de triangles, ce qui lui permet de valoriser un nouveau dynamisme de tensions qui se répondent[45]. Des formes nouvellement pointues créent l'affrontement des masses colorées. Les toiles sont très contrastées. Dans *Feu rouge* (1957), une opposition accentuée de tons et une organisation rigoureuse des masses de couleurs suggèrent une recherche de tensions qui continuent à se développer. Par la suite, au début des années soixante, un assouplissement de la forme par l'inscription systématique d'éléments graphiques linéaires qui brisent les plans et les ramènent à la surface éloigne définitivement Leduc de la stricte géométrie (de l'élément rectiligne).

Le peintre s'engage alors dans une exploration de l'ambivalence du fond et de la forme; dans la série des *Chromatismes* de 1964-1965, il s'intéresse aux rapports du négatif et du positif. Des compositions harmoniques inattendues privilégient des interactions ou contrastes binaires de couleurs: vert/bleu, bleu/rouge, rose/bleu, etc. Un tableau comme *Chromatisme binaire brun-rouge* (voir ill. 14) possède deux tons qui traduisent cette ambivalence fond/forme, d'où la double lecture: à partir du bas avec les rouges, à partir du haut avec les masses brunes. Ensuite, ces rapports combinatoires s'élargissent dans des séries qui mettent en scène des éléments multiples, donc un plus grand nombre de combinaisons possibles. Des formes abstraites, sinueuses, souples, fluides, de tons rompus traversent les *Compositions* (1966), les *Passages* (1967-1968) et les *Érosions* (1969). Ces formes sont l'occasion d'interactions et de réponses prolixes. C'est surtout l'idée d'érosion, puis de fusion, qui accapare Leduc. Les formes-couleurs se disloquent, s'érodent, s'étalent et s'immiscent l'une dans l'autre. Parfois les plans colorés s'envahissent réciproquement[46].

Les *Microchromies* des années soixante-dix et quatre-vingt répondront à une démarche analogue. Si, au premier regard, on semble être en présence d'une surface parfaitement monochrome, la lecture permet de découvrir une structure formelle enfouie sous une coloration aux nuances microscopiques. Cette coloration souterraine projette une lumière-énergie qui est saisie hors de toute question de forme. Progressivement, les *Microchromies* vont à leur tour se complexifier, passant d'un plan unique à un assemblage de plans (en modules superposés), chaque tableau présentant des tonalités chaudes et froides, une température et des ondes de couleurs tonales dominantes, qui font bouger l'œuvre. L'élément formel semble disparaître, un jeu de films acryliques transparents recrée par mélange optique la vibration lumineuse et annonce la recherche d'un rythme à l'intérieur du tableau à partir d'un mouvement giratoire interne jouxté aux harmonies infinitésimales.

La trajectoire indépendante de Leduc depuis le début des années cinquante jusqu'à aujourd'hui semble définitivement marquée par une même volonté de dépouillement de la surface, d'épurement de la lumière-énergie, et surtout par une utilisation de la couleur qui évolue des contrastes expressionnistes aux contrastes chromatiques purs, brillants, et qui s'est orientée récemment vers des compositions aux harmonies subtiles, très chargées symboliquement.

Jean McEwen

Après un séjour à Paris, où il a connu Riopelle et exposé avec l'Américain Sam Francis, McEwen affirme une nouvelle notion de surface, un effet de champ, dans le tableau qu'il présente à la *Place des artistes* en 1953. Il semble que c'était la première fois, au Québec, qu'était ainsi proposée une structuration *all-over*, non *hard-edge*: l'absence d'un centre d'intérêt, d'un focus ou noyau central, donc d'une hiérarchie des éléments de surface, le démarque alors brutalement de sa production précédente[47]. Par la suite, McEwen voudra réduire la peinture à ses principaux éléments constitutifs: couleur, surface, format et structure.

Se situant dans le prolongement de l'éclatement de l'objet, voie ouverte par les impressionnistes, le peintre cherche au cours des années cinquante et soixante à libérer la tache, mais dans une structuration organique qui s'empare de toute la surface. Cette démarche le place à la jonction des préoccupations impressionnistes pour la lumière, des préoccupations plus lyriques de l'automatisme et de celles proprement structuralistes du plasticisme. Par un système de modulation de la lumière opposé à l'espace cubiste rapproché, McEwen développe une approche personnelle de l'espace pictural. Ses surfaces sont des masses agglutinées, formées de plusieurs noyaux de touches, de taches, de textures, dont les marges sont d'épaisseur et de luminosité variables. Sa recherche lyrique passe ainsi par les possibilités dynamiques des éléments physiques. Par un «impressionnisme abstrait», il veut aussi exprimer la vibration de la couleur-lumière, c'est-à-dire, comme il l'affirme lui-même, «le treillis de lumières et d'ombres que forment les passages de la lumière dans les branches et les feuilles[48]».

Dans des successions de monochromes (les séries *Tableaux blancs* et *Tableaux rouges*), McEwen propose une peinture caractérisée par le déplacement aléatoire de masses tachistes sur l'ensemble de la surface, conjugué à la présence souterraine d'une grille linéaire orthogonale dont les sections transparaissent dans l'image peinte. Cette grille est fondée sur une axialité verticale renforcée par les potentialités du format rectangulaire. Le rapport présent entre les deux niveaux de surface, c'est-à-dire entre le réseau tachiste inscrit dans la surface proprement dite de l'œuvre et la grille matricielle de l'infrastructure, couches de profondeur qui s'organisent comme des systèmes s'interpénétrant, l'un s'infiltrant dans l'autre, constituera pendant plusieurs années la balise formaliste de l'ensemble de la production picturale de cet artiste[49].

À L'Actuelle, en novembre 1956, McEwen expose certaines de ces toiles monochromes qui définissent son vocabulaire formel. C'est surtout la présence de marges, accentuée par cette infragrille structurante, qui permet à l'artiste d'introduire trois composantes clés de son travail: les verticales, leur rapport dialogique avec le plan central et les couches colorées sous-jacentes qu'elles supportent. Ces traits se retrouvent en outre dans quelques grands formats, *all-over*: *Jardins de givre* (1955), *Pierres du moulin* (1955), *Blanc, marges orangées* (1955), où l'artiste se rapproche beaucoup des caractéristiques formalisantes qui seront rattachées dix ans plus tard aux champs colorés de Sam Francis ou d'Olitsky: surfaces texturées, frontales, en transparences multiples et aux focalisations augmentées qui investissent tant les périphéries que le centre du tableau. Ces nappes chromatiques, modulées, de McEwen, par leur frontalité accomplie, se distinguent alors radicalement des structures de composition paysagiste et de la notion qui en résulte d'objet dans l'espace.

Après 1957, l'artiste s'intéresse, dans plusieurs séries de tableaux, aux espaces-plans dynamiques, où la couleur occupe une fonction prédominante. La structure du champ coloré s'y développe dans l'optique d'un abandon de toute référence naturaliste; mais, contrairement aux seconds plasticiens et à leur chromatisme *hard-edge*, McEwen éprouve toujours le besoin d'exprimer la pure sensation de la couleur par le biais de la sensualité des effets de texture colorés et non (comme Molinari) par bandes de couleur juxtaposées selon les lois des contrastes simultanés. Dans la série *Cellule* du début des années soixante, c'est la tension entre l'opaque et le transparent qui s'impose dans une peinture où les anciennes marges verticales sont élargies en surfaces-plans, ce qui permet le surgissement de la couleur du fond à la jonction de ces plans. On découvre une stratification de couches superposées qui mettent en cause autant la stabilisation du plan que l'introduction possible d'un rythme, d'une respiration.

Se différenciant toujours des seconds plasticiens, car on n'a pas ici de découpage géométrique du plan du tableau, McEwen s'intéresse à sa manière aux possibilités formelles d'un espace coloré: structure binaire, superposition de couches de couleurs différentes, alternance des éléments (symétrie/asymétrie, proximité/profondeur), travail sur la série (toiles, thèmes), agencement de tonalités, etc. L'artiste délimite ainsi une façon de faire qui s'approche de celle du formalisme géométrique, mais sans s'intégrer à l'abstraction géométrique, montrant par le fait même qu'il existait à l'époque une pluralité de démarches visant à cerner la question des rapports formels, c'est-à-dire articulées autour du problème formaliste[50].

En 1963, la structure verticale, qui dominait depuis 1955, est remplacée par une structure cruciforme, mais sans que soient bouleversés les fondements structurels du tableau. En effet, insistant désormais sur les quatre coins et leur relation avec cette forme centrale, McEwen fait de cet élément-figure structurant la représentation du plan originel. Selon qu'il l'inscrit dans un carré, un rectangle ou un diptyque, l'artiste accentue encore ici la tension entre cette figure et les éléments de base du tableau: couleurs, strates, travail de la pâte, surfaces, marges. Toute la problématique de la peinture de McEwen est constamment réinvestie dans des effets de matériaux axés sur la séduction de la matière. Quand il se laisse tenter par l'acrylique et les effets *hard-edge* de couleur entre 1965 et 1969, l'expérience le laisse insatisfait, car atteindre l'absolu de la planéité exige l'élimination de la touche, de la texture, et réduit les capacités de variation de la structure[51].

Pendant les années soixante-dix et quatre-vingt, McEwen reviendra donc à l'huile et au vernis. Il recompose le tableau abstrait à partir des mêmes composantes, qui sont alors permutées, pour en accomplir toutes les virtualités. Surtout, il saisit l'espace par le moyen de la couleur et des plans stratifiés en tension, renouant avec sa propre peinture pour en travailler les limites.

MARCEL BARBEAU

Comme Leduc avant lui et Hurtubise un peu plus tard, Marcel Barbeau est un autre peintre qui quitte les rangs de l'abstraction lyrique pour se rallier à la peinture réfléchie et rigoureuse des plasticiens, faisant la preuve de la vitalité et de l'importance prises par celle-ci. En 1959, Barbeau abandonne le tachisme, l'accident et la peinture automatiste dont il a pourtant été l'un des premiers adeptes. De fait, au moment de ses études à l'École du meuble, il est du noyau initial des automatistes rassemblés autour de Borduas. Cette étape se prolonge jusqu'en 1955. Puis, pendant deux ans, des tableaux *all-over*, tachistes, en continuité avec les toiles de Riopelle et de Pollock, explorent les nombreuses possibilités formelles de l'accident. Entre 1957 et 1959, des recherches calligraphiques consacrent sa rupture définitive avec l'automatisme et anticipent son virage vers la découverte picturale de la réversibilité négative-positive des formes. Ces recherches formelles sur des éléments très restreints, dans une économie de moyens très poussée et selon des ordonnancements plus purs, auront pour objectif immédiat d'éliminer tout ce que le tableau peut encore contenir d'accidentel, de taches spontanées. Barbeau se situe alors dans une évolution proprement «constructive», parallèle à celle des seconds plasticiens[52].

De 1960 à 1963, le peintre opte pour une peinture alternativement *soft-edge* et *hard-edge*, où la relation de la forme-masse des objets avec le fond devient le sujet de l'œuvre. Les grands tableaux aux formes noires sur fond blanc (ou vice versa), *hard-edge*, exposés en 1962 à la Galerie XII du Musée des beaux-arts de Montréal, sont particulièrement importants à cet égard, car, conjugué à la réversibilité de l'image, on y trouve aussi le problème optique qui accaparera l'artiste par la suite. Déjà, dans certaines œuvres, deux images se succèdent à retardement: cet effet d'*after-image* est ici fondamental, alors qu'il n'est que secondaire chez les seconds plasticiens. Après un séjour à Paris, où il découvre Vasarely, le Groupe de recherche d'art visuel et la peinture optique, puis un autre à New York, Barbeau s'inscrit résolument dans le mouvement optique, cinétique[53]. La surface plate est toujours travaillée au ruban gommé, mais en conservant encore l'alternance *soft-edge, hard-edge*. Pour le *soft-edge*, Barbeau ne colle pas fermement ce ruban, les lignes sont moins précises, la peinture gicle quelque peu sur les bords, les frontières. À la galerie du Siècle, en 1965, il accroche d'immenses toiles faites de lignes-bandes verticales à deux tons, aux modulations optiques voulues. Un motif de rayures posé en hauteur, de lignes tremblantes prend ainsi forme, qui deviendra aussi familier que les bandes parallèles de Molinari ou les disques de Tousignant. Dans *Rétine vinaigrette* (ill. 20), le spectateur peut percevoir une lente vibration, un mouvement sinueux produits par de simples lignes jaunes *soft-edge* sur un fond uniformément sombre, tandis que, dans *Rétine prétentieuse*, l'artiste propose un mouvement exacerbé, quasi impulsif, où l'illusion d'optique étonne[54].

Au cours des années suivantes, Barbeau intensifie cette utilisation des effets de moiré, poursuivant ses recherches sur le négatif-positif dans des tableaux constitués de minces bandes verticales ondulantes qu'il appelle des «ondes lumineuses» (des *light waves*). L'œil n'y trouve pas de point fixe, il se promène à même le mouvement de ces ondes (c'est-à-dire celui des bandes colorées) qui se propage partout sur la toile, rentrant dans le cadre et en sortant constamment selon une respiration rythmée, mais voyageant toujours à distance égale. C'est que Barbeau veut rendre manifestes, en peinture, les ondes électromagnétiques qui s'activent sur l'écran du téléviseur dès que l'on brouille l'image. Dorénavant, la référence à ces phénomènes lumineux — la lumière électrique, les ondes, et non la lumière naturelle — s'imposera autant que les effets optiques dans son travail.

À la fin de 1966 et au début de 1967, Barbeau s'en tient à deux ou trois bandes de couleurs souvent complémentaires, qui ne sont cependant plus verticales ni horizontales, mais qui sont orientées précisément, créant littéralement un motif de vagues, à première vue statique. En fait, le motif est plutôt investi d'un mouvement perpétuel dans la durée de perception: les couleurs se mêlent, s'entrecroisent, les plans colorés se creusent, se courbent. L'artiste veut suggérer l'affrontement de deux conceptions de la lumière: celle qui est diffusée de façon concentrique et celle qui est orientée, avec le résultat qu'il se crée sur la surface des jeux (ou vagues) concaves/convexes ramassés en un même mouvement, voire une certaine hallucination optique. La confrontation des couleurs complémentaires, plus tard leur multiplication, appuie cette impression, cette sensation suscitée par le dessin des bandes orientées[55].

Après ce travail sur une lumière accentuée par des rayures ondulantes et plongeantes devenues multiformes, Barbeau introduit vers 1968 la question du format proprement dit dans une peinture où importe maintenant le principe de la série (comme le pratiquent alors Molinari et Tousignant). Avec ses *Objets bidimensionnels* (1968) et ses modules monochromes en L (1969), tableaux aux contours irréguliers, Barbeau explore les relations avec le spectateur par le biais de l'illusionnisme perceptuel ou spatial et l'espace virtuel. Chacun de ses *Objets* est formé de deux, trois ou quatre grandes surfaces de couleur qui donnent l'illusion d'un objet tridimensionnel, illusion qui disparaît quand on se rapproche de la toile. Le spectateur a l'impression que l'objet avance et recule devant lui, la surface semble se contracter et se dilater en un mouvement dynamique, pulsatoire. De même, reposant encore sur la participation des spectateurs, l'espace des modules en L suggère l'inscription ou le dépassement de ses limites virtuelles et réelles. Cette procédure débouche au début des années soixante-dix sur un format qui n'est pas choisi librement par l'artiste, mais qui dépend des composantes formelles, des relations formes-couleurs, de leur activité spatiale.

Par la suite, Barbeau poursuit ce jeu dans l'espace, où la forme et la ligne tendent à une expansion qui ne peut plus être emprisonnée, ce qui semble être l'amorce d'un retour à l'expressionnisme de ses premières œuvres, retour qui s'accentuera pendant les années soixante-dix et quatre-vingt au détriment des problématiques purement optiques.

RITA LETENDRE

Entre 1950 et 1970, l'évolution picturale de Rita Letendre est vertigineuse et raconte à elle seule la transformation importante que connaît la jeune peinture montréalaise tiraillée entre les deux mouvements majeurs de l'art contemporain québécois. Letendre passe d'un automatisme instinctif dérivé de l'art de Borduas et de Riopelle à un post-automatisme chargé d'épaisses matières, qui est placé sous le signe de l'accident et du contrôle de la tache, puis prend conscience au milieu des années soixante de la qualité énergétique de l'aplat chromatique et de la géométrie linéaire, ce qui la pousse à adhérer définitivement au plasticisme rigoureux et ordonné.

Letendre a dix-neuf ans et étudie encore à l'École des beaux-arts quand elle expose pour la première fois lors de la manifestation des *Rebelles*, aux côtés des amis de Borduas, contre les politiques conservatrices du Salon du printemps. Ses travaux de jeunesse sont des œuvres «gestuelles», déjà vigoureuses bien qu'elles soient librement construites, réalisées dans des tonalités plutôt sombres, texturées, dont l'espace est d'entrée de jeu proto-surréaliste et onirique. Par leur qualité atmosphérique, ces toiles se rapprochent surtout de la période classique de l'automatisme surrationnel, malgré un travail du geste bien particulier qui distingue Letendre des autres disciples de Borduas. Plus tard, elle participe à *La matière chante* qui sera la dernière exposition automatiste. Elle y expose des toiles produites depuis un séjour en Gaspésie, en 1952, au cours duquel elle a expérimenté la profondeur de l'image peinte à la manière de Borduas. Le recours à des formes flottant dans un espace «cosmique», indéfini, y affirme les accidents locaux, les épanchements de la matière. La problématique de l'accident laisse ainsi apparaître une ouverture à la matérialité dans les lourdes pâtes de ses tableaux[56].

De plus, ce lyrisme cosmique toujours attaché aux éléments du monde naturel lui permet d'exprimer une affectivité romantique dans un espace qui demeure imaginaire. Mais la formule ne satisfait pas. L'importance accordée au romantisme, à l'émouvant de la condition humaine, sera rapidement mise en retrait, voire même éliminée, au profit de la surface matérielle et de ses effets émotifs comme seule justification des éléments plastiques. Au moment de l'événement *Espace 55*, Letendre s'ouvre à la nécessité d'organiser autrement ses masses de pâtes pour affirmer une tension plutôt de l'ordre du matériau que de l'anecdote. Elle joue alors avec des préoccupations proprement plastiques de rigueur, d'unité, de structure et de couleurs, qui se dégagent de formes et de matières très chargées. Une suppression de l'espace illusionniste traditionnel, un certain caractère bidimensionnel nouveau dans son travail, caractère dimensionnel qui ne tend plus à

l'évocation de distances lointaines dans le réel mais qui met
en scène des distances moyennes ou rapprochées, et un attachement remarqué pour la lumière qui troue l'espace du tableau concourent à renouveler l'analyse de l'objet pictural
dans le sens d'une organisation structurale[57].

Pourtant, cette aventure post-automatiste, qui est un
moyen d'éliminer l'objet dans l'espace privilégié par l'automatisme en réclamant un meilleur contrôle de la tache projetée,
tout en évoluant vers un objectivisme pictural (par opposition
au subjectivisme spontanéiste et gestuel), demeure tout de
même dans le cadre assez restrictif de la perspective naturaliste,
du volume et du plan hérités de l'étude cubiste de l'objet. Dans
ce contexte, Letendre se rapproche alors davantage du plasticisme abstrait de Jauran et de Fernand Leduc que d'une re-
formulation peu authentique et dépassée des découvertes automatistes. Au milieu des années cinquante, sans faire siens le
géométrisme raisonné des premiers plasticiens ou l'analyse
structuraliste du plan-couleur des seconds, Letendre conçoit
déjà ses œuvres au moyen de matières énergétiques, vibratoires,
qui bouillonnent sous et dans l'image, qui respirent, qui s'en-
trouvrent presque pour faire place en surface à des formes et des
amas à résonances affectives. Si le maintien d'autant d'éléments expressifs offre encore certaines affinités électives avec
l'écriture automatiste, par exemple dans *Plan de campagne*
(1958), c'est parce que Letendre pose là avec beaucoup de
perspicacité la question du contenu symbolique de la peinture non-figurative, et qu'elle le manifeste en développant
des schèmes plastiques résolument dynamiques qui permettent
au spectateur de se projeter émotivement dans l'image peinte[58].

De 1955 à 1965, Letendre met progressivement en place
une structure plus régulière et géométrique, et conserve
l'épaisseur de sa peinture. Dans des toiles comme *Rencontre*
(1964), tout se passe comme si l'expression, par l'artiste, de la
tension affective et le jeu des projections émotives des spectateurs s'affrontaient sur le plan de la symbolisation, comme
l'a explicité en psychologie l'épreuve de Rorschach. Ce sont
alors des surfaces provocantes, tourmentées, stridentes et
primitives, en mouvance, où triomphe la mise en abîme, où
les contradictions des mondes plastique et naturel ne

semblent trouver de résolution ou de synthèse que dans un cri angoissé communiqué par la structure spatiale elle-même[59]. Le choc provoqué par ces images insolites, qui font voyager des profondeurs vers la surface et vice versa, ne laisse pas indifférent. Construites avec précision et force, ces images sont une réponse originale et inusitée à l'impasse post-automatiste.

Après 1965, cette intense énergie des tableaux de Letendre qui frappe l'œil du spectateur sera plutôt traitée comme couleur-lumière et plan dynamique. C'est au moment de l'exécution d'une murale extérieure pour le State College de Long Beach en Californie, qu'elle intitulera éloquemment *Sunforce* (1965, ill. 44), que Letendre s'aperçoit que l'intensité de la lumière naturelle sur une surface aplatit l'effet creusé, tridimensionnel, de la structure. L'artiste délaissera dès lors les matières denses et complexes pour l'aplat chromatique; l'énergie viendra de la couleur même, puis de la simplification de la forme, et non de la texture ou du geste. Letendre s'oriente alors vers un formalisme géométrique, linéaire et discipliné, caractérisé par des bandes ou stries de différentes couleurs, très violentes et délirantes, qui sont organisées et ordonnées en faisceaux lumineux et qui éclatent nerveusement sur la diagonale harmonique ou dysharmonique, de bas en haut (ou de haut en bas comme dans *Sonar* de 1973), de gauche à droite (ou de droite à gauche). Le recours à cette matrice *hard-edge* très simplifiée, qui émane de la pointe d'une forme élancée pour se poursuivre jusqu'aux bords de la toile, comme les ondes de choc d'une force primitive traversant un champ en expansion, suggère le dynamisme d'une œuvre ouverte aux constantes variations et combinaisons de couleurs, aux mouvements irrépressibles, ainsi qu'aux changements de dimensions et d'échelles[60].

Maintenant développée en série, cette recherche formaliste sur le potentiel de la couleur structurante devient un moyen de célébrer les tensions dynamiques de l'espace. D'ailleurs Letendre ne se contente plus d'envahir les murs, elle habite dorénavant la galerie, l'espace ambiant, l'environnement intérieur et extérieur, même l'architecture du cadre bâti. Le quadrilatère conventionnel du tableau est brisé; au début des années soixante-dix, l'artiste peint aussi stratégiquement ses surfaces stridentes sur d'immenses murs en Californie, à Toronto ou à Montréal. Ces préoccupations environnementales renforcent l'intérêt de Letendre pour les interactions des formes et des couleurs, mais dans une dimension éclatée, et annoncent la poursuite en peinture et dans d'autres médias (par exemple la sérigraphie) d'un métier plein de fougue qui est un hymne incessant à la lumière-énergie.

Somme toute, comme chez Jean McEwen et Paterson Ewen, la démarche de Letendre aura été la suivante: à l'origine, une forme d'automatisme, puis une texture peinte assez libre, expressionniste et épaisse, que l'artiste développe enfin dans la perspective formaliste en une surface plate, géométrique et rigoureusement abstraite.

JACQUES HURTUBISE

Après un court séjour à New York à sa sortie de l'École des beaux-arts de Montréal, Hurtubise fait face très tôt dans sa pratique du début des années soixante à un double objectif pictural: l'affirmation lyrique, émotionnelle, de l'acte de peindre et l'élaboration d'une structure abstraite, ordonnée. Des automatistes, il conserve l'expressivité de la tache dont la fonction est de détruire la notion de fond dans de grands champs de couleur éclaboussés, accidentés; de Pollock et de de Kooning, il s'approprie un procédé de composition qui permet à cette tache initiale de déterminer quasi expérimentalement le cheminement du tableau jusqu'à l'obtention d'un résultat visuellement aussi satisfaisant qu'inattendu. Enfin, des plasticiens montréalais, il adopte d'entrée de jeu la volonté de structuration et le vocabulaire à caractère géométrique comme valeurs de la surface.

Dès les premiers travaux, la technique de production au pochoir (donc la décalcomanie) d'Hurtubise s'inspire de la filiation surréaliste de l'automatisme surrationnel[61]. De plus, s'il met en scène un intérêt pour les propriétés physiques du médium (support, surface, cadre, éléments formels et colorés), le véritable contenu de ses tableaux est toujours la charge d'expérience humaine qui est inscrite avec vitalité sur la toile. L'autoréférentialité moderniste (formaliste) qu'il a rencontrée à New York, chez Ad Reinhardt, n'empêche pas d'imprégner les œuvres d'un dynamisme tumultueux, d'un flot d'énergie, qui répond à sa volonté de «détruire des surfaces parfaites[62]». Cependant, contrairement aux artistes qui s'appuient exclusivement sur l'élément de chance, Hurtubise veut aussi présenter un équilibre entre les éléments de formalisme géométrique et ceux d'expressionnisme gestuel. Il y a chez lui un effort de désordre très contrôlé entre ces deux tendances opposées — l'approche formelle et l'approche lyrique —, et la recherche d'une relation qui transcende ces oppositions.

Vers 1965, Hurtubise tente de résoudre le mouvement du geste dans un espace à deux dimensions, plat et bidimensionnel. Il introduit ce qu'il appelle un *splash* sur une surface *hard-edge* en aplat qui suggère l'espace. Le *splash* est lui-même en aplat, il n'y a pas de texture. Le tableau devient une lutte entre le plan et le *splash*. La forme est ainsi définie par relation et opposition, mais le contrôle devient plus difficile avec un nombre important de taches; c'est pourquoi l'artiste qui ne veut pas de *splash* non désiré décide de faire des taches sur du papier qu'il utilise ensuite comme pochoir. La reproduction de la même tache crée dorénavant la composition dans le tableau. *Katia* (1965, ill. 11) est une œuvre où la répétition d'une tache inversée explose sur les plans verticaux de couleur, ce qui crée formellement une forme et un fond sur la même surface *hard-edge*, détruisant la conception traditionnelle de profondeur illusionniste associée à cette notion de fond. La relation ambiguë d'espace positif-négatif entre cette tache et l'arrière-plan s'impose. *Iris* (1966) est aussi composé de découpages assemblés qui forment un motif par rapport au fond dans une relation interchangeable[63].

Renversant cette procédure, Hurtubise revient aux formes dessinées en 1966-1967. Celles-ci deviennent moins restreintes, des couleurs vives et contrastantes apparaissent qui constituent un phénomène cinétique avec les formes géométriques. Ensuite, ses recherches évoluent rapidement, présentant à chaque étape des images directes et convaincantes: en 1967, les couleurs se rapprochent et sont si lumineuses qu'elles sont presque blanches; en 1968, cette recherche de lumière aboutit à la production de différents tableaux avec des lumières au néon. Ceux-ci anticipent sa découverte des peintures fluorescentes qui lui permettent de continuer à travailler la luminosité au début des années soixante-dix. L'artiste réalise alors des effets de lumière et de couleurs vives sur un arrière-plan maintenant noir[64].

Olizarine (1972) est un de ces *black-out*. Des traces de couleurs fluorescentes à la diagonale sur une surface noire y marquent la réversibilité des plans (avant-plan/arrière-plan). Dans d'autres œuvres de la même époque, des zigzags diagonaux de couleurs fluorescentes, motif inscrit sur une toile divisée en carrés (rappelant donc la grille moderniste) produisent une même relation forme/fond dans un espace-plan noir. Quand Hurtubise remplace ensuite le *black-out* par une image de couleur peinte sur des modules carrés «interchangeants» (qu'il substitue à la grille tracée à même la toile), il instaure une méthode systématique de composition qui lui permet de jouer et d'assembler ainsi, pendant plus de cinq ans, cette répétition provoquant des changements continuels basés sur le renouvellement de la relation qu'il développe sans fin depuis les débuts de sa pratique entre le geste et la structure[65].

Plus tard, considérant encore l'énergie comme contenu expressif, l'artiste abandonne les grilles et les modules pour aborder la toile comme un tout. La même idée de réaliser une image convaincante l'amène vers 1980 à des éclats en forme de flammes qui surgissent dans l'espace éclaté, expressionniste, d'un tableau à grandes surfaces. La taille monumentale et l'absence du cadre forcent le spectateur à regarder et à apprécier les tensions physiques du matériau visuel.

CHARLES GAGNON

Définir l'œuvre de Charles Gagnon pose toujours des problèmes de catégorisation, car sa démarche le situe au cœur de l'aventure bicéphale de l'art abstrait québécois, louvoyant constamment entre l'automatisme et le plasticisme. Il est influencé initialement par la libération gestuelle, la surface *all-over*, la planéité et les dégoulinures expressives des peintres de l'École de New York, où il poursuit sa formation artistique à la fin des années cinquante. Gagnon conservera d'ailleurs dans ses premières huiles réalisées à Montréal (les *Paysages* de 1961, les *Trouées* de 1962-1964) des accents lyriques, notamment des percées ou trous dans la surface, le plus souvent focalisés, centralisés, qui fonctionnent comme support ou métaphore tant de l'illusionnisme pictural que du moi de l'artiste et du spectateur. La notion traditionnelle de la peinture comme «fenêtre sur le monde» et la métaphore de l'œil comme fenêtre de l'âme s'y rejoignent dans une succession de tableaux-fenêtres qui suggèrent spatialement la réalisation d'un nouvel espace complexifié, tant rapproché qu'indéfini, tant frontal qu'aérien.

Se précisent aussi dans ces tableaux de nouvelles préoccupations d'organisation et de regroupement des éléments formels. Gagnon s'intéresse à la question de la limite, de la division de la surface peinte, c'est-à-dire aux possibilités structurantes d'une bande-contour, une bande de couleur souvent noire, qui enferme la forme intérieure et clôt le tableau. L'artiste se montre ainsi sensible au phénomène de la communication, au passage entre un espace intérieur et un espace extérieur, relation marquée par l'idée du vide, par une dialectique du plein et du vide inspirée de la pensée zen découverte pendant son séjour à New York. Alors la trouée ou brèche créée dans l'espace est encadrée par un ou plusieurs plans-contours, donc par une ou des frontières géométriques, ce qu'appuient encore des jeux de valeurs et de nuances de couleurs. Le résultat: une œuvre volontairement ambiguë, un mélange accentué encore par le traitement alternativement *soft-edge* et *hard-edge*, par l'expressionnisme doublé d'un formalisme géométrique, oppositions structurelles qui rappellent et inscrivent dans la matière physique du tableau les deux pôles historiques de la tradition plastique québécoise.

Dans *Trouée* (1962-1963) et *Grande peinture* (1962), une dialectique proprement moderniste d'horizontales et de verticales transparaît même au niveau de l'infrastructure de bandes. Cette infragrille actuelle ou virtuelle sous-tend la structuration plastique. De plus, une couleur verte, un vert très chaud, très cru, qui contraste fortement avec les autres plans, renforce encore la focalisation de la surface travaillée en coloris expressionnistes et soutenue par les trous d'espace ou trous de lumière. Gagnon semble inscrire les capacités structurantes du geste linéaire dans un espace réversible, qui est organisé selon un réseau infrastructurel déductif, c'est-à-dire où les contours se font l'écho des côtés de l'œuvre. On remarque par exemple, dans la *Trouée*, une dialectique entre les plans colorés délimités par la gestualité expressive et la délimitation suggérée par la gestualité linéaire plus constructive. En 1964-1965, une telle structure de type déductif à partir des quatre côtés du tableau, ou de trois des côtés seulement (en général, ceux de gauche, de droite et du haut), s'impose dans la peinture de Gagnon, affirmant les caractéristiques physiques de la toile-support. Il en sera de même dans les œuvres produites entre 1965 et 1970, où alterneront un réseau tachiste et une procédure de structuration quasi plasticienne[66].

Les *Espaces-écrans* de 1965-1966 se différencient de la production antérieure de l'artiste par une délimitation précise du contour des plans. Gagnon joint un traitement expressionniste des formes à un formalisme géométrique: c'est une bande-contour *hard-edge* qui crée alors un espace enveloppant. Outre un tachisme hérité des Américains, ces œuvres et celles qu'il réalise entre 1967 et 1969 sont toutes marquées par un rapprochement manifeste, sur le plan formel, avec le plasticisme montréalais de l'époque. Le jeu d'indétermination du fond et de la forme qui se crée par le biais de la bande noire qui cerne le tableau rappelle cette relation caractéristique des toiles de Molinari et de Tousignant. Mais une telle convergence n'élimine pas les différences importantes qui existent au chapitre de la couleur et de la fonction perceptive entre ces types de pratiques formalistes. Gagnon privilégie les tonales, Molinari les possibilités énergétiques de la couleur pure; Gagnon propose un espace à l'intérieur ou derrière la toile, Molinari un espace qui se situe plutôt devant[67].

Dans les toiles de 1967-1968, on remarque de plus, chez Gagnon, une sollicitation avouée de l'artiste au spectateur, un «appel au vertige» qui semble le pendant de l'appel au précipice des *Gap Paintings*. Le peintre expérimente alors une réduction au maximum de sa gamme de couleurs, notamment dans plusieurs toiles monochromes où sont appliquées de minces bandes-signes blanches. Le spectateur ne perçoit pas de mouvement à la surface du tableau mais se promène plutôt lui-même par le regard sous la surface presque blanche qui lui est offerte. Par cette participation devenue une intégration dans le tableau, le spectateur mènerait, selon Gagnon, une réflexion sur le monde (donc sur l'homme), laquelle serait fondée sur la liberté que possède chaque individu en ce qui a trait à la découverte des voies de lectures possibles de l'œuvre. Dès lors, s'attachant à son rythme particulier ou reprenant la même démarche que l'artiste, le spectateur s'affranchit des contraintes qui entourent cette expérience de création[68].

À la fin des années soixante et pendant les années soixante-dix, la recherche pluridisciplinaire de Gagnon sera justement centrée sur cette prédominance de l'intentionnalité en arts visuels, sur la pragmatique. Outre sa peinture incitant à l'interaction, ce sont aussi son cinéma dans la tradition de l'*underground* américain, ses environnements cinétiques (les premiers remontant à une exposition organisée à la Galerie XII du Musée des beaux-arts en 1962) et sa photographie conceptuelle tant archéologique qu'urbanistique qui témoigneront dans différents médias d'une production artistique résolument englobante, environnementaliste.

Yves Gaucher

Gaucher est actif dans le contexte d'une jeune peinture montréalaise du milieu des années soixante qui découvre et fait sienne l'exemplarité de l'art américain, qui accepte dorénavant l'importance des surfaces et des champs de couleur. Mais d'autres influences issues du milieu québécois le situent aussi dans le creuset d'une exploration de la géométrie structurale.

Après 1963, Gaucher poursuit une pratique formelle d'une très grande rigueur. Ses tensions et ses harmonies de surface, ses recherches abstraites constituent alors une production originale élaborée parallèlement au formalisme *hard-edge* des plasticiens. Influencé à la fois par la tradition européenne solidement géométrique de l'abstraction relationnelle et par les champs de couleur tant de Rothko que des peintres du *color stain*, Newman et Louis, Gaucher propose dans ses premiers travaux à l'acrylique une peinture qui s'attache à l'impersonnalité, à la non-matérialité, la couleur y étant appliquée au rouleau, et qui veut ainsi effacer l'évidence de la texture ou du support. C'est dire que, dès l'abord, l'œuvre dématérialise son apparence, ce qui la démarque tout à fait des intentions de matérialité pure véhiculées alors par la peinture américaine, tout en la rapprochant cependant des valeurs picturales mondrianesques[69].

Mais c'est en gravure qu'entre 1960 et 1964 l'évolution formelle de Gaucher le conduit à un tel processus de réduction irréversible. Cette démarche est engendrée notamment par son expérience de la musique sérielle, mathématiquement précise, de Webern, qui lui semble envoyer «de petites cellules de son dans l'espace, où, en expansion, elles prennent une nouvelle dimension qui leur est propre[70]». Dans la série de gravures grand format, rigoureusement composées, intitulées d'ailleurs *En hommage à Webern*, Gaucher restreint son vocabulaire à de rares éléments qui réagissent entre eux sur la surface blanche du papier: des lignes, des carrés, des traits gravés en creux ou en relief, sans encre ou coloriés, arrangés selon une infragrille (moderniste). Ces gravures sont des compositions abstraites géométriques, où il importe encore de noter la fonction de signaux jouée par les configurations formelles aux couleurs d'intensités différentes, qui stimulent et orientent le mouvement du regard[71].

Une structure de petits traits horizontaux — ce que l'artiste nomme ses signaux — très courts, posés dans des champs uniformément gris ou de couleurs primaires, donne un rythme visuel à l'ensemble de la surface par un jeu de variations tonales entre les traits ou avec le fond. Position, direction ou orientation, et situation des traits sont alors affectés par ces modulations de valeurs entre les signaux; leurs tensions constituent une harmonie dynamique, un équilibre caractéristique des rapports entre les rythmes vitaux et l'expérience. L'*Art as Experience* de John Dewey est alors la référence philosophique majeure de Gaucher. L'artiste insiste sur le temps de perception et la durée de l'événement, et non sur la description de celui-ci. Ces signes gestaltistes s'interpellent dans l'espace-temps du tableau comme constellations de stimuli visuels et interstices d'une surface toujours chargée d'énergie où on est amené à les choisir et à les organiser en motifs cohérents par «boniformisation» (selon un principe de «bonne forme» gestaltiste). Les tensions résultantes s'étendent jusqu'aux bords et aux coins de la feuille et complexifient la résolution finale de l'ensemble.

Construits par une impression du papier en relief pour empêcher le spectateur d'interpréter l'espace du papier comme une illusion signaux/surface, figure/fond, ou comme des couches de profondeur entre les signes colorés, ce qui aurait compromis la planéité de la surface, ces lignes et ces carrés seront ensuite exploités, en peinture, selon le choix de ceux-ci, leur traitement, leur dispersion et balancement symétrique/asymétrique, ou leur positionnement oblique opposé à l'organisation sous-jacente en grille. Dès 1966, cette recherche basée sur la diagonale préfigure le rôle prépondérant qu'elle jouera dans l'ensemble de son travail jusqu'à aujourd'hui. Il en est de même de l'adoption par Gaucher du travail sur les séries[72].

Les *Danses carrées* de 1964-1965 sont des carrés que l'artiste, en les accrochant, fait pivoter d'un angle de 45 degrés pour former des losanges. Des lignes généralement d'une même longueur et de petits losanges colorés qui reposent sur un fond de couleur produisent cinétiquement des images à retardement (l'*after-image*) ou des interactions chromatiques. Le principe de la symétrie domine ces tableaux aux diagonales explicites, d'où une accentuation de l'énergie. Contrairement à Molinari, Gaucher cherche à créer un effet qui minimiserait les rapports plastiques structuraux pour appuyer résolument l'activité optique des couleurs: des tableaux comme *Circular Motion* (1965, ill. 22) sont habituellement encadrés par une bordure qui réagit avec les couleurs du champ et les éléments plastiques, ce qui va à l'encontre de la volonté plasticienne qui est de suggérer, par des formes ouvertes sur

les périphéries, une continuité rythmique dans l'espace environnant.

Chez Gaucher, les relations d'indétermination, enraci-
nées dans une réalité plastique rigoureuse et présidant à la
lecture de l'œuvre, attirent le regard d'une manière en même
temps dynamique et contradictoire. Une dominante formelle
ou colorée provoque la dépolarisation d'une autre (et vice
versa), les données perceptuelles sont bouleversées, l'œuvre
se présente comme une rythmique visuelle dans la continuité
des polarisations successives[73]. Les séries *Signals/Silences*
(1966), *Ragas* (1967) et *Grey on Greys* (1968-1969), tout en s'insérant dans la même problématique, la nuancent et la mesu-
rent au moyen d'un format rectangulaire, une prédilection
pour les relations verticales et horizontales, ainsi que pour les
vecteurs obliques virtuels. Dès lors, l'activité cinétique est dé-
préciée au profit d'une mise en scène du champ de couleur,
de ses tensions et équilibres inhérents (symétrie, etc.), de ses
capacités d'expansion et de contraction, et des rapports des
signes-signaux aux bordures, procédés plus propices à l'exploration perceptuelle et méditative, aux murmures de plus
en plus improvisés, intuitifs, qui se dégagent progressivement de la géométrie rigoureuse. Ainsi la série des tableaux
gris est une étude quasi minimaliste de la couleur, d'une dé-
matérialisation de la surface en rapport avec le support, de sa
minceur, de sa transparence. Les lignes grises deviennent des
impulsions sonores qui traversent et activent le silence du
champ, rappelant en ce sens les exigences de tous les tableaux depuis les *Webern*[74].

Après 1970, le rapport entre l'équilibre et ses tensions
internes se révèle autrement. Le vocabulaire formel de Gaucher n'inclut plus de signaux; il consiste en une série de bandes horizontales de couleurs et de largeurs irrégulières qui
parcourent avec obsession la surface d'un bord à l'autre pour
définir et recomposer constamment l'expérience visuelle.
Après 1976, le peintre reviendra cependant aux diagonales et
aux obliques dans de larges champs de couleur fortement expressifs.

Itinéraire

Parallèlement, d'autres artistes de Montréal, peintres ou sculpteurs, s'approprient ponctuellement pendant les années soixante certaines caractéristiques associées au formalisme géométrique. Bien que ces créateurs n'occupent pas une place déterminante dans le mouvement, ils manifestent l'extension qu'a prise, vers 1965, l'idée d'une abstraction géométrique apparue seulement dix ans plus tôt avec l'émergence des premiers plasticiens. On rappellera, pour ne nommer qu'eux, Paterson Ewen qui travaille la planéité du support-plan, Claude Goulet dont certaines peintures concernent les formes multidirectionnelles du mouvement, Gino Lorcini qui s'intéresse aux reliefs cinétiques, Lise Gervais qui organise et découpe des masses colorées quasi ancrées dans un fond blanc, et Mario Merola dont les murales abstraites imposent la qualité et les modulations de la masse elle-même. Pour ceux-ci comme pour d'autres, tout se passe comme si le formalisme était devenu le moteur de la production visuelle.

En tant que pratique prédominante, le formalisme permet de rendre compte de plusieurs développements dans le domaine de l'art. Au début des années soixante, il est marqué par la présence de Molinari et de Tousignant, par l'affirmation de styles personnels et par l'ouverture de certains jeunes artistes aux expériences américaines. À la fin de la décennie, il fait même se combiner sur la toile deux procédures en apparence contradictoires: le pouvoir expressif du geste et la structure géométrique *hard-edge*, cette étape synthétique rassemblant dans une seule surface-champ les problématiques constitutives des deux courants majeurs de l'art contemporain québécois: l'automatisme et le plasticisme. C'est que, ayant adopté après 1956 les couleurs primaires pour orienter le dynamisme des interactions chromatiques, les rythmiques des couleurs, plusieurs formalistes québécois auront employé la couleur structurante d'une façon inédite (par rapport aux Américains et aux automatistes) pour produire, dès le début du mouvement, une variété de résultats expressifs et personnels.

Notes

1. Voir Dora Vallier, *L'art abstrait*, Paris, Librairie générale française, 1967, 383 p.; Léon Degand, *Langage et signification de la peinture, en figuration et en abstraction*, Paris, L'architecture d'aujourd'hui, 1956, 142 p.

2. Clement Greenberg, «After Abstract Expressionism», *Art International*, vol. VI, n° 8, octobre 1962, p. 24-32.

3. Voir Fernande Saint-Martin, *Structures de l'espace pictural*, LaSalle, Hurtubise HMH, 1969, 172 p.; David Burnett et Marilyn Schiff, *Contemporary Canadian Art*, Edmonton, Hurtig Publishers, 1983, 300 p.

4. Voir Marie Carani, *L'œil de la critique, Rodolphe de Repentigny, écrits sur l'art et théorie esthétique, 1952-1959*, Québec, Éd. Septentrion/Célat, 1990, 282 p.; «Rodolphe de Repentigny: critique d'art, théoricien, artiste», *Voix et images*, vol. X, n° 3, printemps 1985, p. 137-152; *L'œuvre critique et plastique de Rodolphe de Repentigny*, mémoire de maîtrise en études des arts, Département d'histoire de l'art, Montréal, UQAM, 1982, 812 p.

5. Rodolphe de Repentigny, «Des peintres qui ne voient pas à travers les fenêtres», *La Presse*, 22 novembre 1952.

6. Rodolphe de Repentigny, «Après les automatistes et les romantiques du surréalisme: les Plasticiens», *L'Autorité*, 6 novembre 1954.

7. Rodolphe de Repentigny, *Manifeste des plasticiens*, 10 février 1955, publié hors commerce, reproduit dans *Jauran et les Premiers Plasticiens*, catalogue de l'exposition tenue au Musée d'art contemporain, 21 avril-22 mai 1977, Montréal, Éditeur officiel du Québec, 1977, s. p.

8. *Ibid.* Pour une discussion élargie de la portée et du sens des théories plasticiennes de Jauran, voir Marie Carani, *L'œil de la critique...*, *op. cit.*

9. Marie Carani, *L'œil de la critique...*, *op. cit.*, p. 140-145.

10. Voir Marie Carani, «Jauran», *Parachute*, n° 47, été 1987, p. 31-32; «Du dire au faire. Jauran, premier photographe formaliste», *Protée*, vol. XVIII, n° 3, automne 1990, p. 19-28.

11. Voir Marie Carani, *L'œil de la critique...*, *op. cit.*; *Sémiotique de la peinture abstraite québécoise, 1940-1970*, thèse de doctorat en sémiologie, Département d'études littéraires, Montréal, UQAM, 1985, 912 p.

12. Pendant cette brève période, les premiers plasticiens exposent individuellement lors de la troisième exposition collective à la librairie Tranquille, en avril-mai 1954, puis comme groupe constitué lors de la huitième, en octobre-novembre de la même année. Peu après, c'est l'exposition de fondation du mouvement à L'Échouerie en février 1955. Ensuite, on retrouve Jauran et Belzile à la onzième exposition collective chez Tranquille, et tous les plasticiens en mai-juin lors de l'inauguration de la galerie L'Actuelle. En novembre 1955, Jauran, Toupin et Belzile participent à l'événement *Peinture canadienne* qui se tient à l'École des hautes études commerciales. L'année suivante, Jauran et ses amis exposent comme individus lors de la manifestation de groupe de l'Association des artistes non-figuratifs de Montréal. Par la suite, ils poursuivront leurs recherches individuelles séparément.

13. On les connaîtra aussi comme le groupe Espace dynamique, du nom de leur exposition collective à la galerie Denyse Delrue en 1960. S'étant affirmée l'année précédente à travers la publication du manifeste *Art abstrait* au moment de l'événement du même nom, cette seconde vague plasticienne — qui contrairement à la première ne se constituera pas officiellement en un groupe organisé — se révèle encore lors de l'exposition conjointe de Molinari et de Tousignant au Musée des beaux-arts en 1961, de l'événement *Dynamisme 64* à la galerie du Siècle, ainsi que lors de la manifestation *Espace dynamique* au même endroit en 1967 qui célébrait dix ans de propositions géométriques à Montréal, puis dans plusieurs présentations à l'étranger. Molinari, Juneau et Goguen représentent l'abstraction géométrique canadienne lors d'une exposition des galeries new-yorkaises Camino et Bleeker, en 1952; Molinari et Tousignant sont au festival des Deux-Mondes à Spolète, la même année. On retrouvera aussi ces artistes dans plusieurs expositions importantes des années soixante: la Biennale de Paris (1962), le *Guggenheim International Award* (1964), *The Responsive Eye* (1965), *Art in the Sixties* (1967), celles du Musée national d'art moderne de Paris, *Canada: art aujourd'hui* (1968) et des *Seven Artists from Montreal* (1968) au MIT, enfin les biennales de Venise et de Sao Paulo (1968). Plus récemment, en fait depuis l'exposition *Jauran et les premiers plasticiens* (Musée d'art contemporain, Montréal, 1977), on les a désignés comme les «seconds plasticiens» de Montréal. C'est cette expression que j'utilise ici pour les distinguer facilement du premier groupe, celui de Jauran.

14. Guido Molinari, *Écrits sur l'art: 1954-1975*, Ottawa, Pierre Théberge éd., Galerie nationale du Canada, 1976, 112 p.; Fernande Saint-Martin, «Le dynamisme des Plasticiens de Montréal», *Vie des Arts*, n° 44, automne 1966, p. 44-48; *Structures de l'espace pictural*, *op. cit.*

15. Guido Molinari, «L'espace tachiste ou Situation de l'Automatisme» (1955), dans *Écrits sur l'art*, *op. cit.*, p. 15-17.

16. Pour le contexte de ce débat qui se déroule dans les pages de l'hebdomadaire progressiste *L'Autorité du peuple*, voir Marie Carani, *L'œil de la critique...*, *op. cit.*, chap. II; aussi *L'œuvre critique et plastique de Rodolphe de Repentigny*, *op. cit.*

17. Guido Molinari, «L'espace tachiste...», *loc. cit.*, p. 15.

18. *Ibid.*

19. Cette lettre à Sweeney paraît dans James Johnson Sweeney, «Mondrian, the Dutch and De Still», *Art News*, vol. L, n° 4, juin-juillet-août 1951, p. 24-25.

20. Voir Clement Greenberg, *Art and Culture*, Boston, Beacon Press, 1965, 178 p.; «Necessity of Formalism», *Art International*, n° 16, octobre 1972, p. 104-106.

21. Josef Albers, *Interaction of Color*, New Haven, Yale University Press, 1963, 163 p.

22. Robert Welsch, «Molinari and the Science of Color and Line», *RACAR*, vol. V, n° 1, p. 3-20.

23. Guido Molinari, «Le langage de l'art abstrait» (1959), dans *Écrits sur l'art, op. cit.*, p. 18.

24. *Ibid.*, p. 19.

25. Robert Welsch, *loc. cit.*, p. 16-18.

26. Marie Carani, *L'œil de la critique...*, *op. cit.*, chap. III, p. 75-89; «Rodolphe de Repentigny, peinture existentialiste», *Vanguard*, vol. XIV, n° 1, février 1985, p. 16-20.

27. Fernande Saint-Martin, *La littérature et le non-verbal*, Montréal, Éd. d'Orphée, 1958, 196 p.

28. Pierre Théberge, *Guido Molinari*, catalogue de l'exposition, Ottawa, Galerie nationale du Canada, 1976, 160 p.

29. Marie Carani, *Sémiotique de la peinture contemporaine québécoise, op. cit.*, p. 710-728.

30. Robert Welsch, *loc. cit.*, p. 10-16.

31. *Ibid.*

32. Fernande Saint-Martin, «Le dynamisme des Plasticiens de Montréal», *loc. cit.*, p. 44.

33. Robert Welsch, *loc. cit.*, p. 11-16.

34. *Ibid.*, p. 19-20.

35. Voir *Claude Tousignant*, catalogue d'exposition, texte de présentation de Danielle Corbeil, Ottawa, Galerie nationale du Canada, 1973, 32 p.; Fernande Saint-Martin, «Le dynamisme des Plasticiens de Montréal», *loc. cit.*

36. *Claude Tousignant, op. cit.*, p. 7-8.

37. Marie Carani, *Sémiotique de la peinture abstraite québécoise, op. cit.*, p. 727-732.

38. *Claude Tousignant, op. cit.*, p. 8-10.

39. *Dix ans de propositions géométriques, Le Québec, 1955-65*, catalogue de l'exposition, texte de France Gascon, Musée d'art contemporain de Montréal, Montréal, Éditeur officiel du Québec, 1979, p. 9-10.

40. *Ibid.*

41. Rodolphe de Repentigny salue d'ailleurs le travail «plasticien» de Leduc au moment de son exposition au musée de Granby, en 1955. L'année précédente, l'accrochage de ses toiles «constructives» lors de l'événement *Espace 55* avait signalé la nouvelle direction prise par ses travaux. Cette orientation proprement plasticienne se révèle ensuite à L'Actuelle, en 1956, à la galerie Denyse Delrue, en 1958, et chez Artek, en 1959. En 1962, Fernand Leduc participe au festival des Deux-Mondes de Spolète, en Italie, avec Molinari et Tousignant.

42. *Fernand Leduc de 1943 à 1985*, catalogue de l'exposition, Chartres, Musée des beaux-arts de Chartres, 1985, 166 p.

43. Marie Carani, *Sémiotique de la peinture abstraite québécoise, op. cit.*, p. 676-695.

44. Fernand Leduc, «Évolution: de l'expressionnisme non-figuratif à l'art abstrait» (1955), dans Fernand Leduc, *Vers les îles de lumière. Écrits (1942-1980)*, LaSalle, Hurtubise HMH, 1981, p. 155-158.

45. Fernande Saint-Martin, «Le dynamisme· des Plasticiens de Montréal», *loc. cit.*, p. 46.

46. *Fernand Leduc de 1943 à 1985, op. cit.*

47. Après la *Place des artistes* (1953), c'est l'événement *Espace 55* qui révèle la direction que prend sa peinture impressionniste abstraite. En juin 1955, McEwen fait partie de l'exposition inaugurale de L'Actuelle. Là, il accroche en novembre 1956 des monochromes blancs. Chez Delrue, en 1959, c'est la série des *Marges* en février, et la série *Cellule* en novembre. En 1960, son exposition à la Galerie XII du Musée des beaux-arts intéresse la critique qui y reconnaît un itinéraire formel original et particulièrement exigeant. Après 1962, sa réputation s'étend au Canada et aux États-Unis, autant à Toronto qu'à New York. En février 1963, sa présentation en solo chez Martha Jackson est à l'origine de sa participation à diverses manifestations internationales: l'événement *Cinq peintres canadiens* au musée Galliera, à Paris, la Biennale de Sao Paulo (1963), une exposition en solo à la galerie Anderson-Mayer de Paris (1964), l'événement itinérant *Fifteen Canadian Artists* monté par le MOMA (1965).

48. Cité par Fernande Saint-Martin, «Jean McEwen et l'impressionnisme abstrait», *Vie des Arts*, n° 72, automne 1973, p. 51-54.

49. *Jean McEwen. La profondeur de la couleur*, catalogue de l'exposition, texte de Constance Naubert-Riser, Montréal, Musée des beaux-arts de Montréal, 1987, p. 31-33.

50. *Ibid.*, p. 39-46.

51. *Ibid.*, p. 46-47.

52. Fernande Saint-Martin, «Le dynamisme des Plasticiens de Montréal», *loc. cit.*, p. 47.

53. L'exposition de Barbeau chez Denyse Delrue, en 1963, signale l'émergence de ses nouvelles préoccupations optiques. En 1965, à la galerie du Siècle, il s'engage dans le mouvement cinétique, tendance confirmée par ses présentations de 1967 et 1968 au même endroit. Cette évolution le rapproche parages des seconds plasticiens, comme l'indiquent sa participation à l'exposition *Espace dynamique* célébrant dix ans de propositions géométriques à la galerie du Siècle, en 1967, aux côtés de Molinari et Tousignant, et sa présence à l'événement *Grands Formats* du Musée d'art contemporain, en 1970. De même, la rétrospective que lui consacre le Musée d'art contemporain en 1969 situe résolument son travail des années soixante dans la perspective des explorations optiques. Aussi il sera beaucoup vu aux États-Unis, à New York surtout, au New Jersey, au Vermont et au Texas, ainsi qu'à Paris.

54. *Marcel Barbeau*, catalogue de l'exposition, Musée d'art contemporain de Montréal, Montréal, Éditeur officiel du Québec, 1969, 45 p.

55. *Ibid.*

56. *Rita Letendre: The Montreal Years*, catalogue de l'exposition, texte de Sandra Païkowsky, Montréal, Galerie d'art de l'Université Concordia, 1989, 39 p.

57. *Ibid.*

58. Rita Letendre se fait connaître initialement à Montréal, quand elle expose ses travaux automatistes et post-automatistes aux *Rebelles* (1950), à l'exposition *La matière chante* (1954) organisée par Claude Gauvreau et à *Espace 55*. Par la suite, elle participe à plusieurs manifestations collectives d'envergure locale et canadienne. Mais ce n'est qu'au milieu des années soixante, quand son travail prend un virage proprement formaliste et géométrique, après un séjour prolongé en Californie, qu'elle sera connue à l'échelle internationale. On lui doit notamment la murale du California State College de Long Beach, et le mur extérieur de l'édifice Neill-Wycik du Ryerson Polytechnical Institute de Toronto. Elle a aussi réalisé depuis le début des années soixante-dix plusieurs sérigraphies très importantes, ancrées dans une même recherche formelle.

59. David Burnett et Marilyn Schiff, *op. cit.*, p. 71-73.

60. *Ibid.*

61. *Jacques Hurtubise*, catalogue de l'exposition, texte de Lorna Farrell-Ward, Vancouver, Montréal, Vancouver Art Gallery/Musée d'art contemporain de Montréal, 1981, s. p.

62. Jacques Hurtubise, cité dans Fernande Saint-Martin, «Le dynamisme des Plasticiens de Montréal», *loc. cit.*, p. 92.

63. *Jacques Hurtubise, op. cit.*

64. Après s'être fait connaître par ses expositions en solo à la galerie Denyse Delrue (1962 et 1963) et à la galerie du Siècle (1964, 1965 et 1966) , à Montréal, Hurtubise expose ses *splashs* à l'East Hampton Gallery de New York, en 1966 et en 1967. On le retrouve encore chez Carmen Lamanna de Toronto en 1970-1971. Sur le plan international, il participe à la Biennale de Sao Paulo (1965), à l'événement *Seven Montreal Artists* du MIT (1968) et à l'*Edinburgh International Festival*, en Écosse (1968).

65. *Jacques Hurtubise, op. cit.*

66. À Montréal, Gagnon fait des expositions particulières chez Artek (1959), Denyse Delrue (1961, 1962), Agnès Lefort (1966) et Godard/Lefort (1969). À l'étranger, il participe à la Biennale de Paris du Musée national d'art moderne (1961), au festival des Deux-Mondes de Spolète (1962), à l'événement *Canadian Painting* du Rochester Memorial Institute (1962), à l'*International Exhibition* de la Washington Square Gallery, de New York (1964). Après 1964, cette étape internationale s'intensifie: le *Tokyo International Trade Fair*, le *First Salon of Pan American Painting* de Cali, Colombie, en 1965, la manifestation *Canada-Art d'aujourd'hui* organisée par la Galerie nationale, qui circule à Paris, Rome et Genève en 1967-1968, puis l'*Edinburgh International Festival* (1968).

67. *Charles Gagnon*, catalogue de l'exposition, texte de Normand Thériault et Philip Fry, Montréal, Musée des beaux-arts de Montréal, 1978, 239 p.

68. Normand Thériault, «Charles Gagnon», *Vie des Arts*, n° 53, hiver 1968-1969, p. 29.

69. *Yves Gaucher. A Fifteen-Year Perspective/1963-1978/Une perspective de quinze ans,* catalogue de l'exposition, texte de Ronald Nasgaard, Toronto, Art Gallery of Ontario, 1979, p. 19-26.

70. Yves Gaucher, cité dans David Burnett et Marilyn Schiff, *op. cit.,* p. 76.

71. Au début des années soixante, Gaucher est d'abord connu pour sa gravure, qui acquiert rapidement un auditoire international lors de plusieurs manifestations importantes: l'*International Graphics Exhibition,* de Ljubljana, en Yougoslavie (1961), celles de Lugano, en Suisse (1962), de Tokyo (1962) et du MOMA (1964). Ensuite seulement, sa peinture est vue chez Agnès Lefort (1965), à Montréal, chez Martha Jackson, à New York (1966), au *Carnagie International,* de Pittsburgh (1967), l'*Edinburgh International Festival,* (1968) et à la Whitechapel Art Gallery de Londres (1969).

72. *Yves Gaucher. A Fifteen-Year Perspective/1963-1978/...,* op. cit., p. 52-55.

73. *Ibid.,* p. 77-96.

74. *Ibid.*

MARIE-SYLVIE HÉBERT

CHAPITRE III

La réception de la peinture formaliste montréalaise (1965-1970): art et identité nationale

La littérature critique sur le courant formaliste québécois en peinture dans les années soixante est pour le moins volumineuse; elle constitue une masse d'informations où s'articulent les principales perspectives idéologiques qui ont traversé cette période dite de la Révolution tranquille au Québec.

En effet, le discours que nous ont laissé tant la critique que les historiens de l'art montréalais et canadiens nous offre l'occasion de faire un survol des débats récurrents qui ont entouré les manifestations artistiques des peintres formalistes montréalais. D'une façon générale, entre 1965 et 1970, les critiques francophones montréalais rejetteront de plus en plus la position formaliste en tant qu'«art actuel», en affirmant qu'elle n'est plus représentative de la nouvelle modernité québécoise. Une nouvelle modernité, donc, qui veut dès la seconde moitié des années soixante se différencier des positions artistiques issues des années cinquante, en particulier de celle du groupe des seconds plasticiens. Or, comme nous le verrons, cette période est marquée par la reconnaissance institutionnelle de certains peintres formalistes, situation qui sera soutenue, entre autres, par une reconnaissance sur le plan international et par un consensus qui se forme chez les historiens de l'art provenant du milieu institutionnel canadien.

Ainsi, la réception de la peinture formaliste montréalaise est donc le moment d'une remise en question du rôle de l'artiste et de la place de l'art dans la société. Elle va également mettre en scène la problématique d'une définition de l'art en tant que forme d'expression des nationalismes. Cette problématique spécifique orientera le cheminement historique exposé dans ce chapitre. Nous tenterons donc de tracer un portrait exhaustif des différents points de vue en présentant des extraits qui illustrent les grandes lignes de ces débats.

Sur la scène montréalaise, nous verrons entre autres les points de vue de certains historiens de l'art, dont ceux de Fernande Saint-Martin (théoricienne de l'art abstrait) en 1965 à l'occasion de l'exposition new-yorkaise *The Responsive Eye*, et de François-Marc Gagnon en 1970 à l'occasion d'un débat sur la peinture canadienne-française.

Du côté de la critique d'art, nous porterons une attention particulière aux textes de deux critiques montréalais: Claude Jasmin (au journal *La Presse* jusqu'en 1967, puis à la revue *Sept-Jours*) et Yves Robillard (également à *La Presse*, en 1967 et 1968). Enfin, du côté de l'institution artistique canadienne, nous donnerons un aperçu des points de vue de Jean-René Ostiguy et de Barry Lord.

Mais de quels peintres exactement ces critiques d'art et ces historiens parlent-ils et à quelles appellations et catégories spécifiques font-ils référence lorsqu'ils abordent la peinture formaliste? Il faut tout d'abord considérer que la dénomination «peinture formaliste» recouvre une panoplie de sous-catégories: tout d'abord le groupe des plasticiens, les premiers et les seconds, puis les tenants de l'art optique (*op art*), de l'art géométrique, de la peinture objective, de l'abstraction chromatique. Autant de catégories qui regroupent, en fin de compte sous une même bannière, les peintres qui s'inscrivent dans le prolongement de la tradition de l'art abstrait, dont les pères auront été Mondrian, Malevitch, Albers et autres représentants des mouvements esthétiques abstractionnistes:

> Pour comprendre le sens de ma démarche, il faut tenir compte du fait qu'elle se fonde sur une réflexion de la nécessité d'une destruction progressive de l'objet, déjà amorcée par l'impressionnisme, qui préoccupa le suprématisme de Malevitch dans son «monde sans objets», tout comme le néoplasticisme de Mondrian[1]...

On peut déduire plusieurs choses de cet énoncé: démarche, réflexion, nécessité, destruction de l'objet. La position des peintres formalistes qui présentent une définition de l'art abstrait comme science de l'art constitue ainsi une démarche et se

concrétise par un programme. Suivant le programme formaliste, il s'agit d'abolir la référentialité en isolant les principes de
base par lesquels celle-ci est construite: la forme (organisation
formelle de la surface) et la couleur. C'est sur ces deux principes de construction de l'espace et du tableau que s'appuie la
recherche formaliste telle que la prônent particulièrement les
plasticiens. Son fondement repose, à première vue, sur une approche rationnelle du rapport de l'être humain au monde.

D'un point de vue plus historique, le mouvement plasticien a vu le jour dans un contexte de réaction à d'autres formes artistiques. On se rappellera les débats entre le mouvement automatiste et le mouvement plasticien dans les années
cinquante: c'est la tache contre le trait, l'expression contre la
raison, l'accident contre le calcul. D'une certaine façon, l'art a
longtemps été tenu pour être une pratique de l'expression ultime de l'individu; à ce titre, on l'a souvent opposé à la science.
Qu'est-ce à dire, dès lors, d'une science de l'art? Une science
de l'art s'accompagne nécessairement d'une formulation
d'ordre théorique qui peut être prise en charge par l'artiste[2].
À ce titre, Guido Molinari s'efforcera de soutenir un discours
théorique sur la démarche plasticienne, notamment en pu-
bliant plusieurs articles, en donnant des conférences et en
participant à des débats publics[3].

Lorsque l'on regarde l'évolution de leur production
depuis les œuvres exposées dans les années soixante, on
constate que les peintres formalistes québécois ont fait des
démonstrations d'un processus de recherche qui vise une
nouvelle formalisation de principes théoriques de la perception et de l'espace pictural.

Toutefois, replacée dans le contexte de l'époque, où
l'image du progrès est généralement associée aux nouvelles
technologies et aux nouveaux matériaux, l'évolution des
œuvres plasticiennes, en leurs qualités apparentes, ne se
donne pas d'une façon aussi évidente. Or il n'est pourtant pas
rare de retrouver côte à côte, dans plusieurs expositions
montréalaises entre 1965 et 1970, des toiles plasticiennes, au
fondement éminemment autoréférentiel et objectif (dans le
sens d'une objectivation de la réalité dans un monde non ver-
bal), des sculptures rappelant l'univers interstellaire, des

œuvres cinétiques et de l'art pop. On perçoit déjà les sources du conflit pour qui voudrait défendre une conception de l'art comme expression, porteuse de messages explicites et, surtout, porteuse d'une «révolution tranquille» dans les années soixante: l'art abstrait formaliste, qu'il se nomme géométrique ou chromatique, n'a que peu à voir, selon certains critiques, avec le quotidien, les nouveaux matériaux, la communication de masse, la vitesse, etc., paramètres de l'âge nouveau tels que Jasmin ou Robillard, par exemple, ont pu les concevoir.

Quoi qu'il en soit, la période de 1965 à 1970 est cruciale dans l'histoire du mouvement plasticien au Québec et au Canada[4]. C'est autour de Guido Molinari que se forme le noyau de ce que l'on appellera le groupe des seconds plasticiens dont feront partie Claude Tousignant puis Jacques Hurtubise[5]. Cette seconde vague plasticienne s'affirme lors d'une exposition en 1959 intitulée *Art abstrait*. On retrouvera également, dans cette «deuxième vague» géométrique dans la peinture québécoise entre autres, les peintres Fernand Leduc, Jean Goguen, Denis Juneau, Marcel Barbeau (tous engagés dans le mouvement plasticien) ainsi qu'Yves Gaucher.

Guido Molinari, Claude Tousignant et Jacques Hurtubise se retrouvent ensemble dans une majorité d'expositions de groupe entre 1965 et 1967 et profiteront pendant cette période d'un véritable raz-de-marée d'expositions «Optical» aux États-Unis[6], dont plusieurs sont de niveau international. Ils bénéficieront également d'expositions en solo ou en groupe à New York, à la East Hampton Gallery (Barbeau, Tousignant, Gaucher et Molinari y ont eu des expositions en solo), au MOMA et au Guggenheim, pour lesquelles ils obtiennent une certaine «couverture» critique dans les périodiques américains.

Cette reconnaissance se traduira, au Canada, par une consécration officielle et institutionnelle de la tendance plasticienne: ces artistes participeront ainsi aux principales expositions entourant l'Expo 67 et le centenaire de la Confédération canadienne[7]. Tousignant et Hurtubise seront sélectionnés pour représenter le Canada à Sao Paulo en 1965, alors que Molinari se rend, en 1968, à la XXXIVe Biennale de Venise, accompagné du sculpteur Ulysse Comtois. Bref, de 1965 à 1967, le noyau des «jeunes» plasticiens, Molinari, Hurtubise et Tousignant, en particulier, est au zénith de ce qui est considéré à plusieurs points de vue comme l'art qui se fait, tant sur la scène nationale que sur la scène internationale. Cependant, la peinture plasticienne et ses tendances *optical* ont soulevé de multiples controverses parmi les critiques d'art montréalais.

La multiplication des expositions d'art optique ainsi que la reconnaissance extérieure de ce mouvement dans ses diverses manifestations favoriseront bientôt, au sein de la critique d'art, une certaine réceptivité, positive ou négative, aux formes d'art formalistes. Devant l'hermétisme apparent de ce type de peinture qui ne peut pas être appréhendé selon une grille expressionniste, on s'aperçoit que, de façon récurrente, la critique d'art est du même coup forcée d'expliquer au lecteur les principes de base de cette peinture. La confusion qui règne dans la désignation des tendances — on parle tout aussi bien d'abstraction géométrique, de *hard-edge*, d'art optique que de plasticisme — est d'ailleurs révélatrice d'un discours qui vise, somme toute, l'art abstrait (non lyrique) en peinture comme démarche plastique.

1965-1966:
L'exposition
The Responsive Eye

En 1965, l'exposition *The Responsive Eye* au MOMA (New York) vient consacrer une tendance de l'art abstrait sous l'appellation d'«art optique» («art op») ou *op art* et lui conférer le rang d'art actuel. Cette manifestation offre à Guido Molinari et à Claude Tousignant, qui y participent, l'occasion d'une confrontation de niveau international, alors que l'Europe, les États-Unis et l'Amérique du Sud y sont représentés. Mais il y a plus: selon William C. Seitz (conservateur de l'exposition), la peinture abstraite, dans son aboutissement optique, *hard-edge* ou cinétique, sera perçue et définie comme un mouvement d'«avant-garde[8]». Pourquoi cette dénomination, alors que les travaux «op» d'Albers et de Vasarely émergent bien avant 1965? Elle semble fondée sur des aspects particuliers qui nous informent sur les catégories de réception de l'objet d'art: celui du rapport au spectateur que cet art implique et la reconnaissance d'une recherche artistique qui serait sous-tendue par une démarche «quasi scientifique[9]». La puissance communicative des œuvres ainsi que le processus de recherche qu'elle comporte soutiennent également deux autres termes: celui de mouvement (virtuel) et de technique. Ces quatre termes — communication, mouvement, technique et recherche — seront particulièrement importants dans le discours de la réception de l'art optique.

Or la fonction communicatrice de l'art optique est loin de faire l'unanimité chez les critiques montréalais. Dans l'article qu'elle écrit sur *The Responsive Eye*, Simone Auger présente l'exposition comme un des plus importants événements artistiques de la saison 1965[10]. Pour elle, le but de l'art op réside dans le pouvoir qu'ont les formes statiques et les couleurs de stimuler des réactions psychologiques dramatiques. Bien qu'elle s'accorde à dire, citant le conservateur W. C. Seitz, que l'art abstrait a libéré l'artiste de la forme, que les pigments et matériaux modernes lui ont permis d'en arriver à des tons inusités et qu'on voit dans ces œuvres des motifs mécaniques et des diagrammes scientifiques, elle conclut pourtant ainsi: «Cet art [...] n'atteint toutefois ni notre intelligence ni notre cœur. Art donc décoratif, brillant et joli, mais vide. L'art optique serait un art de recherche pour lui-même, qui ne s'intéresse uniquement qu'à la perception physique[11].»

Manque de contenu, donc, et manque de pouvoir expressif, sinon émotif. Ce propos ramène le débat sur la fonction — expressive — de l'œuvre d'art, soulève le thème de la recherche comme démarche artistique, pour rejoindre finalement la question de l'art pour l'art. L'art optique ne communiquerait pas autre chose que lui-même, et sa recherche mettrait en place une technique de stimulation dans le sens péjoratif du terme: la mécanique de l'être humain. Parallèlement, Fernande Saint-Martin trouvera justement que ce qu'il y a d'intéressant dans l'art optique c'est, entre autres choses, qu'«il se préoccupe des découvertes de la psychologie expérimentale[12]». Elle considère ainsi les trois sections de l'exposition en tant qu'axes de recherche: la recherche sur la dynamique chromatique, sur les effets de contrastes positif-négatif et enfin sur les nouveaux matériaux et reliefs. C'est dans la première catégorie que se situent Molinari et Tousignant, dont les recherches sont

> [...] axées sur la couleur et la constitution d'un espace
> vibratoire [...]. Cet ensemble de tableaux où les
> problèmes de la couleur sont remis en question constitue
> les recherches les plus valables du *Responsive Eye*, car
> c'est uniquement là qu'on peut retrouver de véritables

tentatives de synthèse des mouvements antérieurs [fau-
visme, futurisme, suprématisme et néo-plasticisme] qui
libèrent la couleur d'une préoccupation de la forme et
lui permettent de s'imposer comme élément expressif[13].

Tout en valorisant la démarche spécifiquement plasticienne, Fernande Saint-Martin en vient à défendre le potentiel expressif de l'art abstrait, qui éclate inévitablement au-
delà de sa mécanique, de sa technique et de son autoréférentialité: «[...] les possibilités émouvantes et le contenu de l'art
se sont toujours projetés en dépit des contraintes qui condi-
tionnent la structure de l'œuvre [...]. C'est toujours dans la
mesure où l'institution dépasse les restrictions stylistiques
des matériaux ou idéologies propres à certaines civilisations
que l'artiste réussit à se projeter et à transformer une structure rhétorique en un langage hautement humain[14].»
        Cette position s'oppose à une conception de l'art comme
reflet de la société et défend également le caractère humaniste
du rôle de l'art abstrait et de l'artiste. Elle nous ramène ici aux
sources du projet plasticien: celui de la recherche d'une sensibilité cachée et d'un langage universel; un leitmotiv — qu'il
soit philosophique, métaphysique ou théosophique — tributaire des Mondrian et des Kandinsky. Ce projet humaniste
était déjà clairement énoncé en 1959 dans le catalogue de l'exposition *Art abstrait*, où Fernande Saint-Martin affirmait:

> Pour ma part, je suis convaincue qu'en poursuivant sa
> recherche réfléchie sur les possibilités déjà entrevues de
> l'univers plastique abstrait, la peinture actuelle dé-
> couvrira par elle-même les structures d'un monde non
> verbal sans cesse interrogé et qu'elle révélera dans les
> cadres d'une nouvelle logique, d'une nouvelle psycholo-
> gie et d'une nouvelle géométrie, les dimensions les plus
> profondes de l'homme nouveau[15].

Une chose demeure révélatrice dans cet énoncé: c'est
l'affirmation de l'autonomie de la peinture, qui produit par
elle-même ses propres découvertes, réalisant un humanisme
sur le mode de l'objectivité. On ne peut cependant en dire de
même de toutes les tendances de l'art abstrait. En particulier,

les champs d'exploration de l'art optique demeurent foncièrement attachés au caractère frappant de sa facture et à l'élaboration de nouveaux effets, du moins en ses manifestations
les plus «spectaculaires». Selon Saint-Martin toujours, ces types de recherches plaisent au plus grand nombre (les travaux,
par exemple, de Vasarely, Morellet et Equipo 57) parce que
les qualités des factures sont plus imposantes que celles de la
structure formelle. Or «face à cette multitude d'objets optiques, on peut se demander si des œuvres qui n'impliquent
pas l'élaboration d'un langage, mais qui dépendent plutôt de
la qualité apparente et manifeste des matériaux ne relèvent
pas de la fascination qu'exerce en ce moment l'esthétisme industriel ou plus simplement celle de l'objet trouvé[16]».

L'art optique, un art à la mode, un art superficiel? Les
peintres plasticiens (surtout Claude Tousignant et Guido Molinari) se sont fortement défendus, à de multiples reprises, de
pratiquer l'art op, leurs recherches se situant plutôt du côté
de l'abstraction chromatique ou géométrique de type *hard-
edge*, alors que l'art optique viendrait perpétuer les modalités
spatiales illusionnistes. Selon Molinari, «[le pop art, le *colour
painting* et l'*optical painting*] représentent un mouvement en
arrière dans l'évolution de la peinture abstraite car ils réintroduisent dans le tableau la recherche d'un espace illusionniste[17]». La critique se lasse d'ailleurs très vite du *op art*, que
le *Art News* considère déjà en 1965 comme une recette «à la
mode[18]». Malgré cela, Fernande Saint-Martin affirme que *The
Responsive Eye* endosserait les tendances marginales de l'art,
au contraire du pop art et de l'expressionnisme abstrait[19].
Cette exposition légitimerait en outre la position de «plaque
tournante» de New York comme centre d'art mondial (Europe,
États-Unis, Amérique du Sud[20]).

Art optique ou pas, les peintres formalistes montréalais
obtiendront une certaine reconnaissance internationale en regard des mouvements optique et cinétique qui émergent en
Europe et aux États-Unis, surtout en 1965, l'exposition *The Responsive Eye* pouvant être considérée comme l'événement clé.
Forte de cette accréditation internationale (du moins américaine), la tendance formaliste sera du coup perçue par certains
comme étant de l'art actuel et soulèvera inévitablement dans le

contexte des années soixante la question suivante: la peinture plasticienne sera-t-elle le porte-étendard d'un mouvement original canadien sur le marché international? Pour certains, cette originalité reste à prouver, et les œuvres des plasticiens feront de plus en plus l'objet de comparaison avec les réalisations américaines. Déjà en 1965, certains critiques y font allusion.

Sidney Tillim, par exemple, dans un article paru dans le *Art Magazine* sur *The Responsive Eye* et l'art optique en général présente l'art de Claude Tousignant comme une «version» des *Bulls-eyes* de Kenneth Noland. Il ajoute également:

> *The Bauhaus orientation of most progressive art schools with their courses in color and two-and-three-dimensional design — in fact the entire quasi-scientific orientation of art instruction today — must be considered a prime source of optical type art that in the striped painting of a Gene Davis (american) or a Guido Molinari (Canada) comes perilously close to didactic class work[21].*

Tout en rapprochant ainsi Guido Molinari de Gene Davis, ce commentaire de Sidney Tillim rejoint sous plusieurs angles ceux de Claude Jasmin, notamment en ce qui concerne le caractère didactique et scolaire de la peinture abstraite.

Un des traits distinctifs du discours de Claude Jasmin dans les années soixante réside dans le caractère particulièrement subjectif de ses interventions journalistiques. Ses prises de position se traduiront peu à peu comme une critique «politisante» de la peinture abstraite. Nous verrons que c'est toute l'approche formaliste qu'il rejette en bloc, au profit, en premier lieu, d'un art portant les qualités traditionnelles de l'expression, et plus précisément d'un art démontrant les qualités expressives de l'artiste-individu qui communique avec le spectateur et la vie quotidienne où l'artiste est un être socialisé: c'est l'art pop.

Un point de vue:
Claude Jasmin et cie

Michel Ragon le disait l'autre soir, désormais, le critique est un commentateur, il s'engage, il milite selon ses goûts à lui et non plus au nom de vagues théories esthétiques. Je le dis non sans ambages, l'art nu, le purisme, l'art plasticien a bien peu de prise sur moi. Et je me battrai volontiers pour l'art «pop» qui pose les gestes d'un Courbet montrant la vérité du casseur de pierres[22]...

On ne pourrait mieux résumer la position de Claude Jasmin sur l'art, du moins dans la seconde moitié de la décennie 1960: adoptant le style du «commentateur», Jasmin se posera comme défenseur du nouveau réalisme et du pop art et affirmera clairement une position pour le moins défavorable à la peinture formaliste. Aussi exprime-t-il souvent dans ses textes à la fois une critique de l'art «puriste» et une proposition qui se veut nouvelle: «L'art devra reprendre son vrai rôle. Refléter une culture, être l'image d'une civilisation donnée, faite ou à construire[23].»

Jasmin se situe dans la lignée de l'idéologie du reflet: l'art doit être le miroir authentique de l'époque, d'un milieu culturel, d'une société. Dans une entrevue avec Molinari, Hurtubise et Tousignant, en 1965, Jasmin dévoile la portée sociale qu'il attribue au mouvement pop: «Le Pop, l'art Pop, en tant que mouvement anti-peinture, en tant que mouvement anti-esthétique, est un art révolutionnaire[24].» Aux yeux du critique donc, ce

mouvement artistique assumerait un moment «révolutionnaire» de la société québécoise des années soixante. Or les
plasticiens sont loin de partager ce point de vue: dans ce même
article, ils affirment au contraire que c'est l'art pop qui est un
art «bourgeois» et, en ce sens, l'art abstrait serait, selon eux,
une réaction à la montée du nouveau réalisme[25].

Mais quel rôle l'artiste doit-il jouer dans la société?
D'une part, Jasmin souscrit à une définition élargie de l'artiste (le dessinateur, le designer, le créateur en esthétique...)
et, d'autre part, il soutient une ouverture du champ de l'art
au monde de la publicité, au cinéma, à la télévision, aux recherches en arts intégrés, en esthétisme industriel, bref, une
pluridisciplinarité où le travail collectif est privilégié et où
l'artiste tient le rôle de «visualisateur du monde quotidien[26]».
Ce tableau du monde de l'art que dresse Jasmin s'oppose
sans contredit aux propos des plasticiens: «L'activité du peintre est supérieure à celle du designer[27]», répond Molinari.
Dans un tel contexte, Molinari endosse un point de vue où le
champ de l'art conserve un caractère «hiérarchique».

Manifestement, l'engagement critique de Jasmin interpel-
le la peinture formaliste dans une optique qui interroge le rôle
de l'artiste et pose le rapport entre l'art et la société. Cette position s'accompagne également d'une critique des œuvres en
tant que forme d'expression artistique pour privilégier des formes d'expression plus éclatées. En 1965 particulièrement, le
discours de Jasmin sur la peinture formaliste évoque une approche vitaliste de l'objet d'art par l'utilisation d'un vocabulaire qui dénote une métaphore du corps: l'œuvre doit être vivante, elle doit bouger, respirer, palpiter. Les œuvres des plasticiens, d'Yves Gaucher ou encore de Gilbert Marion, sont plutôt
pour lui des corps morts, des cadavres. Ils ne communiquent
pas la vie. L'expression artistique semble alors délaissée au
profit d'une pratique du procédé. D'ailleurs, il compare souvent les œuvres abstraites à des exercices d'atelier: «Ces exercices d'atelier, dont certains annoncent de belles grandes compositions pour l'avenir, me laissent froid. C'est scolaire en dia-
ble[28]!» Il écrira aussi: «Tous les étudiants en art peuvent vous
pondre quelques bons effets optiques avec deux couleurs, treize tons, un bon pinceau, un compas et une règle à mesurer[29].»

Est-ce à dire que ce ne serait pas de l'art, du «vrai art»? Ce propos vient s'inscrire dans un débat qui invoque les principes de la raison et de l'intuition par rapport à l'expression artistique:

> Cette symbolisation à outrance est par trop réfrigérante, cette recherche de la stylisation quelque peu asséchante pour les yeux. [...] peindre, dessiner, c'est toujours un peu vouloir résumer, synthétiser, symboliser aussi. Mais on voudrait que ce dessein, bien louable en soi, porte l'empreinte de la conscience humaine, que l'esprit et les sentiments y prennent part. Sinon, c'est l'œil, la désincarnation[30]!

Une peinture sans âme? Jasmin partage ici le point de vue de Simone Auger. Sans aller jusqu'à dire qu'il soutient la plastique expressionniste comme telle, on peut noter ici qu'une certaine vision de l'art comme expression du tempérament de l'artiste et stimulateur d'émotions chez le spectateur se cache derrière ces propos. Jasmin reproche également l'invariabilité des outils utilisés par les plasticiens. Il ironise, finalement, sur l'inaccessibilité des œuvres et sur le caractère hermétique de l'art abstrait. «La peinture d'Yves Gaucher est vaine supputation. Elle n'offre aux gens d'ici rien à voir de substentiel [sic]. C'est un travail d'intellectuel complètement désincarné. Il puise son inspiration dans un monde invisible, et ce labeur égoïste ne peut intéresser que son auteur[31].»

Dans cet article qui traite d'une exposition d'Yves Gaucher à la galerie Agnès Lefort, Jasmin dénonce entre autres l'influence du mouvement op aux États-Unis: «L'ouragan op fait des siennes. Nos gros voisins influencent beaucoup nos artistes[32].»

Bien que Claude Jasmin soit contre l'art plasticien, il lui consacre une part importante de ses réflexions et lui reconnaît dans une certaine mesure, en 1965, le rang d'art actuel. Jasmin n'a pas fait que des critiques négatives sur les plasticiens. Il reconnaît ainsi au jeune Hurtubise certaines qualités expressives. Lors du *Petit panorama* des peintres de la galerie du Siècle[33], il lance même une invitation aux amateurs d'art actuel. Mais voilà, les plasticiens ne prennent pas part à l'esprit et aux sentiments. Ce qu'il rejette en bloc, en fait, c'est la démarche plasticienne dans son ensemble, ainsi que la «symbolisation à outrance par trop réfrigérante». Pour Jasmin, la source d'inspiration de l'art c'est «le réel — vraie matière de l'art[34]».

En 1966, Molinari présente une exposition en solo à la galerie du Siècle. Claude Jasmin considère cette exposition comme un événement important[35]. Selon lui, il est facile de ridiculiser Molinari parce qu'il s'astreint depuis longtemps à une recherche sur la couleur. Il en parle cependant comme d'un jeune peintre de carrière qui est reconnu et encouragé ailleurs (États-Unis, Europe). C'est également en termes de recherche et d'expérience qu'il aborde la démarche de Molinari, allant jusqu'à dire à ce sujet: «Sérieusement, il est anti-conventionnel.» Jasmin souligne cependant, encore et toujours, l'incommunicabilité de son art et lui reproche de travailler sur de la peinture liquide plutôt que sur la vraie lumière. En définitive: «[Molinari] est enfermé dans un ordre à lui, il est libre à l'intérieur d'un système qu'il se fabrique commodément, dans lequel il s'inflige une discipline sévère[36].»

Molinari expose en février 1966 à New York, puis à la galerie du Siècle à Montréal des œuvres de la série *Mutation* et des œuvres récentes. Réa Montbizon, critique à *The Gazette*, reprend en partie les propos de Claude Jasmin quant au potentiel communicatif et expressif des œuvres: «*Yet, his kind of pure research no longer touches one on any level. One neither reacts seriously nor emotionally, nor intellectualy, and at this point even the curiosity is satured. [...] last level of communication[37].*»

En ce qui concerne l'apparence extérieure, ces travaux de 1966 n'offrent que peu de changement par rapport à la série précédente, si ce n'est que les bandes sont plus étroites. Pour bien apprécier l'évolution de cette recherche en dehors des qualités apparentes des œuvres, il est nécessaire de comprendre la démarche expérimentale plasticienne. La réaction de la critique est quelque peu partagée. Face à une certaine incompréhension de la critique devant son exposition, Molinari donnera même une conférence à la galerie pour expliquer sa démarche.

Alors que Claude Jasmin critique l'intellectualisme et la théorisation inhérents à la pratique formaliste, Laurent Lamy, alors critique au *Devoir*, sera quant à lui fortement impressionné par le fait que Molinari puisse parler de sa peinture en tant que théoricien: «Molinari parle de la conception qu'il a de la peinture en termes savants et à un rythme accéléré. [...] L'ensemble de sa démarche s'inscrit dans cette aspiration au mouvement si importante chez les peintres d'aujourd'hui[38].»

Contrairement à Claude Jasmin, Laurent Lamy entrevoit le mouvement virtuel dans les tableaux de Molinari comme une composante de «l'art qui se fait» et accueille l'image composite d'un artiste théoricien. D'autres commentateurs, comme Jean-René Ostiguy[39], soutiendront également la démarche particulière des jeunes plasticiens et de la peinture formaliste en général, et ce non plus à un niveau local, mais dans le cadre d'une approche de l'art canadien qui viendrait inscrire elle aussi, dans les années soixante, un principe de nouveauté «nationale».

Peinture canadienne et âge nouveau

À l'automne 1966, Jean-René Ostiguy publie un article où il tente d'aborder la question de «l'essor de la peinture canadienne depuis dix ans», en s'inspirant de l'approche de la sociologie de l'art élaborée par Pierre Francastel[40]. Selon Ostiguy, «la peinture a été l'un des créateurs de la nouvelle ambiance que la société canadienne s'est donnée. Elle continue son action dans le même chemin aujourd'hui». De Borduas à Molinari, «il n'y a pas de brisure dans l'évolution de la peinture à Montréal», affirme-t-il, et la jeune génération montréalaise serait représentée majoritairement par des peintres formalistes: Guido Molinari, Jacques Hurtubise, Yves Gaucher, Claude Tousignant... Outre quelques considérations à l'égard d'autres peintres canadiens, «il reste que le phénomène le plus important de la peinture canadienne après 1956 revient à des jeunes qui, vers 59, ont prouvé la possibilité d'une nouvelle peinture lyrique dans l'abstrait construit[41]».

Ce côté lyrique, il le perçoit non pas dans l'expression de sentiments mais plutôt dans «la vertu opératoire d'une pensée plastique». Ostiguy est loin ici d'entretenir une conception qui confine les peintures formalistes dans un monde intellectuel dénué de qualités «poétiques». Par la même occasion, il démontre sans équivoque la volonté de reconnaître la peinture formaliste montréalaise et de l'élever au rang de mouvement le plus important de la peinture canadienne contemporaine (dans les années soixante). Et il défend également l'originalité des démarches plasticiennes en regard du mouvement op: «[Ils] témoignent par excellence d'une tradition vieille de dix ans et suffisamment originale pour résister au déferlement nord-américain de l'art optique. Leur influence semble grandir de jour en jour[42].»

Par cette reconnaissance de leurs fondements historiques propres, les plasticiens acquièrent une autonomie importante en regard des influences ponctuelles américaines. Dès lors, cette originalité les place à l'abri de la logique des modes étrangères. Dans cet article, Ostiguy consacre finalement le tableau comme médium par excellence par lequel «le peintre canadien illustre bien un âge nouveau qui, tout rattaché qu'il soit à l'Amérique du Nord, évite les raideurs qui déplaisent tant à l'Europe[43]». On voit ainsi que cet âge nouveau de la peinture s'asseoit sur une volonté fondamentale d'affirmer son caractère original sous un angle nationaliste canadien.

En 1965, plusieurs observateurs considèrent que les peintres plasticiens sont les représentants de l'art actuel. Claude Jasmin, Simone Auger et Réa Montbizon partagent cependant le même point de vue en ce qui concerne l'absence d'expressivité chez les plasticiens. On sait en tout cas que la question du rapport entre art actuel et nouvelle sensibilité se pose: la sensibilité des plasticiens et des peintres de la tendance géométrique n'exprime pas celle que défend Jasmin alors qu'elle est consacrée par Ostiguy. Serait-elle plus canadienne que québécoise?

Cette question de «nouvelle sensibilité» est un des thèmes importants de la Révolution tranquille. À la suite d'une entrevue avec Claude Tousignant et Jacques Hurtubise, Jean Basile écrit un article qu'il intitule: «Bientôt à la Biennale de Sao Paulo, Tousignant et Hurtubise exprimeront une "nouvelle sensibilité québécoise[44]".» Selon Basile, Sao Paulo sera le lieu du triomphe de l'art op. Cependant, il considère la peinture formaliste et ses peintres comme des incompris de la culture québécoise, justement à cause de la question de l'expression: «Longtemps tenus à l'écart d'une sorte de "joie de vivre". [...] Classés parmi les froids, les peintres géométriques commencent à peine à imposer leur sensibilité... moins agressive et plus secrète. Ils seront confrontés bientôt avec ce qui se fait dans le monde. Cette nouvelle sensibilité canadienne ne peut qu'ouvrir de nouveaux horizons[45].»

On peut remarquer ici un quiproquo pour le moins révélateur: le titre de l'article annonce une «nouvelle sensibilité québécoise», alors que le texte parle de «nouvelle sensibilité canadienne». Les deux impliquent effectivement une nouvelle sensibilité commune: celle d'une peinture formaliste qui s'intègre à la conjoncture artistique internationale. Il faut également souligner ici un questionnement important: Basile semble dire que les plasticiens auraient été «rejetés» par une critique québécoise au profit, jusqu'en 1965 du moins, d'un art plutôt expressionniste et lyrique. Tout porte à croire que, pour *imposer leur sensibilité*, les peintres formalistes ont été grandement appuyés par une reconnaissance acquise à l'étranger.

Profitant de la vague op qui prend naissance dans la seconde moitié des années soixante, les peintres formalistes montréalais se sont par ailleurs efforcés d'accéder au marché international par la voie «new-yorkaise». Molinari, Tousignant, Barbeau, Gaucher, tous ont exposé en solo à la East Hampton Gallery de New York. Tousignant et Barbeau se sont même installés quelque temps là-bas, visitant Montréal de temps en temps:

> *These visits seem to have given Barbeau the impression that Montreal's claustrophobic artistic atmosphere is slowly improving but he still maintains that the only way for artists to appreciate Canada's vitality and reality is to live away from it for a while and get work exposed internationally[46].*

Dans un article du *Montreal Star* paru à la fin de 1965, Marcel Barbeau et Claude Tousignant révèlent à Lisa Balfour leur vision du milieu artistique québécois:

> [...] *they were talking intently about why it had become essential to quit "Quebec's artistic isolation" and absorb New York's international atmosphere "for a while at least". [...] Today, however, the two consider themselves "hard-edge painters first and Canadians second" which is why they want to live in New York [47]...*

Ces peintres veulent donc quitter un milieu artistique québécois qu'ils jugent isolé, se soustraire à l'atmosphère montréalaise qu'ils qualifient de «claustrophobe» pour enfin absorber l'atmosphère internationale de New York. Leur insistance sur le fait qu'ils sont avant tout des peintres *hard-edge* contribue également à démontrer leur volonté d'intégrer le champ artistique international, un objectif qui leur fait reléguer leur origine canadienne au second plan: «*However, both he* [Tousignant] *and Barbeau agree that most Montreal artists are very "impregnated" by their environment and cut off from international contact*[48].»

Malgré l'affirmation de cette volonté de se démarquer de la scène locale montréalaise pour participer à la conjoncture internationale par la voie new-yorkaise, malgré aussi ce détachement face à leur identité canadienne, ils participeront pleinement aux événements et expositions auxquels a donné lieu Expo 67. Il s'agissait là d'une plate-forme idéale pour présenter l'art canadien dont profitera non seulement un public international, mais également le public québécois et canadien.

On a pu voir ainsi des rétrospectives d'art québécois et canadien de même que des expositions d'art contemporain d'envergure nationale. Dans le contexte d'une ouverture internationale, l'organisation de ces événements a forcément ordonné une version *repensée* de l'histoire de l'art canadien et québécois. Sur la scène montréalaise, les expositions *Panorama de la peinture québécoise I* (1939-1955) et *II* (1956-1965) ont ainsi donné lieu à un débat sur l'évolution de la peinture au Québec de 1940 à 1955, débat qui a porté sur la querelle entre l'automatisme et l'abstraction. La pertinence d'un positionnement historique de l'art québécois sera d'ailleurs défendue par Yves Robillard. Critique d'art à *La Presse* en 1967 et 1968, il insistera dans ses écrits sur la nécessité de présenter des expositions que l'organisation historique rend exportables à l'étranger. Ce sera le cas, notamment, en ce qui concerne le groupe des plasticiens.

1967-1968: Yves Robillard et Barry Lord

L'approche d'Yves Robillard est fortement inspirée par une certaine vocation pédagogique, dirigée vers son lecteur en tant que spectateur. Elle s'accompagne d'une prise de position «historique» dans le sens où il puise à même l'histoire de l'art pour effectuer une mise en contexte des pratiques artistiques des années soixante. On pourra voir qu'en ce sens, il démontre la volonté de légitimation de l'art québécois dans l'art international, voulant se dégager d'un simple point de vue local de l'ordre du commentaire. Il dévoilera en toile de fond une volonté de penser l'art québécois en regard des théories sur l'art historiquement reconnues, de lui donner une crédibilité et une dimension universelles. C'est dans cette optique qu'il assumera une certaine «défense» de l'art abstrait et des plasticiens au début de ses interventions dans *La Presse*, en 1967, position qu'il modifiera, néanmoins, alors qu'un paramètre *nouveau* vient nuancer sa définition de l'art à l'égard des peintres abstraits: le rapport entre l'art et la société lié au rôle de l'artiste.

Sous plusieurs aspects, Robillard soutiendra la valeur artistique de la peinture formaliste tout en défendant l'originalité des plasticiens. Il dira ainsi, à propos d'une rétrospective à la galerie du Siècle en 1967 (exposition *Espace dynamique*):

> Les plasticiens sont nés en 1955 et ont continué à développer jusqu'à nos jours ce qu'ils avaient déjà entrepris; que l'on ne vienne plus dire qu'ils ont suivi les modes étrangères. [...] la génération actuelle est donc la première à réaliser des tableaux qui ne relèvent plus du tout de l'espace à perspective, mais de l'espace-couleur, des

plans plats qui créent différentes impressions colorées
nous révélant quelles peuvent être les qualités, les spéci-
fications d'un espace-couleur[49].

Tout en prenant la défense des recherches plasticiennes
en regard des «modes étrangères», Robillard s'est efforcé
dans ses critiques de rendre accessibles les fondements théoriques de cette démarche formaliste; il en parlera en termes
de tableaux-objets, de relation entre structure et vision, de tableau en mouvement, bref en des termes propres au vocabulaire plasticien. Citant le critique français Bernard Teyssèdre,
il décrit de façon élogieuse la démarche des plasticiens et la
relation de leurs œuvres avec le spectateur:

> Investigation [...] (méthodique et inventive) du concept
> de série qui dépasse l'espace-objet au profit d'un espace
> fictif, tout en qualités, et sans distance assignable, crée
> par la relation de l'œuvre au «spectateur» qui, en la per-
> cevant, la suscite, toujours structurée, mais toujours libre
> en la succession de ses apparaître[50].

Lors de l'exposition *Panorama de la peinture québécoise II* au
Musée d'art contemporain, on note encore que Robillard
dénonce «le refus de présenter l'histoire de l'évolution de la
peinture de façon rationnelle, refus de prendre position sur
cette histoire[51]». Critiquant le conservateur Henri Barras, il
relève également que cette exposition ne retient qu'une seule
école artistique de la production des dix dernières années —
celle des plasticiens — et que des artistes comme Gilles Bois-
vert ou Serge Lemoyne n'y sont pas représentés. «Voilà le tort
d'une expo sans organisation rationnelle de l'histoire de la
peinture au Québec [...], dira-t-il. La seule [conclusion] qui
semble s'imposer est la vitalité des plasticiens. Elle est fausse
en ce qui concerne l'avenir puisque les jeunes peintres aujourd'hui semblent puiser ailleurs leurs inspirations[52].»
Cette appréhension d'une image faussée de l'art actuel, il
la reprendra dans une critique de *Perspective 67*, un événement
s'inscrivant dans le cadre des fêtes du centenaire de la Confédération canadienne. Organisée à Toronto, cette exposition de
jeunes artistes canadiens se présente comme une manifestation

artistique orientée vers le futur. L'impression générale qu'en retient Yves Robillard se résumera ainsi: la peinture formaliste y est dominante. «Ce qui ressort bien à l'exposition actuelle de Toronto, écrit-il, c'est la salle des plasticiens. L'affirmation des peintres géométriques domine d'ailleurs toute l'exposition[53].»

Il ajoute pourtant que cette exposition accuse la même lacune que *Panorama II*: elle est loin de représenter le milieu artistique canadien. Entre 1967 et 1968, Robillard affirme de plus en plus sa préférence pour des formes d'expression artistique où l'art s'approche de la vie quotidienne. En ce sens, il exigera un rapport plus tangible, plus concret entre l'œuvre et le spectateur que celui qu'offre la peinture formaliste. Cette démarche ne sera donc plus représentative d'un art québécois axé sur des perspectives d'avenir.

Une des grandes expositions de l'été 1967 en ce qui regarde la sculpture a été l'exposition *Sculpture 67*. Cette manifestation organisée par la Galerie nationale a lieu également à Toronto, sur la place de l'hôtel de ville. Dirigée par Dorothy Cameron, l'exposition voulait montrer les nouvelles recherches sculpturales au Canada. Robillard privilégie à cette occasion le concept d'*environment space*, une sculpture qui englobe le spectateur dans l'environnement. Molinari y présente une sculpture intitulée *Hommage à Samuel Beckett*, œuvre composée de quatre colonnes de métal peintes de couleurs primaires. Robillard écrira à propos de l'œuvre de cet artiste:

> La prise de position de Molinari est toujours la même. Il veut démontrer les multiples relations possibles entre diverses bandes verticales et surtout la rythmique qui s'établit dans la saisie des diverses séries de relations. On peut expérimenter sa pièce d'une façon intéressante. Mais cette expérimentation serait mieux dans une ambiance où rien ne nous dérange. Car la pièce de Molinari suppose un monde tout à fait construit et intellectualisé, un monde qui souffre mal le quotidien[54].

Finalement, il dira que les recherches sur la lumière, sur le mouvement réel et sur la participation des spectateurs deviennent de plus en plus importantes. On commence à voir apparaître dans la position de Robillard un peu de ce qu'af-firmait Claude Jasmin dès 1965: la peinture formaliste sup-pose un monde hors du quotidien, un monde intellectualisé, alors que l'art doit aujourd'hui se tourner vers le quotidien; il doit par conséquent s'exprimer en termes de mouvement réel et non plus virtuel, s'ouvrir donc sur une modernité nouvelle de la réalité québécoise.

C'est dans un même ordre d'idée qu'Yves Robillard se prononce sur le concours artistique du Québec de 1967 qui crée une fausse image du milieu de l'art pour un observateur non averti. Les catégories artistiques du concours sont trop restrictives, selon lui, pour qu'un artiste comme François Dal-legret, par exemple, y trouve sa place. Robillard tend alors peu à peu, dans ses critiques, à déplorer la redondance de la démarche plasticienne:

> [...] Nous sommes avides de nouveaux rapports tout en connaissant ce qu'ils sont au départ. Molinari a réussi ce qu'il voulait faire, une structure précise qui laisse au spectateur sa liberté. L'attitude de ce dernier face à l'œuvre n'est cependant pas modifiée. Il tourne autour de celle-ci comme autour d'un Rodin. On aimerait que Molinari en ce sens nous propose une «maison des gla-ces» et qu'il développe de nouveaux rapports du specta-teur à l'œuvre.
>
> Les autres plasticiens maintiennent leur réputation: leurs tableaux sont aussi valables que leurs anciens tableaux, sans plus. Que peut-on d'ailleurs ajouter? Claude Jasmin a parlé d'académisme à leur propos dans *Sept-Jours* à l'oc-casion de leur rétrospective à la galerie du Siècle, alors que je m'efforçais d'expliquer ce qu'ils avaient trouvé! Il faut bien avouer que pour des artistes jeunes «moins de 35 ans», ils maintiennent peut-être un peu trop la même position dans un monde où tout change. On aimerait les voir dépasser leur monde un peu fermé, proposer des so-lutions qui impliquent plus la vie quotidienne[55].

De cette façon, la position de Robillard reprend encore une fois plusieurs aspects du discours tenu par Claude Jas-min dès 1965, pour se rallier à la nécessité du «mouvement réel» en art: «Cela prouve au moins une chose, que le mouvement réel doit être à la base de l'étude de nombreux phénomènes visuels quoi qu'en disent les plasticiens[56].»

Pour Yves Robillard, la sculpture serait la «planche de salut» des plasticiens. Cette forme d'art semble offrir une meilleure réponse au projet artistique qu'il énoncera de plus en plus dans ses textes. Enfin, il se tournera tout comme Jasmin vers l'art pop en tant que nouvelle forme de recherche: «Les artistes pop ou figuratifs sont ceux à l'exposition qui recherchent vraiment de nouvelles possibilités d'expression[57].»

Ce qui ne l'empêchera pas cependant de demeurer un ardent défenseur de l'authenticité de la démarche plasticienne, en ce qui a trait notamment aux formalistes américains. En effet, on peut remarquer qu'à partir de 1967 l'originalité des formalistes montréalais est de plus en plus mise en doute. Déjà en 1965, Claude Jasmin y faisait allusion au sujet d'Yves Gaucher, tandis que Sidney Tillim associait Guido Molinari à Gene Davis et Claude Tousignant à Kenneth Noland.

La réaction des Français à l'exposition *Canada, art d'aujourd'hui* présentée au Musée d'art moderne de Paris au début de 1968 a soulevé une controverse. À cette occasion, dix-neuf artistes canadiens avaient été choisis par un comité de la Galerie nationale du Canada pour illustrer «les tendances nouvelles, ce qui est vif, senti, ce qui colle à des réalités contemporaines, bref, ce qui se fait de plus nouveau au Canada[58]». Parmi ceux-ci, mentionnons une présence importante de peintres à tendance formaliste, dont Charles Gagnon, Yves Gaucher, Jacques Hurtubise, Guido Molinari et Claude Tousignant. Or cette exposition, la première de la Galerie nationale du Canada dans un grand musée étranger depuis 1937, suivait de peu une exposition américaine d'envergure. Il semble que la critique parisienne ait mal réagi à l'art canadien, criant au scandale et à la copie en voyant cette exposition «leur rappeler étrangement l'autre»: «C'est scandaleux, a souligné le critique Jean Cathelin. On reproche notamment au comité de sélection de n'avoir pas suffisamment donné place aux peintres lyriques québécois et d'avoir favorisé les "oopistes" et "popistes", "sous-produits" de l'école américaine, estime-t-on[59]».

Les plasticiens ont tout de suite été catalogués par les Français comme étant des suiveurs de l'école new-yorkaise. Yves Robillard s'efforcera pourtant de démontrer la primauté de la recherche plasticienne:

> Il est faux de dire que nous sommes des suiveurs. Il n'y a qu'à considérer les dates d'exécution des œuvres. [...] Molinari, par exemple, a tout de suite été rangé dans la catégorie des peintres *hard-edge*, suiveurs de Kelly. On n'a vu chez lui que le caractère extérieur de l'œuvre, le *hard-edge*, alors qu'il développe pourtant un concept nouveau, celui de l'appréhension de séries de couleurs, séries continuellement remises en cause par la perception du spectateur[60].

On remarquera d'ailleurs, entre 1967 et 1968, qu'une majorité de textes concernant les plasticiens souligne à tout le moins l'originalité de leur démarche, la différence entre les écoles, l'antériorité des découvertes, etc. La mise en cause de l'originalité des peintres formalistes est peut-être une conséquence de la confrontation internationale, puisque celle-ci entraîne inévitablement la comparaison. Les événements de 1967 ont soulevé les questions suivantes: quelle est la place des plasticiens dans l'art québécois, et quelle est la place de cet art en tant qu'art canadien, en regard des États-Unis et de l'Europe? Ces deux questions ont reçu des réponses différentes.

En 1967 et 1968, Barry Lord — conservateur de la prestigieuse exposition *La peinture au Canada* présentée au pavillon du gouvernement du Canada de l'Expo 67— a publié deux textes dans le magazine *Art in America*. Un premier, paru au printemps 1967, dresse un tableau de l'art canadien aux futurs visiteurs américains: «*Discover Canada*[61]!» Selon lui, les expositions canadiennes offriront aux «*U.S. visitors*» l'occasion de participer à des événements de haut calibre et de réajuster leur vision de ce qui se passe au nord de leur frontière. Il émettait également une opinion intéressante quant aux conséquences possibles de ces manifestations nationales sur la société canadienne: «*It may also help Canadians, attempting to cope with Quebec separatism on the one hand and U.S. cultural overflow on the other, to resolve the question of their national identity[62].»*

Comme Jean-René Ostiguy en 1965, Barry Lord établit donc un lien entre l'art et la société, en traitant toutefois la question sous l'angle de trois paramètres: l'identité canadienne, le nationalisme québécois et la menace culturelle américaine. À ce titre, il présente une histoire de l'art canadien depuis 1940 qui met en relief l'originalité de la démarche plasticienne et spécifiquement celle de Molinari. Selon lui, New York a catalysé le développement de l'art après 1940. L'évolution plastique de Paul-Émile Borduas dans les années soixante résulterait de son contact avec l'École de New York lors d'un voyage effectué en 1953; il aurait été alors fortement influencé par les œuvres de Franz Kline. À l'opposé de Borduas, le développement de Guido Molinari demeure, selon Lord toujours, à l'abri des comparaisons, bien que les critiques américains le rattachent au travail de Gene Davis: *«Presently his brillant-hued stripe-format canvases are sometimes thought by U.S. critics to be derivative of Gene Davis, but in fact, his development has been quite independant[63].»*

Barry Lord montre également le caractère distinct des recherches d'Yves Gaucher en regard des effets optiques de Larry Poons. Enfin, il mentionne que le style «international» constitue une menace inévitable au Canada à cause des technologies de communication contemporaines. D'une part, dit-il, l'artiste doit éviter de copier la manière internationale et, d'autre part, il doit éviter un certain chauvinisme régional.

It is interesting to note that Canadian artists appear to have been more successful in retaining significance of expression away from New York than their counterparts in U.S. cities across the continent. The geographical spread reflects Canada's lack of a single megapolis center and the fact of two official languages and cultures under one government [...] Perhaps Canada's Centennial and Expo 67 will allow the world to discover that they do have something to say[64].

Barry Lord et Jean-René Ostiguy ont présenté une critique axée sur la défense de l'originalité du mouvement plasticien sur un plan international, mais par rapport à l'art américain; ce faisant, ils l'ont également désigné comme représentant sur la scène mondiale d'un art essentiellement canadien. La thématique du rapport entre l'art et la société se transporte ici vers la question de l'incidence de la culture sur l'identité nationale et, partant, celle de l'affirmation d'une idéologie nationaliste. L'originalité de la recherche plasti-cienne constituerait donc la garantie d'une peinture «authen-tiquement canadienne». En 1970, un débat sur la peinture canadienne-française viendra cependant mettre en question cette affirmation. Normand Thériault est alors critique d'art à *La Presse*, remplaçant Yves Robillard à partir de 1969. Comme ce dernier, Thériault fait preuve d'une attitude d'ouverture par rapport à l'art formaliste et aborde d'ailleurs plusieurs thèmes développés également par Robillard. Thériault for-mulera une critique où il s'efforce d'expliquer au lecteur les principes qui régissent la démarche plasticienne; il privilégie également, en regard des œuvres, l'importance du rapport au spectateur et à l'environnement. On peut voir chez lui une re-connaissance des objectifs que poursuivent les recherches plasticiennes, recherches qui s'accompagnent d'une ouver-ture sur l'expérimentation.

Si les critiques de Normand Thériault sur les peintres for-malistes endossent généralement les principes fondamentaux de leur démarche, ce critique d'art portera cependant une atten-tion particulière aux limites du tableau comme voie de recher-che. Ce qu'il énoncera peu à peu, c'est la nécessité d'un renou-vellement de la peinture. À partir de 1970, Thériault entrevoit même une volonté de changement dans le paysage de la pein-ture québécoise, situation dont il fait spécifiquement mention lors de l'exposition *Grands formats* (Musée d'art contemporain):

> Ce que les peintres exposent font de la manifestation une affirmation sur la situation de l'art québécois. Des artis-tes qu'on avait jusqu'ici vus comme les adeptes d'un seul style nous présentent des œuvres complètement transformées. On peut déjà dire, comme indice de ce

nouvel état de fait, que Molinari a abandonné les «bandes». L'intention plastique de chacun est en fait toujours la même, mais le langage s'est transformé, de façon importante dans certains cas.

Le grand format n'est pas seulement une question de dimensions, une «œuvre agrandie», il est le signe d'un nouvel état d'esprit[65].

Ce commentaire vise essentiellement les peintres formalistes, puisque la quasi-totalité des œuvres présentées s'inscrit dans cette tendance plastique (mentionnons entre autres les noms de Marcel Barbeau, Charles Gagnon, Yves Gaucher, Jacques Hurtubise, Denis Juneau, Guido Molinari et Claude Tousignant). Pour résumer la critique de Thériault, ce que ce «nouvel état d'esprit» nous révèle dans son affirmation même d'une volonté de changement, c'est la situation problématique dans laquelle se trouve la peinture québécoise: «Finalement, ce que l'exposition sous-entend, c'est l'incapacité où s'est trouvé l'art officiel québécois de renouveler sa peinture. [...] On se demande si une nouvelle peinture est possible. [Cette exposition] fait le point, montre l'aspect statique de l'art (ce qui ne peut pas être imputé à aucun artiste précis), réclame un nouveau départ[66].»

En réclamant ainsi un «nouveau départ», Normand Thériault porte un regard critique non seulement sur le champ de la peinture, mais aussi sur la situation générale de l'art au Québec en 1970.

La fin des années soixante sera marquée, principalement en ce qui concerne les plasticiens, par un important débat sur la peinture canadienne-française dans le cadre des Conférences J.-A. de Sève qui feront l'objet d'une publication aux Presses de l'Université de Montréal. À cette occasion, l'historien de l'art François-Marc Gagnon soulèvera une polémique dans laquelle seront engagés notamment les peintres Guido Molinari et Claude Tousignant. Normand Thériault en rapportera les grandes lignes, sans toutefois affirmer clairement dans cet article une prise de position[67].

1970: François-Marc Gagnon
et le mimétisme

Après avoir livré une interprétation de la «logique interne» du néo-plasticisme montréalais, François-Marc Gagnon s'interroge sur l'origine de cette logique: serait-elle empruntée? En fait, selon lui, «c'est la problématique entière qui nous paraît empruntée[68]».

Cette affirmation est basée sur la déduction suivante: la démarche des plasticiens a été essentiellement fondée, dans les années cinquante, sur une réaction au mouvement automatiste montréalais, et, en ce sens, cette démarche plastique visait à éliminer toute structure référentielle illusionniste en peinture, selon les préceptes établis par Mondrian. Mais il ne s'agit pas pour Gagnon d'une problématique particulière aux plasticiens:

> On l'a vu, l'essentiel du mouvement sous-jacent au développement de Molinari et plus généralement des plasticiens montréalais, c'est de travailler au dépassement de Mondrian dans la définition de leur espace pictural. Or, cette problématique n'est pas originale à notre milieu. C'est, très précisément, celle de Barnett Newman[69]…

Selon Gagnon, Barnett Newman, en ce qui concerne l'exploration spatiale, et Gene Davis, en ce qui a trait à la couleur, auraient tous deux devancé les travaux de Molinari: «Donc, avec Gene Davis, on a non seulement la structure par bandes verticales dérivée de Newman, mais des recherches sur la qualité énergétique de la couleur et déjà l'idée de série qu'on verra Molinari exploiter après lui[70].»

Gagnon fait la même démonstration dans le cas de Claude Tousignant, dont il rapproche la série des *Gongs* à divers aspects des travaux de Gene Davis et de Kenneth Noland. Au chapitre du motif de la cible que Tousignant a exploité, «Noland définit ses positions plus tôt», dira-t-il.

Cette démonstration est ainsi basée sur une confrontation de dates qui met en jeu l'interprétation d'une terminologie plastique. Les plasticiens lui opposeront une chronologie visant à démontrer l'antériorité de leurs découvertes plastiques, tout en élaborant sur les différences fondamentales entre leur démarche et celle des Américains. En fait, Molinari non seulement dira qu'ils n'ont pas imité Kenneth Noland, mais il renversera même la proposition.

Derrière toute cette confrontation de dates et de termes, ce que Gagnon veut démontrer en fait, c'est que les peintres plasticiens se seraient fait prendre au jeu du mimétisme dans le but de s'inscrire sur le plan international de l'art contemporain, alors que les peintres automatistes auraient fait de même, mais selon une idéologie de rattrapage: «On le voit, une fois de plus, le désir de participer à l'élaboration de la culture contemporaine a entraîné nos peintres sur la pente du mimétisme[71].»

Rattrapage et volonté de participation à l'art international obéissent à la même logique: le mimétisme en est l'aboutissement inévitable. Ces idées que Gagnon développe au sujet de la peinture mimétique «s'accompagnent aussi d'un jugement sur l'art à partir d'une notion de rattrapage et d'une opposition entre l'art brut et l'art officiel[72]». Selon lui, le mimétisme ne se rencontre pas dans l'art brut, l'art non officiel et les pratiques marginales. Le débat se transporte en quelque sorte sur le terrain de la critique sociale: art plasticien ou art américain sont tous deux art d'élite et, à ce titre, les petites différences ne tiennent pas.

La vision des plasticiens quant à leur statut n'est pas du tout la même: «Il est évident, souligne Guido Molinari, que dans un certain milieu, l'art qu'on fait est un art de recherche. Mais on l'a fait contre le milieu, sans le support du milieu: il n'y a pas (ou presque) de Tousignant, ou de Molinari, dans les collections de Montréal et du Québec. Cet art, on l'a fait contre le milieu[73].» Sur la scène québécoise, la pratique des plasticiens aurait donc été, jusqu'à un certain point, «marginalisée» et non soutenue par le milieu. Ce n'est pas la première fois, d'ailleurs, qu'il est fait mention de l'attitude de rejet de la part du milieu montréalais qu'auraient ressentie les plasticiens durant les années soixante. Ils ont toutefois obtenu une attention tout à fait différente de la part du milieu «canadien».

Art québécois et art canadien?

On a vu que sur la scène montréalaise, les critiques de Claude Jasmin et d'Yves Robillard ont été très divergentes par rapport à celles qui furent exprimées par le milieu canadien hors Québec, notamment par les conservateurs de la Galerie nationale, Jean-René Ostiguy et Barry Lord. Il se dégage, de part et d'autre, des consensus pour le moins opposés.

Claude Jasmin a effectivement rejeté dès 1965 la tendance formaliste au profit de l'art pop, qui répond à sa volonté d'une démocratisation de l'art, suivant une conception de l'art dans laquelle l'artiste est un visualisateur du monde. L'art formaliste sera pour lui un art élitiste et bourgeois. La position d'Yves Robillard est cependant plus nuancée: il reconnaît le travail des plasticiens et en défendra l'originalité sur le plan historique. Mais cette pratique ne correspond plus au projet artistique qu'il développe en 1967, lequel déborde sur le médium sculpture et donne de l'importance à une participation active du spectateur. Normand Thériault, quant à lui, dénoncera l'impasse dans laquelle la peinture québécoise se trouve. Selon eux, la tendance formaliste n'est donc plus représentative de la vitalité artistique du milieu québécois. En fait, ils formulent une même critique sur la validité du médium «peinture» comme forme d'expression.

On s'aperçoit ainsi que la «nature» spécifique de l'approche formaliste en peinture devient le lieu, pour la critique d'art, d'une définition «par la bande» des nouvelles données d'un art qui serait plus adéquat par rapport aux exigences d'un monde que l'on dit tout à la fois nouveau et en devenir.

On peut dire que cet investissement du territoire de l'art dans le domaine social par une génération (montante) d'artistes — dans la seconde moitié des années soixante — s'est affirmé par une attitude de rejet à l'égard de pratiques artistiques (la peinture dans son expression traditionnelle) qui seront considérées par certains critiques d'art comme désuètes ou à tout le moins inadéquates en regard du «projet postmoderne». Nous ne sommes plus dans un monde contemplatif, diront Claude Jasmin et Yves Robillard, mais dans un monde qui se définit par le mouvement, l'action et le changement; un monde de participation. Cette pensée trouvera sa manifestation ultime lors de l'Expo 67, un événement axé sur l'éloge d'une idéologie du progrès qui passe par la technologie, la communication et l'intégration du potentiel de cette technologie dans la vie quotidienne.

Parallèlement, Jean-René Ostiguy et Barry Lord soutiendront la peinture formaliste et défendront dans leurs écrits une vision de l'art canadien. Pour eux, les peintres formalistes sont les représentants de la jeune peinture canadienne en cette seconde moitié des années soixante. C'est aussi à partir de la position stratégique qu'ils occupent dans le milieu de l'art canadien qu'ils vont promouvoir cette tendance artistique. En leur qualité de conservateur et d'historien de l'art, ils sont à même de participer concrètement à cette reconnaissance sur le plan national.

Dans les années soixante, la peinture formaliste, et plus particulièrement le mouvement plasticien, a manifestement dominé la scène artistique officielle, tant au Québec qu'au Canada. Sans récuser la pertinence de cette démarche, on peut affirmer que certains éléments de la conjoncture historique de cette période ont contribué à l'essor de cet art. Mentionnons tout d'abord la vague «op» aux États-Unis qui lui a donné accès, entre 1965 et 1967, à une tribune internationale, et cela bien que les plasticiens se soient défendus de faire de l'art optique. À ce titre, les écrits de Fernande Saint-Martin dans *Vie des Arts* ont contribué à faire connaître la spécificité des artistes montréalais de cette tendance, tout en soulignant les qualités expressives de l'art formaliste que Simone Auger et Claude Jasmin vont dénigrer. Ensuite, les événements de

1967 qui ont entouré les fêtes du centenaire de la Confédération canadienne de même que l'Exposition universelle de Montréal ont constitué une occasion unique de diffusion internationale et pancanadienne. Ils ont permis en outre l'inscription d'une perspective historique de l'art canadien et québécois. En s'attaquant, en 1970, au principe de l'originalité des plasticiens, François-Marc Gagnon touche à la notion même de sa spécificité canadienne, puisque cette affirmation nationaliste s'inscrit dans une dialectique d'art canadien *versus* art américain.

Ce qui semble transparaître peu à peu dans cette critique des peintres formalistes, c'est un débat où s'articule une polémique à saveur nationaliste, qui interroge l'art comme valeur d'identité nationale, qu'elle soit québécoise ou canadienne. C'est une polémique qui contient les racines d'un débat qui se prolonge et s'exacerbe dans les années soixante-dix et quatre-vingt: la culture et la question nationales.

Notes

1. Guido Molinari, «Réflexions sur la notion d'objet et de série», *Peinture canadienne-française (débats)*, Conférences J.-A. de Sève 11-12, Montréal, Les Presses de l'Université de Montréal, 1971, p. 66. Dans le cadre de cette étude, l'appellation «formalisme» est utilisée comme terme général pour désigner essentiellement une approche de structure picturale en art abstrait.

2. Cette image de l'artiste théoricien est d'ailleurs énoncée par Kandinsky: «Observons pour terminer que nous nous rapprochons chaque jour de l'époque où la conscience, l'intelligence auront de plus en plus de part aux compositions picturales, où le peintre sera fier d'expliquer ses œuvres en analysant leur construction (attitude inverse de celle des impressionnistes, qui se vantaient de ne rien pouvoir expliquer), où créer deviendra une opération consciente.» (Wassily Kandinsky, *Du spirituel dans l'art*, Paris, Denoël, 1966, p. 183.)

3. Certains textes ont fait l'objet d'un recueil: Guido Molinari, *Écrits sur l'art: 1954-1975*, Ottawa, Galerie national du Canada, 1976, 112 p.

4. Les plasticiens ont profité notamment d'une galerie montréalaise vouée à l'«abstraction perceptuelle» et de l'appui d'un mécène important: Aubert Brillant. «Pour les peintres op du Québec, Aubert Brillant est une sorte de Conseil des Arts, mais rue Saint-Jacques, il passe pour un excen-

trique.» Aubert Brillant était en 1965 un homme d'affaires prospère ayant hérité d'un patrimoine familial important (sa famille possédait tout un réseau d'entreprises d'«utilité publique», notamment de distribution d'électricité avant la nationalisation). En 1964, il devient propriétaire de la galerie du Siècle, qu'il achète «pour favoriser, dit-il, l'art Op, et c'est encore la seule galerie au Canada, en 1967, où l'on trouve ce que le Musée d'art moderne appelle des œuvres d'abstraction perceptuelle». Il signe chaque année des contrats avec un certain nombre d'artistes et expose leurs œuvres dans ses bureaux. «Personne au Canada n'a appuyé l'art perceptuel comme Aubert Brillant, de dire Guido Molinari. [...] Grâce à [Aubert Brillant], cette expérience a pu se poursuivre.» (Dorothy Eber [adapté par Massue Belleau], «Aubert Brillant, financier fantaisiste», *Magazine Maclean*, novembre 1967.)

5. Les premiers plasticiens, signataires du *Manifeste des plasticiens* (10 février 1955) sont Louis Belzile, Jean-Paul Jérôme, Fernand Toupin et Jauran (Rodolphe de Repentigny). Pour plus de précisions concernant les fondements théoriques du mouvement plasticien, voir le texte de Marie Carani dans le présent ouvrage.

6. Mentionnons, par exemple: *The Responsive Eye* (N.-Y. 1965), *Op from Montreal* (Vermont, 1965), *An Exhibition of Retinal and Perceptual Art* (Texas, 1965), *The Deceived Eye* (Texas, 1965), *Op Art and its Ancestor* (N.-Y., 1966), *Optical Art* (itinérante, MOMA, 1966), *Emphasis Optics* (Massachusetts, 1967).

7. *Perspective 67, Sculpture 67, Panorama de la peinture au Québec I et II, 300 ans d'art canadien, La peinture au Canada*, pour n'en nommer que quelques-unes.

8. William C. Seitz, *The Responsive Eye*, catalogue d'exposition, New York, Museum of Modern Art, 1965.

9. *Ibid.*

10. Simone Auger, «L'Op Art conquiert le Museum of Modern Art», *La Presse*, 13 mars 1965. Simone Auger est alors correspondante pour *La Presse* à New York.

11. *Ibid.*

12. Fernande Saint-Martin, «Vers une nouvelle esthétique industrielle — l'illusion optique de l'Op Art», *Vie des Arts*, n° 39, été 1965, p. 28-33.

13. *Ibid.*

14. *Ibid.*

15. Fernande Saint-Martin, «Révélation de l'art abstrait», texte de présentation du catalogue *Art abstrait*, s. p. Exposition du 12 au 27 janvier 1959, École des beaux-arts de Montréal.

16. Fernande Saint-Martin, «Vers une nouvelle esthétique industrielle...», *loc. cit.*

17. Guido Molinari, «L'Op Art et l'illusion du jamais vu» (1966), *dans Écrits sur l'art: 1954-1975, op. cit.*, p. 45-47.

18. Tomas B. Hess, «You can hang it in the hall», *Art News*, avril 1965.

19. Fernande Saint-Martin, «Vers une nouvelle esthétique industrielle...», *loc. cit.*

20. *Ibid.*

21. Sidney Tillim, «Optical Art: Pending or Ending», *Arts Magazine*, New York, vol. XXXIX, n° 4, janvier 1965, p. 16-23.

22. Claude Jasmin, «Gilbert Marion: le visuel à fleur d'yeux», *La Presse*, 3 avril 1965.

23. Claude Jasmin, «Yves Gaucher: Op art et désincarnation», *La Presse*, 30 octobre 1965.

24. Claude Jasmin, «Toccate et fugues de Molinari, Hurtubise et Tousignant sur des airs connus», *La Presse*, 29 mai 1965. Ce texte résume bien le discours que tiendra Claude Jasmin entre 1965 et 1970 sur le formalisme.

25. *Ibid*. Trois plasticiens partagent ici le point de vue de Fernande Saint-Martin comme énoncé plus haut.

26. *Ibid*.

27. *Ibid*.

28. Claude Jasmin, «De la profusion des moyens d'expression», *La Presse*, 22 mai 1965.

29. Claude Jasmin, «À l'école supérieure avec Dennis Jones», *La Presse*, 16 octobre 1965.

30. Claude Jasmin, «Grandeur et misère des concours artistiques du Québec», *La Presse*, 9 octobre 1965.

31. Claude Jasmin, «Yves Gaucher...», *loc. cit.*

32. *Ibid*.

33. Claude Jasmin, «Un petit panorama», *La Presse*, 14 août 1965.

34. Claude Jasmin, «Yves Gaucher...», *loc. cit.*

35. Claude Jasmin, «Molinari: donnez-nous notre tableau quotidien», *La Presse*, 19 mars 1966.

36. *Ibid*.

37. Réa Montbizon, «The stripes have narrowed», *The Gazette*, 26 mars 1966.

38. Laurent Lamy, «Molinari à la galerie du Siècle», *Le Devoir*, 9 mars 1966.

39. Jean-René Ostiguy a été conservateur d'art canadien pour la Galerie nationale à Ottawa dans la seconde moitié des années soixante.

40. Jean-René Ostiguy, «L'âge nouveau de la peinture canadienne», *Vie des Arts*, n° 44, automne 1966, p. 18-25.

41. *Ibid*.

42. *Ibid*.

43. *Ibid*.

44. Jean Basile, «Bientôt à la Biennale de Sao Paulo, Tousignant et Hurtubise exprimeront une "nouvelle sensibilité québécoise"», *Le Devoir*, 22 mai 1965.

45. *Ibid*.

46. Lisa Balfour, «Barbeau and Tousignant — Painters First, Canadians Second», *The Montreal Star*, 18 décembre 1965.

47. *Ibid*.

48. *Ibid*.

49. Yves Robillard, «Pionniers d'un nouvel espace», *La Presse,* 11 novembre 1967.

50. *Ibid*.

51. Yves Robillard, «Panorama 2 beaucoup à voir peu à comprendre», *La Presse*, 22 juillet 1967.

52. *Ibid.*

53. Yves Robillard, «Perspective sans audace», *La Presse,* 15 juillet 1967, p. 32.

54. Yves Robillard, «Une sculpture qui englobe le spectateur», *La Presse,* 15 juillet 1967, p. 32.

55. Yves Robillard, «Les concours du dimanche», *La Presse,* 25 novembre 1967.

56. *Ibid.*

57. *Ibid.*

58. Massue Belleau, «Ils font op, ils font pop», *Maclean,* janvier 1968, vol. VIII, n° 1. Le comité de sélection était formé de Jean Boggs (directrice de la Galerie nationale), Robert Hubbard (conservateur en chef), Jean-René Ostiguy (conservateur de l'art canadien), Brydon Smith (conservateur de l'art contemporain), Pierre Théberge et Dennis Reid (aides-conservateurs et historiens de l'art).

59. Yves Robillard, «Pourquoi les Français boudent-ils l'exposition canadienne?», *La Presse,* 20 janvier 1968, p. 26.

60. *Ibid.*

61. Barry Lord, «Discover Canada! (Invitation to a Northern Birthday Party)», *Art in America,* New York, vol. LV, mai-juin 1967, p. 78-84. Barry Lord était alors directeur de la revue *Arts Canada.*

62. *Ibid.,* p. 79.

63. *Ibid.*

64. *Ibid.,* p. 84.

65. Normand Thériault, «Le tableau mur à mur», *La Presse,* 31 janvier 1970, p. 40.

66. *Ibid.*

67. Normand Thériault, «New York a-t-il copié Montréal», *La Presse,* 3 octobre 1970, p. C-14.

68. François-Marc Gagnon, «Mimétisme en peinture contemporaine au Québec», dans *Peinture canadienne française (débats), op. cit.,* p. 53.

69. *Ibid.* p. 54.

70. *Ibid.* p. 56.

71. *Ibid.,* p. 58.

72. Normand Thériault, «New York a-t-il copié Montréal?», *loc. cit.*

73. *Ibid.*

FRANCINE COUTURE

CHAPITRE IV

Art et technologie: repenser l'art et la culture

Au cours des années soixante, la critique d'art montréalaise interprète plusieurs œuvres ou manifestations artistiques comme témoignant d'un rapprochement avec l'univers industriel formé par le paysage urbain, les objets fabriqués en série et le monde des communications de masse. L'analyse de leur réception immédiate par la critique nous autorise à dire que ces manifestations constituent un phénomène d'innovation artistique, car elles soulèvent un débat mettant en scène plusieurs conceptions de l'art. Certains critiques jugent que ces œuvres nient les fonctions expressive ou spéculative de l'art préalablement fixées par le modernisme, tandis que d'autres soutiennent que les œuvres les plus modernes ne sont pas celles qui mettent l'accent sur le travail de l'artiste ou les traits de l'objet d'art, mais celles qui considèrent le spectateur comme un participant actif de l'expérience artistique. Ces critiques croient que l'art doit engendrer la participation.

Par ailleurs, les œuvres retenues par la critique prennent des formes diversifiées telles que l'œuvre cinétique, l'environnement, le spectacle. Elles ne peuvent donc pas être regroupées dans une même catégorie artistique ou stylistique. Tout en explorant différents paramètres de la technologie, ces œuvres témoignent de l'éclatement des catégories artistiques au cours des années soixante. Elles interprètent la technologie comme un signe de la modernité culturelle et sociale de cette période, et surtout comme une invitation à une réflexion sur les modes de penser l'art et la culture adressée à l'artiste. L'étude des rapprochements des univers artistique et technologique nous informe donc sur les enjeux culturels présents dans les années soixante.

Le point de vue de l'histoire sociale de l'art guide cette analyse qui privilégie la reconstitution du contexte culturel des œuvres en accordant une attention particulière à leur réception immédiate par la critique d'art, mais aussi aux écrits des autres lieux de la production culturelle. Cette démarche veut rendre perceptible l'effet des œuvres sur les normes artistiques en place; elle dévoile également des aspects du processus social en marche durant cette période où des artistes et d'autres acteurs sociaux aspirent à de nouveaux rapports entre les individus et leurs sphères d'activité, désirent un élargissement du champ de l'expérience de la réalité. L'examen de ce contexte guide donc la lecture des œuvres et met en évidence les traits instaurant une ou des nouvelles définitions de l'art.

Le modèle des avant-gardes historiques européennes

Le rapprochement de l'art et de la technologie a marqué la vie artistique des années soixante. Comme cette tendance réactive une problématique propre aux avant-gardes historiques européennes, il est utile d'en connaître les enjeux théoriques pour comprendre que des œuvres et des discours de cette période reprennent un débat déjà soulevé par les mouvements futuriste, constructiviste ou dadaïste.

Rappelons que le contexte du capitalisme industriel a été favorable à la domination de la rationalité technologique[1]; celle-ci a reconnu les réalités économiques et industrielles comme les lieux privilégiés de réalisation du progrès social et elle a ainsi installé l'imagination artistique dans la marginalité. Les avant-gardes historiques européennes se sont opposées à cette condition sociale de l'art: les constructivistes ont surtout adhéré au culte de la technologie et tenté d'intégrer la pratique artistique dans le cadre de la production industrielle, tandis que les dadaïstes ont adopté une attitude divergente en dénonçant l'invasion de la technologie et son caractère instrumental dans la vie quotidienne.

Durant les années soixante, sur la scène artistique occidentale, on assiste au retour de cette problématique des avant-gardes historiques; des pratiques artistiques abordent principalement le thème des relations entre les univers des beaux-arts et de la culture de masse, qui sont perçues comme une des récentes manifestations du développement de la technologie[2]. Ces pratiques remettent en question la frontière séparant ces deux sphères culturelles et s'attaquent ainsi aux fondements du modernisme institutionnalisé. Certaines d'entre elles véhiculent un optimisme envers l'usage des technologies nouvelles, attitude qui est à rapprocher de la vision euphorique du paradis électronique imaginée par Marshall McLuhan. D'autres, par contre, contribuent à la formulation d'une culture de protestation en partageant avec les mouvements de contestation sociale les valeurs de participation. Ces nouvelles pratiques artistiques mènent à l'expérience de nouvelles formes de spontanéité et d'action immédiate et favorisent une réception collective des œuvres plutôt que leur appropriation individuelle. Elles veulent ainsi transformer radicalement le rapport entre l'art et la société, car elles remettent en question l'autonomie de l'art, son caractère individuel, la séparation de l'art et de la vie, la présence de l'art dans l'institution. Elles mettent l'accent sur l'idée d'expérience ou de pratique libératrice visant à améliorer la qualité de vie de l'individu[3]. Elles constituent le dernier chapitre de l'avant-garde.

Technologie et société québécoise

Un débat semblable concernant les effets du développement technologique sur l'art et la culture anime, au cours des années soixante, les champs artistique et culturel québécois.

Méritent d'être ici soulignés quelques événements du contexte social dans lequel s'inscrit cette réflexion. Des écrits des historiens[4], nous retenons qu'une expansion industrielle marque le début de la décennie. La croissance de l'industrie manufacturière se manifeste par l'implantation de nouvelles entreprises et par la sophistication et l'automatisation de l'équipement industriel. À titre d'exemple, citons l'installation, à Sainte-Thérèse, de l'usine de montage General Motors ainsi que les activités de la firme Bombardier à Valcourt; celle-ci, au cours des années soixante, crée le service de design responsable de la conception du modèle de motoneige dont la technologie et l'apparence se rapprochent du modèle que nous connaissons aujourd'hui[5]. Sont également exemplaires de la modernisation de la société québécoise la création d'Hydro-Québec et la construction de la ligne de haute tension reliant le barrage Manicouagan à Montréal dont l'État québécois est le maître d'œuvre. Celui-ci soutient aussi l'expansion économique par la construction d'autoroutes et de voies rapides qui modifient largement le paysage urbain transformé également par l'édification de gratte-ciel servant à loger les nouveaux bureaux du secteur tertiaire.

Enfin, l'essor dans le domaine des communications est particulièrement important, ce qui permettra à la société québécoise d'entrer dans sa phase postindustrielle. Un tel progrès qui se conjugue à la croissance démographique dans les villes favorise l'urbanisation de la culture ainsi que le rayonnement de la culture médiatique qui s'impose de plus en plus dans les modes de vie des individus. Les appareils de télévision entrent massivement dans les maisons; l'industrie de la télévision se dote de trois nouvelles entreprises: CFTM en 1960, CFCF en 1961 et Vidéotron en 1964. C'est aussi dans ce contexte d'affirmation d'une culture urbaine et postindustrielle que l'Expo 67, suivant la tradition des expositions universelles, présente les dernières réalisations de l'inventivité technologique tant québécoise qu'internationale. Rappelons enfin que c'est au cours des années soixante que des astronautes soviétiques et américains se posent pour la première fois sur la Lune. La conquête de l'espace semble annoncer un nouvel âge sous le signe de l'innovation technique!

Tous ces événements composent le contexte de la réflexion de l'éducateur, de l'artiste et du critique d'art qui examinent les effets de ces récents développements technologiques sur l'art et la culture. Ainsi, estiment-ils, ces progrès, tout en mettant de nouvelles techniques à la disposition des artistes, transforment les attentes culturelles du public dont l'expérience est de plus en plus alimentée par les produits de la culture de masse.

Par exemple, le rapport Parent, à l'origine de la réforme de l'enseignement et de la création du ministère de l'Éducation, contribuera largement à cette réflexion. Les membre de la commission interrogent la pertinence de la culture humaniste à la lumière des nouvelles valeurs de la culture contemporaine qu'ils appellent indifféremment culture populaire ou culture de masse. Or, tout en valorisant l'apport de la technique et de la science dans le développement social, ils tentent de réconcilier deux idéologies contradictoires: un humanisme axé sur les besoins des individus et une idéologie technocratique répondant à ceux de l'économie. Préoccupés principalement de la portée des médias de masse sur les mentalités, ils défendent l'idée que l'éducation audiovisuelle, axée sur l'enseignement du cinéma et de la photographie, devra donner aux jeunes des outils pour communiquer efficacement à l'aide des produits de la culture de masse[6].

La murale d'Hydro-Québec de Jean-Paul Mousseau: la réconciliation des modernités artistique, technique et politique

La réalisation de la murale dans l'édifice d'Hydro-Québec (ill. 41) par le peintre Jean-Paul Mousseau donne, au début des années soixante, une occasion à la critique d'art montréalaise de commenter les relations entre l'art et les techniques industrielles. Le peintre en obtient la commande en 1961 après avoir été choisi par un jury qui a examiné soixante-douze projets. Mousseau est alors connu comme membre du groupe des automatistes et pour ses collaborations avec des architectes et ses recherches sur les nouveaux matériaux industriels, dont la résine colorée. La murale est installée, deux ans plus tard, dans le hall du nouvel édifice de la société situé boulevard Dorchester (aujourd'hui boulevard René-Lévesque).

La critique interprète cette murale surtout comme le résultat d'une performance technique; elle la qualifie de «symbole de l'électricité dans l'existence moderne[7]». Elle donne des informations sur son poids, ses matériaux et sur le dispositif technique de ses circuits électriques. Cette œuvre soulève un consensus dans la presse écrite qui considère que la murale de Jean-Paul Mousseau intègre des traits des modernités technique et artistique, ce qu'elle avait déjà affirmé, par ailleurs, à propos des sculptures-lampes de Mousseau exposées à la galerie Denyse Delrue en 1960 et pour lesquelles l'artiste avait reçu le premier prix de la section esthétique industrielle au Concours provincial du Québec. La critique d'art avait fait valoir que le peintre Mousseau avait trouvé une nouvelle application à ses préoccupations picturales. Tout en considérant les objets lumineux de fibre de verre comme adaptés aux moyens modernes de fabrication, elle en avait apprécié l'organisation formelle qu'elle avait surtout décrite en termes d'effets de matières ou de qualités tactiles, comparant leur matière plastique à une «chair pétrie, sensuelle, modelée, palpitante[8]». Ce rapprochement avec le vivant, propre au discours sur l'abstraction gestuelle, a également donné le ton aux commentaires sur les sculptures lumineuses présentées, l'année suivante, au Musée des beaux-arts de Montréal. Jean Sarrazin a comparé à de la «matière-vie» l'animation des couleurs réalisée par des jeux d'éclairage aménagés à l'intérieur des sculptures. Une semblable comparaison a aussi été appliquée à la murale, aujourd'hui disparue, installée peu de temps avant celle d'Hydro-Québec dans l'édifice du journal *Montreal Star*.

Jean Sarrazin aurait pu formuler un commentaire similaire à propos de la murale d'Hydro-Québec. Ce qui est donné à voir au spectateur, c'est une œuvre monumentale, une surface rugueuse rythmée par des bandes de couleur dont les effets de texture sont amplifiés par un dispositif d'éclairage installé derrière le support de plastique de la murale et qui met en évidence sa transparence. Cette œuvre relève du courant post-automatiste, bien qu'elle témoigne d'une relation paradoxale avec ce courant artistique, car elle s'éloigne de ses principes fondateurs tant par ses traits formels que par ses procédés utilisant une nouvelle technologie. Son organisation sérielle en bandes de couleur indique que le peintre Mousseau a exploré les possibilités d'une gestualité plus contrôlée et s'est dirigé vers un processus plus objectif de création contraire à la subjectivité exacerbée prônée par l'automatisme. En outre, la murale résulte d'un processus complexe impliquant une étape de conceptualisation distincte de l'étape de réalisation de l'œuvre et qui réunit plusieurs collaborateurs. Or l'automatisme préconisait la correspondance entre conception et exécution. De plus, le concept de la murale a exigé la conjugaison de procédés propres à la peinture gestuelle et de ressources nouvelles de l'industrie, qui établit une complicité entre l'artiste et la machine. Cette complicité semble tout à fait infidèle aux principes originaux de l'automatisme qui dénonçait les effets dévastateurs de la science et de la technologie. D'une part, le peintre et ses assistants ont appliqué aléatoirement au pinceau la résine colorée sur le support de matière plastique; mais, d'autre part, le peintre a utilisé les connaissances de l'ingénieur pour créer une programmation complexe d'éclairage par tubes de néons de différentes couleurs installés à l'arrière du support de matière plastique. Et l'allumage de ces néons a été programmé de sorte que des jeux d'éclairage ne se répéteront pas avant cent quatre-vingts ans! L'appropriation par l'artiste d'un nouveau savoir technique rend ainsi possible le renouvellement presque à l'infini de la combinaison automatique et aléatoire des signes qu'il a tracés sur le support de matière plastique; l'artiste semble avoir délégué à la machine une partie du processus créateur, portant ainsi atteinte à la vision mythique de l'artiste moderne propre à l'automatisme, construite sur une intime relation d'identité entre l'artiste et son œuvre.

Par cette intégration de l'abstraction gestuelle à la modernité technique, la murale de Mousseau rompt avec la méfiance et l'opposition que les automatistes avaient exprimées face à la raison et au progrès technique, sources, déclaraient-ils, de la décadence. On peut, par exemple, lire dans le *Refus global* ce passage où est dénoncé précisément l'aménagement dévastateur des rivières: «La décadence [...] permet de passer la camisole de force à nos rivières tumultueuses en attendant la désintégration à volonté de la planète[9].» Or, aujourd'hui, cette déclaration pourrait être comprise comme une critique prophétique du projet même de modernisation de la société québécoise propre aux années soixante.

La murale de Mousseau se pose donc en rupture avec une telle vision du progrès technique et exprime même une forme d'optimisme envers la technologie typique des années soixante. Elle se présente comme une œuvre de réconciliation de l'automatisme et de la modernité technique. En effet, ce qui est donné à voir au spectateur, ce n'est pas le savant dispositif de programmation lumineuse, mais la surface rugueuse rythmée par des bandes de couleur, les effets de texture et de matière évoquant la peinture automatiste; par l'utilisation du dispositif technique de programmation, l'artiste a offert à un large public une exposition perpétuelle de «tableaux automatistes» qui se renouvellent sans cesse et aléatoirement.

Enfin, le contexte de présentation de la murale indique un changement de mentalité de la classe politique face au modernisme. La société Hydro-Québec n'était-elle pas une figure emblématique de la modernisation économique et industrielle du Québec? La classe politique reconnaissait sans doute, dans les traits et les procédés de la murale de Mousseau, une intégration réussie des modernités artistique, technique en harmonie avec son projet de société axé sur l'urbanisation et l'industrialisation.

1965 –
Les paradoxes de la critique d'art:
entre la nature et la technique

C'est vers 1965 que des critiques d'art et des artistes[10] déclarent, beaucoup plus explicitement qu'au début de la décennie, que l'art doit intervenir dans la société technicienne avec les moyens qui lui sont propres.

Parmi les critiques d'art, c'est surtout Claude Jasmin, critique d'art à *La Presse,* qui défend ce point de vue sur l'art en opposant le conservatisme de l'École des beaux-arts à la modernité du design qu'il juge plus perméable à l'innovation technologique. Claude Jasmin présente l'artiste comme une sorte de prophète ou expert du paysage urbain qui propose des visions du monde futur aux principaux agents responsables des mutations sociales: scientifiques, urbanistes, ingénieurs. Les œuvres les plus novatrices, selon lui, sont celles qui expriment un commentaire sur la société technicienne dont il valorise la capacité d'être en continuel changement. Le critique propose aux sculpteurs d'orienter leur pratique dans une autre voie que celle du lyrisme de la matière par l'utilisation des plus récents matériaux et procédés techniques. Il désigne les sculptures cinétiques européennes de Nicolas Schoeffer et de Jean Tinguely comme des modèles à suivre, afin de produire un art apte à traduire la réalité actuelle.

Toutefois, bien que le critique présente souvent comme une condition de rupture artistique l'appropriation, par l'artiste, des éléments de l'objet industriel, cela ne signifie pas pour autant qu'il lui suggère d'abandonner le modèle de la nature. En effet, malgré son engouement pour les technologies nouvelles, Claude Jasmin apprécie une œuvre dans laquelle il perçoit à la fois l'évocation de l'univers technique et la présence d'éléments formels qui réchauffent cette évocation. Les qualificatifs qu'il utilise alors opposent la froideur de la technique à la chaleur et à la sensualité de l'art, faisant ainsi valoir que l'art a le pouvoir de réchauffer la technique, de la rendre vivante, de la rendre naturelle. Son évaluation de la peinture de Louis Jaque est exemplaire du caractère paradoxal de sa pensée esthétique[11]. D'une part, son jugement est fondé sur des termes évoquant l'univers de la raison technique ou scientifique. Cet art, écrit-il, est «mesuré», «bien organisé», «structuré»; les tableaux de Louis Jaque évoquent pour lui l'univers cosmique, «l'ère de l'aventure spatiale». D'autre part, il valorise le traitement de la matière, de la texture qui, bien que «discrète», est une «matière agréable qui vit»: les «teintes vives chantent», écrit-il.

Il oppose ainsi la peinture de Louis Jaque à la «trop froide rigidité» de la peinture géométrique, «qui est calculée à la règle de l'ingénieur».

Il ressort de ce dernier commentaire, qui fait allusion à l'exposition post-automatiste *La matière chante,* que le système de valeurs artistiques de Claude Jasmin s'est développé au contact des œuvres de cette tendance. Son jugement critique s'appuie en partie sur la théorie vitaliste qui a surtout guidé l'interprétation de l'abstraction lyrique dont il voulait justement sonner le glas! Le vitalisme privilégie surtout la relation d'échange entre l'art et la nature, défend une conception de la matière habitée par une énergie particulière qu'Herbert Read a qualifiée de force spirituelle que l'art doit saisir. Paradoxalement, dans le cas des commentaires de Claude Jasmin, cette théorie de l'art a guidé le plus souvent son interprétation des œuvres renvoyant à l'univers machiniste. Cette disposition esthétique du critique révèle qu'il ne suffit pas de vouloir soutenir une nouvelle tendance pour pouvoir se départir de notions artistiques acquises antérieurement par la fréquentation d'œuvres et qui définissent ce que Pierre Bourdieu appellerait l'«habitus critique».

Par ailleurs, en 1965, d'autres critiques opposent un refus farouche à un éventuel rapprochement de l'art et de la technologie. Les sculptures de Gladstone sont l'objet de commentaires inspirés par un point de vue considérant que la science et la technologie se situent du côté de la raison et de la froideur, tandis que l'art est du côté des sens, de l'émotion et de l'irrationnel. Marcel Saint-Pierre[12] juge que l'aluminium des sculptures de Gladstone rappelle l'univers froid du «logicien rationaliste», et qu'en ne s'adressant pas au toucher, elles perdent presque leurs qualités de sculpture. Les critères de son discours sont ceux de la pensée surréaliste et de l'esthétique automatiste qu'il juge menacées par cette nouvelle orientation que prend la sculpture. Par ailleurs, Réa Montbizon, critique d'art à *The Gazette*, redoute également la disparition de la fonction expressive de l'art au profit de ce qu'elle appelle les aspects et les valeurs collectivistes de l'univers technique[13]. Examinant les sculptures de Gladstone, elle déplore l'absence presque absolue de l'artiste dont, écrit-elle, on ne perçoit l'intervention que dans les soudures et les dessins préliminaires.

Le manifeste de Fusion des arts

À l'opposé de cette évaluation se situe celle du groupe Fusion des arts dont les membres ont été réunis par le graveur Richard Lacroix et l'historien de l'art Yves Robillard. Afin d'explorer les possibilités d'une démarche artistique multidisciplinaire, ils avaient sollicité la participation du sculpteur François Soucy, du peintre Henry Saxe et de l'architecte François-Michel Rousseau[14]. La pratique artistique de ces jeunes artistes était déjà bien orientée. François Soucy expérimentait les paramètres de l'art cinétique, les œuvres d'Henry Saxe posaient la question de la frontière existant entre la peinture et la sculpture. Richard Lacroix avait fondé en 1964 l'Atelier libre de recherche graphique. En 1965, le groupe Fusion des arts distribue, à l'intérieur d'un cercle restreint du milieu artistique, un manifeste[15] dans lequel il propose un nouveau mode d'insertion sociale de l'art favorisant l'établissement de nouvelles relations avec la science et la technique.

La constitution d'un groupe d'artistes manifestant publiquement son existence par la distribution d'un manifeste rappelle les stratégies culturelles des avant-gardes historiques européennes dont Fusion des arts réactive également la conception de la pratique artistique. Conformément à une attitude avant-gardiste, les signataires du manifeste rompent avec la tendance artistique qui leur est antérieure, l'abstraction, jugée isolée des pratiques sociales les plus actuelles. Ils refusent la marginalité de l'art. En le proclamant élément fondamental de l'expérience humaine, ils souhaitent

sa réhabilitation au rang des activités sociales les plus valorisées, soit celles de la connaissance et de la production de
biens utilitaires[16]. Une manifestation de cette reconnaissance
serait la collaboration entre l'artiste, le technicien et le scientifique. Les auteurs du manifeste souhaitent un continuel
échange entre l'artiste et les savoirs de son époque, afin que
celui-ci soit en mesure de témoigner de la totalité de la réalité
dont le groupe retient surtout les manifestations techniques
et sociologiques.

Cette aspiration rappelle celle des utopistes du XVIIIe
siècle qui considéraient que le rapprochement de l'art, de la
science et de la technique constituait la pierre angulaire du
progrès social; elle rappelle également l'aspiration de l'artiste moderne de la Renaissance italienne qui souhaitait
exploiter les connaissances universelles. Cependant, les
membres de Fusion des arts jugent que, dans le monde post-
industriel, il est devenu impossible pour un seul individu
de s'approprier la totalité des savoirs. La réalisation d'une
œuvre d'art ne pourrait se faire que dans le cadre d'un travail multidisciplinaire réunissant des spécialistes issus des
domaines artistiques et scientifiques. Les signataires expriment ainsi leur confiance dans les sciences humaines et
exactes. Les sciences humaines, écrivent-ils, fournissent à
l'artiste des connaissances sur les besoins de la société, la
technologie l'informe sur les procédés techniques et sur les
matériaux utilisés en industrie, et l'optique le renseigne sur
les phénomènes de perception visuelle. De plus, le groupe
suggère d'emprunter au modèle de la recherche scientifique
son caractère méthodique. La réalisation d'une œuvre d'art,
propose-t-il, devra comporter les étapes suivantes: définition
d'un concept, travail de documentation, étude des contraintes
sociologiques et techniques propres au contexte de production de l'œuvre. Conformément à l'attitude des avant-gardes,
le groupe critique ainsi le caractère individuel de la création
artistique et proclame la nécessité d'un processus de création
artistique collectif. Le groupe aspire ainsi à la production
d'une «œuvre totalisante» ou d'une «synthèse des arts» qu'il
définit comme fusion des expressions artistiques mais aussi
synthèse des savoirs.

Fusion des arts estime par contre que l'artiste n'adoptera pas nécessairement le point de vue fonctionnaliste de l'ingénieur; au contraire, c'est plutôt ce dernier qui devra trouver des solutions techniques pour répondre aux besoins des projets artistiques. Les signataires du manifeste sont surtout préoccupés de l'effet de la culture de masse sur les modes de vie de ses consommateurs. C'est pourquoi ils assignent à l'art la fonction critique de rompre la monotonie des habitudes de perception, en transformant la passivité du consommateur devant la culture de masse en une attitude active. Ils adhèrent ainsi à la valeur émancipatrice de l'art que les avant-gardes historiques avaient défendue au début du siècle et ils indiquent par là une nouvelle orientation aux activités du technicien qui ne devront pas répondre aux seules exigences de la productivité mais favoriser l'émancipation des individus.

Cette adhésion est tout à fait en accord avec la réflexion du philosophe Herbert Marcuse qui, dans *L'Homme unidimensionnel*[17], publié au cours des années soixante, constate que le système de communication, dernière manifestation de la rationalité technologique, a envahi l'espace privé des individus, neutralisant leur conscience critique que le philosophe juge manipulée par la nouvelle société de consommation. Afin de combattre cet effet, Fusion des arts propose de transformer le mode de réception de la production culturelle. Il fait valoir que la participation active du spectateur, dans le cadre d'une activité ludique, devrait stimuler ses capacités perceptuelles. Fusion des arts demeure fidèle au projet moderniste qui donne à l'activité artistique la tâche de sauver la culture. Cependant, contrairement à une certaine théorie de l'art[18] qui a opté pour la constitution d'un espace social de l'art à l'abri de la culture de masse, le groupe d'artistes revendique l'exercice de la fonction critique de l'art sur le terrain de la culture de divertissement. Cette revendication renoue avec la position théorique des avant-gardes historiques et avec leur aspiration à un rapprochement entre l'art et la vie.

Conformément à cet esprit, les signataires du manifeste soulignent également la dimension internationale de leur action en se disant solidaires des activités de vingt autres groupes défendant le concept de synthèse des arts. En effet,

Fusion des arts partage le même point de vue sur l'art et la culture que des groupes d'artistes européens avec lesquels Yves Robillard et Richard Lacroix avaient eu des échanges lors de leur séjour à Paris. Les signataires du manifeste de Fusion des arts partagent avec le Groupe de recherche d'art visuel (GRAV), créé en 1961, les attitudes suivantes: la rupture avec l'abstraction et la solitude de la création artistique, la défense d'une production artistique collective et multidisciplinaire, un préjugé favorable à une collaboration entre l'art et la science et, enfin, un intérêt nouveau pour le spectateur considéré surtout pour ses capacités d'expérience sensorielle[19].

Le projet artistique de Fusion des arts présente aussi des affinités avec la pensée artistique de Constant qui a été, entre 1958 et 1960, membre de l'Internationale Situationniste. Ils défendent tous deux la nécessaire présence de l'art dans la sphère de la culture industrielle. À l'usage fonctionnaliste de la technologie ils opposent la fonction ludique de l'art exercée dans l'environnement urbain et dont le principal effet sera d'éveiller, chez les individus, de nouveaux comportements libérant leur potentiel créateur. Le contexte de cet art ludique, selon Constant, est une société des loisirs, nouvelle, idéale, issue de l'automation de la production qui affranchira progressivement les individus du travail productif. Cette société des loisirs marque la fin de la société utilitaire et fonctionnelle, proclame-t-il en 1964, et le remplacement de celle-ci par une organisation sociale répondant aux besoins «d'une humanité ludique[20]». Rappelant l'ouvrage de Johan Huizinga[21], Constant annonce l'avènement progressif de l'*homo ludens* qui devra remplacer l'*homo faber* luttant pour sa survie, la disparition de la frontière entre le jeu et la vie courante et l'intégration des activités créatrices dans la vie quotidienne. Un tel changement des modes de vie transformera radicalement les conditions d'exercice de la pratique artistique qui jouera un rôle clé dans cette nouvelle société des loisirs, souligne-t-il. Cette pratique artistique sera le résultat d'un travail multidisciplinaire intégrant des connaissances sociologiques, psychologiques, techniques et artistiques. Elle produira des environnements pour cet *homo ludens*, des ambiances de lumière, de son et de mouvement qui lui suggéreront de nouveaux comportements et qui lui seront un terrain de jeu propice à son émancipation[22].

Cette pensée utopique qui s'articule autour d'un bienheureux avenir pour l'humanité traverse également le manifeste de Fusion des arts qui, tout en ayant exprimé un préjugé favorable à l'égard des sciences et des techniques, revendique également un nouvel usage de la technologie défini par l'art. L'inventivité technologique alliée à l'imagination artistique devra favoriser l'émancipation de l'individu qui, dit le manifeste, se réalisera par son activité ludique ainsi que par l'intensité et la diversité de son expérience perceptuelle.

Synthèse des arts, de Fusion des arts, pavillon du Canada, Expo 67

Une expérience sensorielle de la technologie

En 1967, Fusion des arts réalise une sculpture cinétique de grand format intitulée *Synthèse des arts* (ill. 23 à 25), commandée par la Corporation de l'exposition universelle et le gouvernement canadien pour être installée au pavillon du Canada lors de l'Exposition universelle. Cette sculpture est le premier objet-manifeste du groupe[23].

La très grande visibilité de l'art cinétique à Montréal en 1967 indique que cette année a été favorable aux œuvres de cette tendance. Les pavillons de la France et de l'Italie de l'Expo 67 de même que le Musée d'art contemporain exposent des œuvres de Nicolas Schoeffer, de Vasarely, de Soto, de Julio Le Parc, membre du Groupe de recherche d'art visuel, ainsi que d'autres artistes européens de la nouvelle tendance. De plus, dans le contexte des festivités du centenaire de la Confédération canadienne, l'Art Gallery of Ontario organise une exposition intitulée *Perspective 67* où sont primées des sculptures cinétiques des artistes montréalais Serge Cournoyer et Jean-Claude Lajeunie. Par ailleurs, certains critiques d'art font valoir que les œuvres cinétiques sont en harmonie avec la société technologique, qu'elles prennent comme matériaux d'expérimentation les expériences de perception encouragées par les objets techniques ainsi que le caractère spectaculaire du paysage urbain, «celui des villes tentaculaires illuminées entrevues d'un avion dans le ciel nocturne, celui des échangeurs à l'entrée ou à la sortie des autoroutes, celui des tables de contrôle, des transistors, des machines IBM...», écrit Denys Chevalier auteur du catalogue de l'exposition *Art et Mouvement*[24]. Il interprète l'art cinétique comme l'expression d'un optimisme prophétique face aux vertus émancipatrices de la science.

Ces expositions d'œuvres cinétiques constituent le contexte d'accueil de la sculpture réalisée par le groupe Fusion des arts à qui l'Expo 67 fournit l'occasion de mettre en pratique le programme de travail formulé dans son manifeste.

Synthèse des arts est composée de trois disques aux couleurs primaires faits de matière plastique et qui se déplacent dans l'espace. Sur ces disques et l'espace environnant sont projetés des rayons lumineux. Cette sculpture diffuse également des sons résultant du frottement de la structure sur des plaques d'acier et des bâtonnets métalliques; ces sons sont amplifiés puis acheminés vers un filtre électrique qui transforment les vibrations sonores en ondes lumineuses.

Cette sculpture cinétique sera peu commentée par la critique. Le commentaire le plus élaboré est celui d'Hugo McPherson qui travaille dans le milieu du cinéma et dont les propos rejoignent ceux du manifeste[25]. Il fait valoir que *Synthèse des arts* préfigure les nouvelles orientations de la sculpture et que, dotée d'un répertoire presque infini de mise en relation des éléments visuels, elle possède les traits d'une œuvre ouverte. De plus, il considère que *Synthèse des arts* résulte d'un nouveau mode de création artistique qui réunit architecte, artiste et technicien de l'industrie, qu'elle réalise ainsi la fusion entre l'art et la technologie et établit la condition d'une expérience globale de l'environnement ou d'une intégration de l'art et de la vie.

En effet, cette sculpture cinétique résulte de l'utilisation de procédés techniques industriels tels le moulage de feuilles de plastique et l'emploi d'un dispositif complexe formé d'appareillages électroniques. Conformément aux déclarations du manifeste, elle a été réalisée dans le contexte d'un processus de création collectif et méthodique. Le groupe a pris en considération tant les traits sociologiques du lieu de présentation de l'œuvre que les traits formels et matériels de celle-ci. Il a

1

2

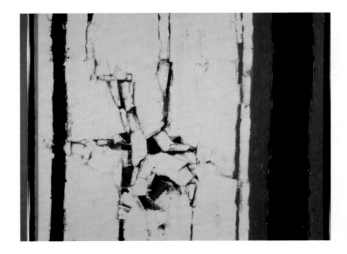

3

4

5

6

7

8

9

10

11

12

13

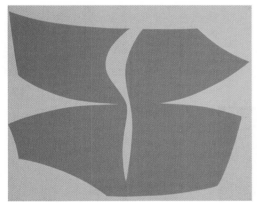

14

15

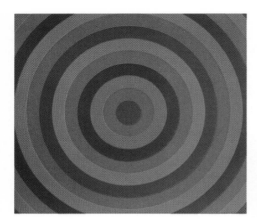

16

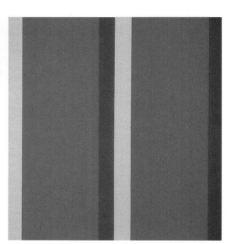

17

19

18

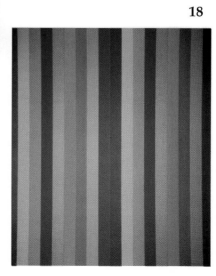

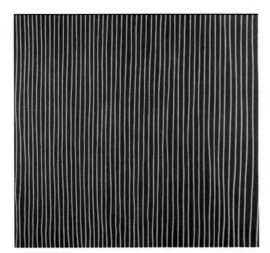

20

21

22

23

24

25

26

27

28

29

30

31

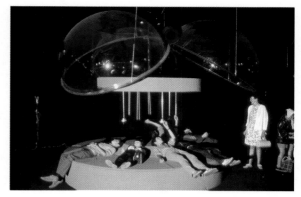

32

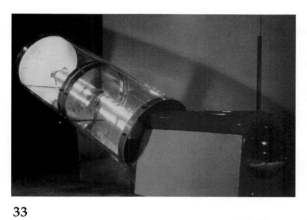

33

34

35

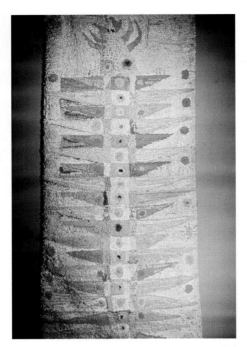

36

37

38

39

40

41

42

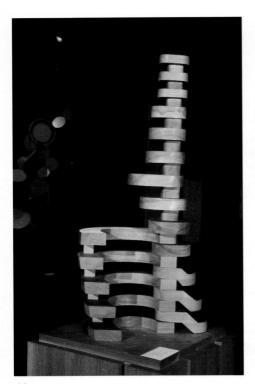

43

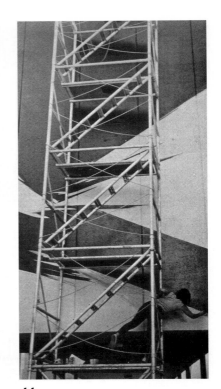

44

46

45

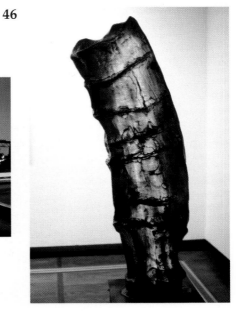

47

48

49

50

51

52

53

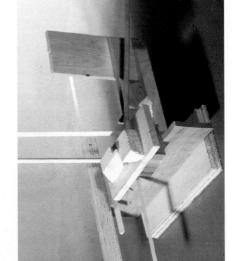

54

55

retenu que le site de l'Exposition universelle était imprégné d'une ambiance de fête, un lieu où le public circule, sollicité par un ensemble de signes susceptibles de le mettre dans un état d'excitation continuelle. Comment l'atteindre par un objet intitulé *Synthèse des arts*? se sont demandé les artistes[26]. Ils ont opté pour la réalisation d'un lieu imaginaire autonome non soumis aux obligations fonctionnelles de l'espace architectural du bâtiment. La sculpture, ont-ils prévu, devait être constituée de trois disques de plastique appuyés sur un axe en rotation et dont la vitesse serait ralentie par un effet de friction sur cet axe, ce qui introduisait une potentialité de mouvement aléatoire. Chacun des disques devait tourner sur sa piste individuelle. La vitesse de déplacement de chacun dans l'espace pouvait varier et augmenter le réseau de relations formelles liant les disques entre eux. L'effet de changement continuel de l'œuvre devait être aussi réalisé par la projection de rayons lumineux sur les disques de plastique en mouvement et sur l'espace environnant. Cette description de l'œuvre à venir s'applique aux traits de la sculpture telle qu'on peut la voir sur les documents visuels. *Synthèse des arts* a été démontée, l'œuvre n'existe plus.

Utilisation du mouvement mécanique réel et de projections lumineuses, intégration d'éléments bi et tridimensionnels définissent, dans les années soixante, les paramètres des premières œuvres cinétiques ayant surtout mis l'accent sur l'intégration des technologies nouvelles. Or *Synthèse des arts* réunit les éléments de l'œuvre ouverte comme l'ont définie Umberto Eco et Bruno Munari lors de l'exposition *Arte Programmata* en 1962[27]. Les mouvements des formes, des couleurs et des plans réalisent ce que ces auteurs ont appelé un ensemble changeant et non une composition fixe et définitive. Pour reprendre les termes de Jean Clay[28] à propos des œuvres cinétiques, *Synthèse des arts* se développe, consomme de l'énergie devant les yeux du spectateur. Elle propose une perception esthétique des technologies nouvelles dont elle explore les effets sur l'expérience polysensorielle afin, si on se réfère au manifeste qui la précède, d'en renouveler les habitudes imposées par la culture de masse. A-t-elle produit cet effet?

Il est difficile de répondre à cette question. Le contexte ludique de l'Exposition universelle donne aux artistes de Fusion des arts l'occasion de rejoindre le public élargi de la culture de loisir et d'intervenir à l'extérieur du territoire de l'institution artistique. Par ailleurs, le site de l'Expo 67 est un lieu d'expérimentations audiovisuelles qui permet également des expériences sensorielles par la technologie, laquelle est dotée de moyens beaucoup plus complexes que ceux qui ont été utilisés pour la fabrication de cette sculpture cinétique. Les sens des visiteurs sont sollicités par des sons et des images projetées sur des écrans de toutes les formes, géants, circulaires, triangulaires, multiples, qui sont placés dans des endroits inusités[29]. L'énumération de ces expériences pourrait être longue. Citons le pavillon du téléphone où est projeté un film sur un écran circulaire de 360 degrés; le Labyrinthe, réalisé par l'Office national du film, où les visiteurs, installés sur des balcons suspendus dans l'espace, assistent à des projections sur des écrans géants placés devant et au-dessous d'eux; le Kaléidoscope du pavillon des industriels invite le visiteur à circuler dans un spectacle de la couleur. L'expérience esthétique des nouvelles technologies portée par *Synthèse des arts* participe donc d'un courant culturel intéressé à explorer la dimension ludique de la technologie et ses effets sur les perceptions. Or cette tendance n'est pas propre au champ artistique, elle reçoit le soutien des industriels dont on peut qualifier l'attitude de «technophilie heureuse[30]». Dans un tel contexte, *Synthèse des arts* de Fusion des arts a pu être reçue par le public comme une merveilleuse manifestation des technologies nouvelles et n'a peut-être pas produit l'effet de choc escompté!

L'art cinétique: une négation des théories expressionniste et formaliste de l'art

Dans le champ artistique, par contre, *Synthèse des arts* contribue à la formulation de paramètres instaurant une nouvelle définition de l'art concernant à la fois les traits de l'objet d'art et les valeurs qu'il véhicule. Bien qu'elle ait été peu commentée par les critiques, l'analyse de la réception de l'art cinétique nous apprend que, pour plusieurs d'entre eux, cette tendance artistique est interprétée comme une négation des conceptions expressionniste et formaliste de l'art.

Lorsque Robert Ayre, un des défenseurs inconditionnels de la fonction expressive de l'art, commente l'exposition *Art et Mouvement*, tenue au Musée d'art contemporain, il prévient ses lecteurs d'oublier leur conception de la peinture et de la sculpture. Il annonce qu'ils verront l'art de l'âge électronique qui, écrit-il, n'a rien à voir avec l'émotion humaine mais tout à voir avec la logique et l'ingéniosité. Voilà un commentaire qui met dos à dos l'univers artistique et l'univers de l'invention technique[31]! Cette exposition montre des œuvres cinétiques européennes juxtaposées à des œuvres abstraites de Mondrian et d'Albers, dont les explorations du phénomène de perception visuelle ont été présentées comme ayant été à l'origine de l'art cinétique. Pour Robert Ayre, l'art doit être le véhicule d'un point de vue humaniste sur la réalité. À la suite de Kandinsky, il avance que l'œuvre d'art doit exprimer la vision de l'artiste mais également l'expérience d'une transcendance qu'il appelle réalité spirituelle[32]. Robert Ayre ne commente pas la sculpture *Synthèse des arts*. Ses propos sur l'art cinétique, par ailleurs, nous autorisent à dire qu'il l'aurait interprétée comme une atteinte à l'idée d'art perçu en tant qu'expression de l'individu mais aussi en tant qu'aspiration à une transcendance.

Or cette tendance théorique s'est manifestée dans le discours de la critique d'art locale dès les années trente; elle a été encore plus présente dans les textes des critiques commentant la peinture automatiste et la tendance lyrique de l'abstraction ayant compris l'expérience artistique comme exploration d'une réalité cachée exprimant la vie instinctive de l'individu que la «raison raisonnante fait perdre[33]».

Par ailleurs, la pertinence théorique de l'art cinétique est également évaluée par le point de vue formaliste sur l'art qui met en évidence les aspects matériels et formels de l'objet d'art, fondements de son autonomie et de sa spécificité. Cette approche prend en charge la fonction spéculative de l'art ou sa capacité de réfléchir sur ses propres principes disciplinaires.

Dans la critique d'art locale, Rodolphe de Repentigny a été le principal défenseur de ce point de vue dans les années cinquante. Dialoguant avec la peinture plasticienne, il a mis en valeur la dimension analytique de son orientation axée sur l'affirmation de sa spécificité formelle. Ayant fait valoir que les lignes, les formes et les couleurs en étaient les seuls éléments, il l'a nommée le tableau-objet pour souligner son caractère non référentiel[34].

Or, en 1966, Fernande Saint-Martin examine les paramètres de la sculpture cinétique en adhérant à ce même point de vue. Elle interroge principalement le caractère hétérogène de la sculpture cinétique et constate que celle-ci s'éloigne de la définition d'un art autonome, «un art dont l'objet n'emprunterait pas à d'autres formes artistiques ses principes, ses définitions, son dynamisme particulier[35]», écrit-elle. En sollicitant une perception plus optique que tactile, en considérant le mouvement comme un matériau et en introduisant des éléments sonores, la sculpture cinétique emprunte ses moyens et ses propos à la peinture, à la danse et à la musique et s'éloigne ainsi de sa spécificité. Est-ce encore de la sculpture? se demande-t-elle. Dans un commentaire antérieur à celui-ci, Fernande Saint-Martin interprétait les sculptures cinétiques de François Soucy[36], qui a participé à la réalisation de *Synthèse des arts*, comme étant plus près du cinéma que de la sculpture traditionnelle, puisque l'insertion du mouvement réel, animant les éléments structuraux, ainsi que le phénomène de réflexion détruisaient la forme et le volume de l'objet sculptural.

Cette évaluation indique nettement qu'il y a incompatibilité entre l'horizon d'attente défini par le point de vue formaliste et la sculpture *Synthèse des arts* qui, par sa fusion de plusieurs modes d'expression et par son cinétisme intégrant le temps réel, s'éloigne d'une forme d'art axée sur l'affirmation de sa spécificité. En alliant les codes de la sculpture, de la musique et les projections lumineuses, en incorporant l'espace environnant comme élément de l'œuvre, cette sculpture provoque, par son aspect multidisciplinaire, une remise en question de la spécificité des disciplines artistiques chère au modernisme.

Par ailleurs, l'art cinétique incite le critique à expliciter sa vision de la relation entre l'art et le public. Fernande Saint-

Martin considère que la sculpture cinétique n'offre pas au spectateur une expérience de perception aussi diversifiée que la sculpture fixe. Soumise à l'ordre mécanique que Saint-Martin perçoit comme simpliste, peu évolué, la sculpture cinétique ne peut atteindre la richesse d'invention formelle de la sculpture statique, écrit-elle en 1966, le spectateur perdant sa liberté d'élaborer sa cinétique personnelle[37].

Yves Robillard, par contre, critique d'art à *La Presse* en 1967 et 1968 et membre de Fusion des arts, défend une conception différente. L'exposition du Groupe de recherche d'art visuel (GRAV) à la galerie Godard-Lefort ainsi que l'exposition *Art et Mouvement* au Musée d'art contemporain lui donnent l'occasion d'exprimer cette vision.

Yves Robillard fait valoir que les œuvres du GRAV résultent du projet de produire une science des effets physiologiques des arts visuels sur le spectateur[38]. Elles invitent ce dernier à faire l'expérience d'une situation strictement visuelle. Ce concept, formulé par le GRAV en 1961[39], instaure une nouvelle catégorie de réalisations artistiques qui ne sont ni un tableau ni une sculpture, et remplace l'idée d'œuvre d'art, stable et unique, par l'idée d'objet d'art instable et en continuelle mutation. Les réalisations du GRAV cherchent à établir un nouveau mode de contact avec le spectateur. Dans un manifeste de 1963[40], le groupe déclare qu'il veut éveiller chez le spectateur ses capacités d'action, de participation consciente et d'interaction avec d'autres spectateurs. Il manifeste ainsi sa rupture avec les tendances tant lyrique que constructiviste de l'abstraction. L'une, juge-t-il, défend une vision mythique de l'artiste qu'il faut dépasser, tandis que l'autre sous-tend une conception de l'objet d'art fondée sur la notion de forme comme «stade ultime du tableau» qu'il conteste également.

Or ce programme du Groupe de recherche d'art visuel marque l'horizon d'attente du critique Yves Robillard. Il estime, par exemple, que l'exposition *Art et Mouvement* est l'exposition la plus importante tenue à Montréal, celle qui marque la fin d'une époque, un tournant dans l'histoire de l'art, parce qu'elle transforme radicalement l'approche du phénomène artistique, les traits de l'objet d'art et ses rapports avec le spectateur[41]. Yves Robillard retient surtout les œuvres d'Agam, de Soto, d'Yvaral et de Morellet qui se modifient selon les déplacements du spectateur. Il exprime également sa préférence pour les œuvres qui intègrent l'espace environnant dans leur structure, comme les œuvres-miroirs de Megert, le gong de Stein et le continuel-mobile de Le Parc. Les œuvres exposées renouvellent le rapport entre l'art et le spectateur, écrit-il; elles rompent avec l'idée de la réception de l'œuvre comme contemplation passive et remplacent celle-ci par la notion de participation active du spectateur.

Il est sans doute utile de rappeler ici que cette notion de participation opposée à celle de contemplation avait été définie par le critique d'art yougoslave de la nouvelle tendance, M. Meslovic, pour spécifier l'orientation théorique des œuvres cinétiques, certaines étant présentées dans l'exposition *Art et Mouvement*[42]. Ce critique faisait valoir que l'œuvre qui entraîne la participation agit sur l'appareil psycho-perceptif du spectateur et non sur ce qu'il appelait sa base psychologique ou culturelle. La notion de participation implique une relation fonctionnelle entre l'objet d'art et le spectateur qui intervient dans l'actualisation de l'œuvre par ses propres réactions physiologiques. Elle fonde ce qu'on peut appeler la fonction «participatoire» de l'art qui remet en question l'autonomie de l'objet d'art et celle du spectateur, et qui soutient une interaction entre ces deux pôles du phénomène artistique.

Dans le cas de la sculpture de Fusion des arts, *Synthèse des arts,* toutefois, cette interaction n'est pas pleinement réalisée. Ni par le déplacement physique du spectateur devant l'œuvre ni par sa manipulation. *Synthèse des arts* maintient une distance entre l'objet et le public considéré par cette œuvre cinétique comme un observateur ou consommateur d'un spectacle audiovisuel se déroulant devant lui.

Par ailleurs, sur le plan sociologique, *Synthèse des arts* désigne les consommateurs de la culture de loisir comme devant être les récepteurs privilégiés de l'expérience artistique. Ses concepteurs tentent d'élargir le public de l'artiste et de renouveler ainsi son rôle social afin qu'il trouve place dans la société de consommation de masse qui s'est approprié les valeurs de l'esthétique. Ils rompent ainsi avec la conception moderniste de l'objet d'art ayant construit une opposition entre l'art et la culture de masse.

Il faut aussi considérer que, sur le plan de l'intention, les concepteurs de *Synthèse des arts* n'adhèrent pas à la classification des biens symboliques propre au modernisme, opposant la tradition des beaux-arts à la culture industrielle. Les artistes de Fusion des arts aspirent plutôt à la levée des frontières séparant ces champs culturels, ainsi qu'à une appropriation, par les artistes d'arts visuels, du modèle de production de la culture industrielle. À ce propos, le commentaire de Richard Lacroix est éloquent:

> Nous allons plus ou moins vers le design: cela est appelé par la consommation de masse. Or le design appelle la fusion des disciplines, le travail en industrie avec des matériaux industriels. Dans 10 ans, il n'y aura plus de différence entre le fonctionnel et l'agréable, entre l'art et l'industriel, à la limite entre le peintre et le designer. Pour moi, le travail de l'artiste en industrie radicalise la position de l'artiste devant sa fabrication; elle écrase définitivement le culte de la personnalité, la métaphysique du «Maître a touché la toile[43]».

Richard Lacroix considère que les médias ont transformé l'identité de l'artiste et les conditions sociales de l'art qui ne peut être que collectif et se définir comme un acte de communication.

Une interaction entre l'artiste et la machine: les sculptures cinétiques de Serge Cournoyer

Les sculptures cinétiques de Serge Cournoyer rompent également avec la conception moderniste de l'objet d'art. Bien que des membres du milieu de l'art lui réservent un accueil favorable, certains critiques jugent ces sculptures irrespectueuses de certaines normes artistiques.

Serge Cournoyer a terminé ses études à l'École des beaux-arts de Montréal en 1966. Son cheminement dans le milieu de l'art est marqué par des événements l'ayant rapidement désigné comme un représentant des nouvelles orientations prises par la sculpture. Dès sa sortie de l'École des beaux-arts, ses œuvres sont sélectionnées pour faire partie d'expositions de groupe. Il y présente des sculptures cinétiques dont certaines sont animées par un mouvement mécanique et d'autres par l'énergie thermique.

En 1967, ces sculptures sont exposées à l'Art Gallery of Ontario, à *Perspective 67*, à la galerie du Siècle[44] lors d'une exposition montrant les nouvelles tendances de la sculpture ainsi qu'au Musée d'art contemporain, en 1968, à l'exposition *Sculpteurs du Québec*. Serge Cournoyer reçoit, en 1967, pour sa sculpture *Zéphyr*, un prix de 2000 $ du jury de *Perspective 67* qui la reconnaît ainsi comme représentante des nouvelles tendances artistiques. Cette exposition présente des œuvres d'artistes âgés de moins de trente-cinq ans[45].

Par contre, le critique d'art du *Montreal Star*, Robert Ayre, refuse à l'œuvre l'appellation de sculpture et la nomme une «chose[46]». La perception de ce critique peut sans doute s'expliquer par le fait que *Zéphyr* peut être désigné comme un objet technique, un projecteur disposé sur un socle dont le dispositif technique, lentille, miroir, kaléidoscope, n'est pas camouflé. La fonction de cette machine, par ailleurs, s'exerce sur le terrain de l'expérience esthétique. Muni d'un disque de plastique recouvert d'acétates colorés, qui est mis en mouvement mécaniquement, *Zéphyr* réalise des projections lumineuses sur un écran. Le spectateur assiste à une action, au développement de formes colorées abstraites. Celles-ci peuvent être perçues comme une référence à la peinture abstraite lyrique, figure emblématique de l'idée reçue de l'art en tant qu'expression de l'individu; Serge Cournoyer interroge la pertinence de cette idée et produit une simulation d'une peinture abstraite par des procédés techniques mécaniques.

Par ailleurs, *Zéphyr* accomplit un mélange des genres, mettant en relation les codes de la peinture, de la sculpture et du cinéma. La visibilité des éléments structuraux de cette sculpture l'inscrit dans la tendance constructiviste; le recours à des projections lumineuses fait allusion aux moyens techniques du cinéma. Mais ce trait multidisciplinaire de l'œuvre n'est pas relevé par le critique du *Montreal Star* qui est surtout contrarié par le fait qu'il ne peut saisir dans cette sculpture les traces de l'expression d'une expérience individuelle.

La murale de Mousseau, installée dans l'édifice d'Hydro-Québec, a déjà réalisé cette association de la peinture abstraite à des procédés techniques issus de l'univers industriel. Le dispositif technique, toutefois, avait été camouflé et la murale, qui portait les traces de l'intervention de l'artiste, était principalement offerte à la perception esthétique. Par ailleurs, Gilles Chartier, en janvier 1966, avait présenté un spectacle de projections lumineuses au Musée d'art contemporain. La critique avait retenu de cet événement qu'était projeté, sur un écran, un sac de polythène contenant une solution faite de pigments de couleur en suspens manipulée par l'artiste. Le résultat obtenu était un spectacle de lignes et de couleurs en continuel mouvement. Ce spectacle visuel résultait d'une manipulation de matériaux improvisée par Gilles Chartier qui exerçait un contrôle sur le processus de transformation de l'œuvre.

Cela n'est pas le cas pour *Zéphyr* de Serge Cournoyer. En fait, cette sculpture cinétique offre au regard du spectateur les traits de l'objet technique et ceux de l'objet d'art sans privilégier les uns ni les autres. Elle contredit ainsi la traditionnelle représentation séparant l'art des mondes de l'utilité et de l'efficacité technique. De plus, *Zéphyr* ainsi que d'autres sculptures de Cournoyer, l'*Humidificouleur* et l'*Alpha Centaur*, portent atteinte à l'identité de l'objet d'art fondée sur l'idée que l'organisation des traits formels constituent des traces de l'expérience subjective de l'artiste. L'*Humidificouleur* et l'*Alpha Centaur* sont deux machines qui présentent au public une simulation mécanique de l'acte de peindre. L'*Humidificouleur*, par exemple, a l'apparence d'une toile abstraite. Son organisation des traits picturaux, toutefois, n'est pas due qu'à la seule intervention de l'artiste mais surtout aux effets chimiques d'un sel de cobalt appliqué sur la toile et dont la propriété est de rosir à l'humidité. Le sculpteur a installé, derrière la toile, un dispositif de condensation transformant l'humidité de l'air en eau; la couleur de la toile se modifie après que celle-ci a été vaporisée par un bras actionné mécaniquement. Pour maintenir le processus en continuelle transformation, un élément chauffant assèche la toile qui redevient bleue[47]. Lorsque cette sculpture est présentée au Musée d'art contemporain lors de l'exposition *Les sculpteurs du Québec* qui regroupe des œuvres réalisées après 1966, elle subit le même sort que *Zéphyr*. Irène Heywood, alors critique d'art à *The Gazette*, lui refuse l'appellation d'œuvre d'art; cette pièce n'a pas sa place dans une salle d'exposition, écrit-elle[48]. Le jeune critique d'art Normand Thériault, par contre, en a apprécié le propos iconoclaste et parodique adressé à l'abstraction lyrique: «Une machine à peindre, du tachisme programmé où à intervalles réguliers des jets liquides transforment la surface d'une toile-buvard. Finalement c'est un monument qu'on barbouille[49].»

En effet, les sculptures de Cournoyer soulèvent chez le spectateur une interrogation sur l'identité de l'auteur de l'œuvre: l'artiste ou la machine? Ces sculptures établissent une interaction entre l'artiste, qui a élaboré le concept de l'œuvre et construit le dispositif technique, et la machine que l'artiste a dotée d'une autonomie la rendant propre à réaliser une certain nombre d'organisations formelles. Elles portent ainsi atteinte à la fonction expressive de l'art qui était principalement encouragée par l'abstraction lyrique. L'*Humidificouleur* fait valoir que la technologie a transformé les conditions de l'expérience artistique.

Le réel comme processus, la sculpture comme système

Les sculptures cinétiques de Cournoyer énoncent également une définition de l'objet d'art qui ne met pas l'accent sur ses traits formels, mais le conçoit comme un système ou un processus en interaction avec son environnement ou son contexte physique de présentation. L'*Épouvantail* et la *Nourrice*, au même titre que l'*Alpha Centaur* et l'*Humidificouleur*, constituent des manifestations de cette approche du réel perçu non pas comme un objet fixe dont l'artiste explore les qualités sensibles, mais comme une organisation de systèmes communiquant entre eux. Cette approche artistique a été qualifiée de cybernétique par Jack Burnham et Frank Popper[50] pour désigner ses affinités avec cette science de la communication sur laquelle les premiers ouvrages sont parus après la Deuxième Guerre mondiale. La notion de cybernétique, écrit Popper, suppose la présence d'un dispositif de contrôle qui transforme les informations reçues en instructions destinées à un agent d'exécution; elle est associée à l'idée d'élaboration transformatrice. L'*Épouvantail* de Serge Cournoyer possède les traits de la machine autosuffisante engendrant une interaction entre différents systèmes: elle est constituée d'un cube de plastique transparent à l'intérieur duquel ont été installés un dispositif, constitué de fils électriques, et une structure labyrinthique dans laquelle circule une bille d'acier de machine à boule. Selon le circuit de la boule, la sculpture se transforme: de grands battants de métal entourant la sculpture se mettent en mouvement, des lumières clignotent, des sons se font entendre. Un dispositif technique entraîne une multiplicité d'opérations réalisées par la machine, dont les conditions relèvent tant de la programmation que du hasard. Comme dans le cas des sculptures précédemment analysées, l'*Épouvantail* véhicule une définition de la sculpture non pas comme un objet fixe mais comme un processus, un développement dont le spectateur fait l'expérience. Quant à la *Nourrice*, il s'agit d'un automate instaurant entre la nature et la technique une harmonieuse interaction. Elle est constituée d'une plante vivante reliée à un dispositif qui convertit en eau l'humidité présente dans l'air; ce dispositif arrose la plante à périodes fixes. Une lampe à rayons ultraviolets fournit également la lumière dont elle a besoin. Pour reprendre les termes de Popper, la *Nourrice* (ill. 29) constitue un système pourvu de mécanismes de régulation lui permettant de se gouverner lui-même. Le spectateur devient observateur du fonctionnement de la sculpture comme s'il était témoin d'une épreuve scientifique visant à étudier un phénomène. La *Nourrice* tourne le dos à la métaphysique et évoque les valeurs de l'empirisme et du positivisme.

Or plusieurs critiques d'art montréalais jugent que cette sculpture cinétique ne porte pas à l'attention du public de l'art la vision cybernétique du réel se représentant la technique et la nature dans une relation harmonieuse. Ainsi que d'autres sculptures présentées à la galerie du Siècle en décembre 1967, la *Nourrice* est plutôt comprise comme une œuvre parodique dénonçant la menace que la technologie fait peser sur la liberté et la spontanéité de l'homme. Cette interprétation révèle que le regard de ces critiques d'art est guidé par la conception expressionniste de l'art, ayant perçu la technologie comme une menace pour la liberté de l'individu.

Pour Laurent Lamy du *Devoir*, la *Nourrice* est l'expression d'une opposition aux valeurs de la raison technologique. Le sculpteur s'est appliqué à étudier scientifiquement les besoins de la plante arrosée par la machine à périodes fixes, écrit-il. Mais ce mimétisme de la pratique scientifique n'a qu'un but, celui de se moquer des lois de la planification réglant de plus en plus nos activités. «En poussant la mécanisation jusqu'à l'absurde, il tourne en dérision notre monde organisé, programmé à l'extrême et anticipe sur un univers qui réduit chaque jour la part de liberté et de spontanéité de chacun de nous[51].» Bien qu'il se dégage de ce commentaire une référence à l'idéal surréaliste et automatiste en rupture avec l'univers de la raison, Laurent Lamy situe la démarche de Cournoyer dans la suite de Dada dont, écrit-il, il a retenu les leçons et «le désir de dérision de contestation du monde actuel[52]».

Cette analyse est partagée par Richmond Jones[53] dans *The Gazette* pour qui la *Nourrice* est une anti-machine, un travesti du fonctionnel. Il écrit que Cournoyer rend visible le caractère répétitif et programmé des activités de la machine qu'il ridiculise en l'assignant à une tâche qui ne relève habituellement pas de ses fonctions: arroser une plante. Il considère également que l'*Épouvantail* déjoue certains raisonnements scientifiques en y introduisant des éléments du hasard. En plaçant une petite boule qui se promène à l'intérieur de la sculpture et qui en règle le développement, Cournoyer détourne les lois de la mécanique, introduisant des mouvements aléatoires dans le fonctionnement de sa sculpture. Richmond Jones fait valoir que les nouveaux matériaux et procédés utilisés constituent des parodies des signes de l'époque industrielle qu'il juge vouée à un vide spirituel. Le critique, toutefois, qualifie d'anti-art ces sculptures parce qu'elles ne réussissent pas à combler ce vide, effet de la technologie.

Ces commentaires rejoignent celui de Robert Ayre sur l'exposition de la sculpture contemporaine américaine, tenue au Musée des beaux-arts en 1968, qui présente des réalisations de l'art cinétique et de l'art minimal[54]. Les œuvres exposées, écrit-il, s'éloignent de celles de la génération précédente de sculpteurs, tels Arp et Moore, qui utilisaient les matériaux traditionnels de la sculpture, le bronze, la pierre et le bois. «Nous avions la satisfaction de ressentir l'homme derrière l'œuvre[55].» Robert Ayre souligne également la disparition de la sculpture comme forme d'art autonome, le remplacement de la notion d'objet d'art, défini par ses qualités sensibles et physiques, par l'idée de système incluant différentes manifestations de l'énergie, comme celles de la lumière et du mouvement. Ces nouvelles orientations de la sculpture ne peuvent être qu'un danger pour l'art menacé de perdre sa spécificité, car elles brouillent les frontières entre l'art et la technologie. Il avertit ses lecteurs qu'ils verront au Musée des beaux-arts de Montréal non pas des œuvres d'art mais des objets industriels provenant d'une quincaillerie!

Le mythe du voyage:
les robots de Jean-Claude Lajeunie

Robert Ayre porte un jugement analogue sur les sculptures de Jean-Claude Lajeunie, lesquelles, comme les œuvres de Cournoyer, ne créent pas un consensus dans le champ artistique. En 1966, Lajeunie expose *Saturne* au Centre d'art Mont-Royal, et Robert Ayre ne lui reconnaît pas la qualité de sculpture.

Ces deux sculpteurs ont un cheminement semblable dans le milieu de l'art qui les désigne comme représentants des nouvelles orientations prises par la sculpture. Jean-Claude Lajeunie, comme Serge Cournoyer, termine ses études à l'École des beaux-arts de Montréal en 1966. Il reçoit, du jury de *Perspective 67*, un prix pour sa sculpture intitulée l'*Astrolabe*. Il participe également aux expositions de sculpture actuelle tenues au Musée d'art contemporain et à la galerie du Siècle en 1967. Enfin, ses sculptures sont présentes dans le *Panorama de la sculpture au Québec, 1945-1970*, organisé également par le Musée d'art contemporain.

Jean-Claude Lajeunie est donc reconnu comme appartenant à la jeune génération d'artistes qui utilise l'acier, le plastique, le polyester et des produits de la mécanique, rompant ainsi avec la tradition des métiers de la sculpture, ceux de la pierre, du bronze et du bois, et qui prend une autre voie que celle de la tradition de la sculpture représentée par Roussil et Vaillancourt[56]. Ce fait est même utilisé de façon polémique par Claude Jasmin, lorsqu'il écrit à propos des sculptures de Lajeunie:

C'est le début de la fin des grands assemblages de fer
rouillé ou non; le début de la fin des grandiloquents
morceaux de bravoure de nos soudeurs de l'automatisme.
Il écarte catégoriquement ce besoin de faire vieux pour
faire art... On a tant peur du neuf qu'il fait bon de voir
un jeune sculpteur n'utiliser que des matériaux neufs,
cacher savamment les points de soudure, refuser de faire
antique et solennel. C'est le contraire même du vieillisse-
ment précoce et de la vanité[57].

À l'esthétique de la matière jugée vieillissante, les sculptures de Jean-Claude Lajeunie, estime le critique, opposent
celle de l'effet neuf de l'objet industriel.

Cependant, cette évaluation n'est pas partagée par tous
les critiques d'art. Robert Ayre[58] hésite à classer l'*Astrolabe*,
exposé à la galerie du Siècle en décembre 1967, dans la catégorie sculpture. Il l'identifie beaucoup plus à un objet technique, un télescope muni de lumières et monté sur une sorte
de bicyclette qui avance et qui recule. En effet, les éléments
constituant l'*Astrolabe* appartiennent à l'univers industriel. Le
cylindre peint en damier sans aucun effet de texture, déposé
sur un support de tiges de métal chromé, de roues de bicyclette et d'engrenage, évoque à la fois l'objet utilitaire et la
machine dont Jean-Claude Lajeunie a aussi retenu les procédés d'assemblage. Par ailleurs, le titre donné à la sculpture
désigne un objet technique, un instrument servant à mesurer
la hauteur d'un astre au-dessus de l'horizon, ce qui indique
au spectateur que l'*Astrolabe* ne tient pas principalement un
propos sur l'art et sur les catégories artistiques qui aurait pu
être inspiré des *ready-made* de Duchamp. L'*Astrolabe* est plutôt
l'élément d'un récit ou d'une mythologie construite par l'artiste, dont les acteurs sont des personnages et des objets
rappelant l'espace astral ou interplanétaire, un ailleurs qui
connote aussi l'aspiration au voyage ou à l'exploration de territoires inconnus.

Dans un texte publié en 1968[59], Jean-Claude Lajeunie
souligne que son expérience de la technologie a été guidée à
la fois par un intérêt pour l'objet industriel et par des écrits
fantastiques, tels ceux de Lovecraft, où il a puisé des élé-

ments de son univers référentiel. Il a aussi porté son attention sur les sculptures de Paolozzi et d'Oldenburg qui, au début des années soixante, ont réinscrit l'esthétique de l'objet industriel dans l'espace de l'art. L'*Astrolabe,* exposé au Concours artistique de 1966, et l'*Émissaire* (ill. 31) sont exemplaires de cette représentation de la technologie alliant l'esthétique industrielle et une iconographie issue de récits de science-fiction qui confère aux sculptures un caractère narratif. En effet, l'*Émissaire,* construit par procédés d'assemblage, est constitué d'éléments propres à l'objet industriel: roues, engrenage, fils électriques, formes cubiques, plastique, acier peint chromé à la surface lisse. Par ailleurs, le titre de l'œuvre indique qu'il s'agit d'un messager assurant la communication entre la Terre et un lieu inconnu. Il se présente comme un robot dont la représentation anthropomorphique rappelle les images mécanomorphiques du corps humain qui ont marqué les histoires d'automates de la science-fiction. Les sculptures de Lajeunie représentent les êtres et les objets d'un récit mythique dont le territoire est l'espace cosmique. Le lieu qu'il imagine est celui des récits de science-fiction mais aussi des voyages vers la Lune ayant alimenté l'actualité journalistique au cours des années soixante[60]. Or ces sculptures construisent une représentation d'un nouveau monde dont on méconnaît les frontières qui dépassent celles du territoire national. Le voyage interplanétaire devient une allégorie des aspirations au changement, à un élargissement des limites de l'expérience auquel s'identifient des artistes et des écrivains de la jeune génération. Cette représentation donne également le ton au *Manifeste Infra du Zirmate*[61], publié en 1967, qui prescrit, dans ces termes, une attitude réunissant les approches «surréalisantes» du monde intérieur et les aventures scientifiques du domaine aérospatial[62]: «Pénétrer la matière, les corps et les galaxies en vue d'un pouvoir généralisé pour l'imaginant et en vue de la spécialisation pour la création de mondes nouveaux à notre portée et de plus en plus accessibles dans le temps[63].»

L'art de participation

Les sculptures de Jean-Claude Lajeunie réintroduisent le caractère narratif de la sculpture qui a été refoulé par l'abstraction. Celles de Fusion des arts et de Serge Cournoyer reconsidèrent la primauté reconnue à l'artiste dans le phénomène artistique, ainsi que celle des traits de l'objet d'art, en ne le percevant plus comme un objet fixe apprécié uniquement pour ses qualités matérielles. D'autres réalisations artistiques, par ailleurs, utilisant la technologie, tentent de renouveler la relation de l'art avec le public en sollicitant sa participation à un acte de création. C'est le cas du spectacle réalisé par Fusion des arts, intitulé *Mécaniques*, et des «environnements» créés par Maurice Demers.

Les *Mécaniques*, de Fusion des arts

Fusion des arts présente au pavillon de la Jeunesse de l'Exposition universelle un spectacle intitulé *Mécaniques* (ill. 26) où le public est invité à manipuler des instruments de musique qui ont été fabriqués à partir d'objets techniques issus des milieux de travail et de la vie quotidienne. Il a été conçu par Richard Lacroix ainsi que par deux nouveaux membres de Fusion des arts, André Montpetit, illustrateur, et Robert Daudelin, alors responsable du Festival du film de Montréal.

Bien que contemporain de *Synthèse des arts*, ce spectacle présente un point de vue sur la technologie radicalement différent de celui qui a guidé la réalisation de la sculpture cinétique. Pour fabriquer les instruments de musique, on a eu recours à des procédés d'assemblage extrêmement simples qui n'ont rien à voir avec les procédés techniques sophistiqués utilisés pour la réalisation de *Synthèse des arts*. De plus, le dossier de presse qui accompagne le spectacle et qui indique le mode d'emploi de ces instruments adopte un ton parodique à rapprocher de l'attitude dadaïste, ce qui a pour effet de tourner en dérision à la fois le discours sur l'art axé sur les récentes découvertes technologiques et le discours formaliste représenté par la peinture des plasticiens. Ces commentaires prennent également pour cibles les émissions culturelles de la télévision et la pratique religieuse. Cela laisse entendre que le public auquel s'adresse les concepteurs des *Mécaniques* est tant le public populaire, qui prend part à l'événement, que la communauté artistique qui peut comprendre les allusions à la peinture plasticienne. On lit, par exemple, dans le dossier de presse, que la «twinkleuse» est un instrument de musique:

> de la même famille sonore que les pédales de Garenne. Faisant usage de la gamme chromatique alternée, cet instrument d'un maniement facile est tout désigné pour accompagner la récitation du chapelet en famille ou pour passer le temps pendant le *Sel de la Semaine*. Les couleurs molinaresques des pistonnettes se lisent de gauche à droite[64].

Quant au déroulement de l'événement, voici le récit qu'en donnent les critiques[65]. Le spectacle commence par la réalisation d'effets rythmés de lumière et d'obscurité, des projections de couleurs éclairent les instruments de musique installés sur la scène. Se mettent en mouvement la «trieuse de rythmes» et les «tiges du Rodrigal (ill. 27)» disposés en cercle et sur lesquels glissent des rondelles de métal, la plaque d'acier courbée de la «fefeuille» se met à vibrer, les spectateurs écrasent du pied les «pédales de Garenne». Certains d'entre eux montent sur la scène pour actionner le «drumadère», la «cymbale-yuno (ill. 28)»... Le spectacle se termine par l'accrochage sur une corde à linge de feuilles de plastique moulées représentant des objets de la vie quotidienne: bas, culotte, brosse à dents, parapluie...

La critique qui s'est intéressée à cet événement en fait à la fois une lecture politique et culturelle. Elle le qualifie de «machination participatoire» véhiculant sur le plan politique les valeurs d'un projet de société fondé sur la participation démocratique des individus. Et elle constate que la manifestation artistique de ce projet témoigne d'une esthétique qui se veut une solution de remplacement tant au formalisme qu'à la culture de consommation. Ces propos sont tenus par Dorothy Hénault de *Arts Canada*[66], et par Yves Robillard[67] lequel souligne que les *Mécaniques* constituent un commentaire tant sur l'art que sur les conditions de la vie quotidienne. Il soutient que la transformation d'objets du monde du travail en instruments de musique exerce une critique de l'aliénation subie par les individus; il qualifie d'art engagé cette nouvelle forme de spectacle dont l'effet est d'encourager un engagement collectif dans une action[68].

Nous avons déjà souligné que l'idée d'œuvre actualisée par la participation active du spectateur est le principe qui guide l'horizon d'attente de ce critique de *La Presse*. Antérieurement à l'exposition *Art et Mouvement*, il avait porté à l'attention de ses lecteurs les *Colonnes* d'Ulysse Comtois, transformables par le spectateur[69], ainsi que la *Machine* de François Dallegret[70], une machine à musique constituée de deux panneaux d'aluminium placés l'un au-dessus de l'autre et munie d'un système d'éclairage dont les cellules électriques déclenchaient chacune un son différent lorsqu'elles étaient animées par les mains du spectateur participant.

Ces œuvres déplacent la primauté reconnue à l'objet d'art et à l'artiste dans le phénomène artistique vers l'action du récepteur. Comme celles-ci, les *Mécaniques* délèguent au public une partie des étapes du processus de création habituellement accomplies par l'artiste, qui, bien qu'il soit le concepteur et l'animateur de l'événement, confie aux spectateurs la tâche de le réaliser. Les concepteurs des *Mécaniques* modifient ainsi le dispositif habituel du spectacle en invitant les spectateurs à monter sur scène, à manipuler les instruments de musique, à prendre part activement à l'événement. La manipulation leur est présentée comme une activité ludique, spontanée, ne nécessitant aucun apprentissage ni aucun savoir, afin que chacun prenne conscience de ses capacités expressives. Les règles du jeu sont celles de l'inattendu, du plaisir, de l'aléatoire. Ce spectacle met l'accent sur l'idée de l'art comme expérience libératrice visant à améliorer la qualité de vie des individus, à favoriser la fusion de l'art et de la vie quotidienne. Cet événement instaure ainsi de nouvelles conditions de création et de réception de la production culturelle. Il peut être perçu comme une contribution à l'émergence d'une culture populaire urbaine, une solution tant à la culture de consommation de masse qu'à la culture savante.

L'événement, en effet, se veut une critique des notions de spécialisation et d'expertise propres à la culture savante, notions qui excluent le public de leur processus de définition. Cependant, Fusion des arts, paradoxalement, n'abandonne pas son rôle d'expert dans cette expérience artistique. Le groupe déclare se placer en observateur des réactions du public, afin de déterminer les conditions de l'efficacité sociale de l'art dans une société marquée par les technologies, les médias de masse et l'augmentation du temps de loisirs[71]. La démarche artistique du groupe se pose ainsi comme une étude sociologique de la réaction des spectateurs. En mai 1967, Fusion des arts reçoit une subvention du Conseil des Arts du Canada et du ministère des Affaires culturelles pour créer un centre de recherche dont les champs d'étude sont la fête, le jeu, la participation active du spectateur et les relations entre l'art et la communication[72].

Par ailleurs, cette démarche artistique participe à la réflexion des intellectuels concernant les effets néfastes du récent développement de la culture de masse américaine sur la vie artistique et intellectuelle québécoise. Richard Lacroix fait le diagnostic suivant:

> Il y a 100 ans, le Québec a perdu la bataille politique; il y a 50 ans il a perdu celle des richesses naturelles et de l'industrie; aujourd'hui nous sommes à perdre la bataille culturelle. La culture est un marché des communications, ce n'est plus le domaine pur de la gratuité pour solitaire. Ce marché, nous le perdons. Manque d'organisation, manque de vision[73].

L'écrivain Jacques Godbout, de la revue *Liberté*, constate que le caractère américain et reproductible de la culture de masse annonce la fin de l'économie artisanale des beaux-arts et le déclin de la culture nationale. Celle-ci, prévoit-il, résistera mal à l'effet de massification culturelle dont sont responsables les moyens, les procédés et les technologies de masse[74]. Des collaborateurs à la revue *Parti pris*, inspirés par l'ouvrage de Marcuse, *L'Homme unidimensionnel*, s'inquiètent également de l'effet de banalisation de l'art engendré par la culture de masse qui, annoncent-ils, soumettra l'art à la logique de la marchandise et le privera de sa fonction d'opposition au *statu quo*; l'esthétique de l'acceptation remplacera celle du refus. La notion de pratique ou d'expérience devra être substituée à celle de produit, déclarent ces auteurs qui investissent ainsi l'art d'une mission politique en le définissant comme un instrument de construction de l'identité collective[75].

Cette conception de l'art défendue par la revue *Parti pris* est aussi celle de Fusion des arts au moment de la réalisation des *Mécaniques*. À la primauté de la production ils substituent l'expérience du spectateur qui n'est plus consommateur mais participant.

De plus, le lieu de présentation du spectacle, le pavillon de la Jeunesse de l'Expo 67, indique que l'événement s'adresse surtout à la jeunesse, la désignant ainsi comme énonciatrice d'une nouvelle conception de la culture, d'un nouveau projet de société. Ce pavillon est dirigé par des jeunes qui en font un laboratoire d'expérimentation d'une nouvelle culture axée sur l'émancipation de l'individu. Dans cet espace cohabitent tant les spectacles de la musique pop, le théâtre et la musique expérimentale que des colloques invitant les jeunes à se prononcer sur les différents phénomènes sociaux. Or ce contexte favorable à l'expression d'une culture jeune est un lieu de réactualisation de certaines valeurs artistiques et sociales des avant-gardes historiques. Le spectacle les *Mécaniques* est particulièrement représentatif des manifestations artistiques qui renouent avec l'esprit dada en considérant l'art et ses rapports avec la technologie, le politique et la vie quotidienne.

Ce spectacle contribue au mouvement de critique des valeurs techniciennes portées par la Révolution tranquille auquel adhèrent, au milieu des années soixante, plusieurs groupes de la génération des vingt ans qui veulent faire un autre pas après la modernisation libérale, comme l'écrit Marcel Rioux[76] à propos de la jeune équipe de *Parti pris*; cette génération aspire à la libération de toutes les formes de domination exercées sur la société québécoise et elle revendique la participation active de chacun dans l'élaboration de cette nouvelle société qui devra prendre forme.

En 1968, Richard Lacroix oppose l'art aux valeurs de la société productive dans ces termes: «L'artiste doit être assez fort vis-à-vis [de] l'industrie. Autrement il devient lui aussi producteur. Il produit des objets de beauté. Des produits de luxe pour des consommateurs riches. Il est absorbé par la société de consommation[77].» La même année, Yves Robillard, au nom de Fusion des arts, se distancie explicitement du projet initial du groupe qui défendait la possible collaboration entre l'artiste et l'industrie et il y substitue une vision éthique de l'art axée principalement sur la participation active du récepteur[78]. L'industrie ne peut que restreindre la liberté de l'artiste qui devra se conformer aux règles du système de production quand, au contraire, il devrait tenter de se rapprocher de son public:

> Nous refusons que l'artiste devienne un technologue. L'artiste doit être un ferment de liberté. Notre travail est essentiellement de réfléchir à la situation actuelle et de nous servir des moyens en place pour faire passer les idées. L'artiste est d'abord un être qui a une position morale et poétique à défendre et qui se sert alors des moyens dont il dispose pour l'imposer. Au cours du travail viennent les découvertes techniques et formelles[79]!

On peut aussi lire dans ce texte une évaluation des effets politiques de la technologie:

> La position de notre groupe est la suivante: il s'agit beaucoup plus d'une question de désaliénation face à un monde technique qui cherche à nous opprimer, à faire de nous des automates que d'une question d'ajustement. Il faut que la machine serve à libérer l'homme. Il faut que

celui-ci prenne conscience de l'emploi que certaines classes de la société en font. Il faut qu'il apprenne à être libre et conscient par rapport à la société dans laquelle il vit[80].

Ce regard critique jeté sur la société technicienne est également celui du rapport Rioux qui soutient que les valeurs de l'art doivent être au fondement d'un projet éducatif, afin que la sensibilité, la spontanéité, l'art et la morale, marginalisés par les normes du discours technique, instaurent une nouvelle culture définie par la participation de chacun[81]. Or cette pensée sociologique est aussi celle des artistes qui se perçoivent comme des acteurs essentiels du changement social.

Les «environnements» de Maurice Demers

Cette pensée sociologique est aussi celle qui guide Maurice Demers dans la réalisation des «environnements» intitulés *Futuribilia* et *Mondes parallèles*. Ceux-ci constituent des aires privilégiées d'investigation où l'espace occupé par l'œuvre et celui occupé par le spectateur ne sont plus séparés. La participation du visiteur est sollicitée par des activités ludiques et spontanées. Maurice Demers qualifie ses environnements d'intégraux[82] parce qu'ils privilégient l'action comme mode de connaissance du réel.

Maurice Demers était illustrateur d'annonces publicitaires pour les grands magasins Eaton et La Baie avant de s'engager dans la pratique artistique. Il n'a pas fréquenté d'école des beaux-arts, mais il a acquis une formation en art commercial et en décoration intérieure. Cette trajectoire professionnelle dans le champ de la culture industrielle peut partiellement expliquer qu'il inscrive ses environnements dans l'univers de la culture du divertissement. Les *Mondes parallèles*, installés au pavillon de l'Insolite en 1969, s'adressent au grand public de Terre des Hommes et mettent, comme *Futuribilia*, plusieurs appareils à la disposition des visiteurs. Cette parenté avec le parc d'attractions est soulignée par la critique qui fait valoir le caractère populaire des environnements et leur ressemblance avec la Ronde ou le parc Belmont[83].

Futuribilia représente une planète où le visiteur est invité à circuler, à manipuler machines et robots, à voyager dans le temps à venir qui, du moins c'est ce que Maurice Demers a retenu, sera marqué par les transformations technologiques[84]. Cet environnement invite le visiteur à prendre conscience de la dimension politique de la technologie ainsi que des effets de cette dernière sur sa propre expérience sensorielle. Les machines sont installées dans une ambiance sonore et visuelle qui fait oublier au visiteur le cadre de sa vie quotidienne.

Avant de mettre le pied sur la «planète», le visiteur réfléchit sur ses propres convictions politiques puisqu'il a le choix d'actionner le drapeau québécois ou le drapeau canadien. Par ailleurs, une plate-forme intitulée *Trans-ère amour Vietnam ou la plate-forme de la méditation,* installée dans une chambre dénudée, éclairée par une lumière bleue, l'incite à réfléchir sur l'usage que font de la technologie les pouvoirs politiques. Plusieurs autres appareils techniques, par contre, donnent une représentation humanisante de la technologie et visent surtout à établir une relation harmonieuse entre celle-ci et le public. Installé dans un vaisseau spatial portant le nom de *Spatio-Bieluha,* le visiteur de la planète actionne un robot téléguidé qui va à la rencontre des nouveaux visiteurs de *Futuribilia.* La présence de walkie-talkie lui permet de créer un dialogue ou une narration mettant en scène le robot et les autres visiteurs!

Dans les *Mondes parallèles,* ce sont surtout les effets de la technologie sur l'expérience sensorielle et sur l'environnement qui sont portés à l'attention du visiteur. La réalisation de ces effets a nécessité la collaboration d'une équipe composée de soixante-quinze personnes parmi lesquelles se trouvaient un ingénieur, des spécialistes de l'audiovisuel et des techniciens de la société RCA.

Cet environnement est constitué de plusieurs cellules. Le visiteur, en entrant dans la *cellule magnétique,* est invité à enfiler une cagoule de fibre de verre munie d'un prisme placé à la hauteur des yeux et qui donne une image renversée de la réalité; chacune de ces cagoules est aussi pourvue d'écouteurs à induction captant les sons à distance et qui permettent à celui qui la porte de créer ses propres sons. Celui-ci peut aussi manipuler des claviers de pianos qui se mettent à jouer tous ensemble, tout en actionnant un système d'éclairage (la *cellule de claviers bizarres*). Dans la *cellule du confort insolite* (ill. 32), le visiteur s'étend sur un lit de forme circulaire, touche des tiges de métal; des bruits et des voix plaintives se font entendre accompagnés d'émissions de mauvaises odeurs. On a aussi installé une *sphère du conditionnement* (ill. 34) composée de coupoles recouvertes de tissu desquelles proviennent des sons; le visiteur se couche dans ces coupoles. Une autre cellule des *Mondes parallèles* peut être interprétée comme une reconstitution, à petite échelle, du réseau de relations sociales créé par les médias. Seize moniteurs de télévision sont installés à côté de caméras filmant les spectateurs; ceux-ci, à l'aide de boutons placés à côté d'eux, font bouger les caméras et filment une partie de leur corps ou de celui d'un autre participant. Ils prennent ainsi conscience, par cette manipulation, de l'effet de la technologie qui décompose et fragmente la réalité de l'individu. Par ailleurs, ils peuvent aussi corriger cet effet, reconstituer un milieu, un village global, en communiquant, par le biais de la télévision, avec les autres visiteurs[85].

Cet environnement a éveillé parmi la critique d'art une réflexion concernant le mode de participation du visiteur. Tout en soulignant que les *Mondes parallèles* mettent à la disposition du public des appareils lui permettant de transformer son environnement, Normand Thériault se demande si le visiteur devient pour autant créateur[86]. Il craint que celui-ci n'interprète les appareils de l'environnement exclusivement comme des installations de parc d'attractions ou comme une manifestation de la culture de divertissement. Si c'est le cas, juge-t-il, cet environnement ne constitue pas un cadre favorable à l'élaboration d'un regard critique face aux effets de la technologie sur l'individu. Thériault met ainsi en question le fondement du projet de Maurice Demers de créer un lieu offrant un cadre de vie radicalement différent de la société technocratique où le citadin peut explorer ses possibilités expressives. Normand Thériault considère que, pour produire un tel effet, un environnement doit offrir les conditions permettant au récepteur d'expérimenter un concept artistique créé par l'artiste qui soit identifiable par la perception sensorielle. Il reconnaît toutefois que l'art d'environnement a renouvelé le rôle de l'artiste qui, de manipulateur de matériaux et de formes, est devenu un concepteur. Il souligne aussi que l'actualisation de l'œuvre par le récepteur remet en question la primauté reconnue à l'objet d'art dans le phénomène artistique.

Par ailleurs, à la conception ludique de l'art, aux manifestations spontanées et improvisées du public, Thériault oppose une autre vision axée sur le caractère conceptuel d'une expérience artistique en partie contrôlée par l'artiste. C'est au nom de cette conception de l'art de participation qu'il a préféré aux *Mondes parallèles* de Demers les environnements du *Théâtre magique* venus des États-Unis et présentés au Musée des beaux-arts de Montréal à l'été 1969. Il retient par exemple, du jeu de bandes sonores de Jones, que, par ses déplacements, le visiteur met en marche un système diffusant des sons par quatre haut-parleurs; s'ensuit une quantité de combinaisons sonores importantes expérimentées par le visiteur qui, en contrôlant les sons et les rythmes, devient ainsi compositeur. Le visiteur n'est pas convié qu'à la manipulation d'instruments, mais à l'expérimentation d'un concept formel ou structural qu'il peut toutefois manipuler à sa guise. C'est ainsi qu'il devient créateur[87].

Cette conception de l'environnement n'est pas entièrement partagée par Yves Robillard qui considère que l'art de participation ne doit pas s'adresser aux seules perceptions sensorielles relevant de l'ordre esthétique, mais qu'il doit solliciter ce qu'il appelle le comportement global[88]. Le champ d'exploration des œuvres à participation, affirme-t-il, n'est pas que celui de la perception, il est aussi celui de l'expression d'un contenu. Une exposition de l'artiste torontois Z. Blazeje à la galerie MacKay lui donne l'occasion d'expliciter sa position dans un article intitulé «De l'environnement comme apprentissage de la liberté[89]». Yves Robillard qualifie de «purs environnements» les réalisations de Blazeje, parce qu'il se sert de la technologie pour explorer des phénomènes non immédiatement perceptibles. À titre d'exemple, il décrit le *Self-Luminating Chakra Environmental,* qui invite le spectateur à passer la tête à l'intérieur d'un cube où il voit des murs lumineux qui lui semblent infinis à cause d'un jeu de miroirs; le spectateur, qui a les pieds sur un disque mobile, se sent en mouvement et il entend des sons. À cette œuvre de Blazeje le critique oppose un autre type d'œuvres à participation qui se définit beaucoup plus par son caractère éthique que perceptuel, qui prend comme matière la vie d'une population, écrit le critique, et qui répond aux besoins d'expression des gens: cette œuvre réalise l'idée de l'art comme instrument d'animation sociale.

Les environnements de Demers, orientés surtout vers la manipulation spontanée de dispositifs techniques, se rapprochent de cette conception de l'art de participation qui se démarque de l'idée d'art comme pratique autonome et spécialisée. Par ces environnements, Maurice Demers tente de retourner «aux sources de la perception globale[90]». C'est ce qu'il déclare, en 1971, dans un texte faisant le point sur ses réalisations antérieures. Ses environnements représentent un lieu où, par l'activité ludique, l'individu devrait se réapproprier ses sens, reconstituer son unité et établir de nouveaux liens sociaux.

Cette conception anthropologique de la pratique artistique évoque les pratiques des avant-gardes historiques qui ont cherché à instaurer un nouveau rapport entre l'art et la vie. Au cours des années soixante, c'est par leur présence dans les lieux de loisirs de masse que des pratiques artistiques réactivent ce projet. Aux réalisations de Maurice Demers et de Fusion des arts s'ajoutent celles du sculpteur André Fournelle et du musicien Jean Sauvageau qui, en 1970, créent le *Pavillon du synthétiseur*. Le sculpteur a produit l'organisation spatiale et les objets de l'environnement, le musicien, l'ambiance sonore. Le public est invité à circuler dans un labyrinthe constitué de 2440 mètres (8000 pieds) de cordes de plastique jaunes, à manipuler une sculpture musicale nommée *Sculpture-Orgue électronique* (ill. 33), à s'asseoir dans une glissoire munie de cellules photoélectriques et de haut-parleurs qui transmettent les sons. Il peut aussi toucher des plaques d'acier chromé électroacoustiques (ill. 35) qui captent les sons ambiants, les transmettent en les amplifiant, provoquant ainsi une interaction avec le visiteur. La courbure donnée aux plaques d'acier modifie la qualité des sons.

Évidemment, ces manifestations artistiques vont à l'encontre du projet moderniste qui s'est opposé à toute assimilation de l'art à la culture de divertissement. Elles expriment l'inquiétude de l'artiste devant sa mise en marge par la culture de consommation qui a intégré l'expérience esthétique de la réalité. Critiques à la fois de la culture de masse et de la culture savante, ces manifestations se sont mises dans une position culturelle inconfortable.

En ne considérant plus l'objet d'art comme un objet fixe perçu essentiellement pour ses qualités matérielles, les œuvres cinétiques en ont redéfini les traits. En établissant une complicité entre l'artiste et la machine, en sollicitant la participation du public à un acte de création, ces œuvres qui ont pour objet l'univers technologique ont aussi porté atteinte à la vision mythique de l'artiste moderne, vision qui était fondée sur une étroite relation d'identité entre l'artiste et son œuvre. Enfin, certaines manifestations artistiques ont tenté de redéfinir le public de l'art en abolissant les frontières séparant le champ artistique et la culture de masse. Les œuvres analysées dans ce chapitre ont ainsi remis en question certains principes du modernisme qui, au Québec, bénéficiait d'une légitimation récente. En effet, l'analyse de leur réception immédiate a mis en évidence l'inadéquation entre l'univers sémantique de ces œuvres et les critères de définition de l'art, découlant d'une expérience esthétique des œuvres expressionnistes et formalistes, sur lesquels certains critiques fondaient leur jugement.

Toutefois, le programme théorique de ces œuvres et des discours qui les ont soutenues n'est pas homogène. Cette hétérogénéité exprime la diversité des relations qu'un tel programme a établies avec les pratiques artistiques qui lui étaient antérieures et contemporaines. Elle traduit également différents modes de penser la sensibilité des années soixante marquées, à la fois par le développement de la technologie, la présence accrue de la culture de masse américaine et une effervescence politique axée sur l'émancipation nationale.

Notes

1. Teresa de Lauretis, Andreas Huyssen et Kathleen Woodward (dir.), «Avant-propos», *Technological Imagination: Theories and Fictions*, Madison (Wisconsin), Coda Press Inc., 1980, p. V-X.

2. Andreas Huyssen, «Mapping the Postmodern», dans *After the Great Divide, Modernism, Mass Culture, Postmodernism*, Indiana Press University, 1986, p. 178-221.

3. Peter Burger, *Theory of Avant-garde*, Minnesota, University of Minnesota Press, 1984, 135 p.

4. Paul-André Linteau *et al.*, *Le Québec depuis 1930*, Montréal, Boréal, 1986, 739 p.

5. Roch Landry, «Design industriel au Québec, le ski-doo Bombardier, l'Expo 67», dans *Les années 60 et les arts au Québec*, Montréal, Éd. Triptyque, 1991.

6. Suzanne Lemerise, «L'enseignement des arts: liens avec la technologie post-moderne, 1965-1970», *Technologies et art québécois, 1965-1970*, Montréal, Cahiers du département d'histoire de l'art de l'Université du Québec, printemps 1988, p. 67-96.

7. Anonyme, «La murale d'Hydro-Québec», *Bâtiment*, Montréal, août 1962, p. 23-25.

8. Jean Sarrazin, «Mousseau: couleurs spatiales et chair-matière», *Le Nouveau Journal*, 25 novembre 1961.

9. *Refus global et projections libérantes*, Montréal, Éd. Parti pris, 1948, p. 33.

10. Suzanne Lemerise, «Sens public et projet créateur», *Mises en scène de l'avant-garde*, Cahiers du département d'histoire de l'art de l'Université du Québec, printemps 1987, p. 33-46.

11. Claude Jasmin, «Louis Jaque: une plastique d'anticipation», *La Presse*, 8 mai 1965.

12. Marcel Saint-Pierre, «Gladsteel and Gladstone», *Quartier latin*, 25 mars 1965.

13. Réa Montbizon, «View from a stepladder», *The Gazette*, 20 mars 1965.

14. Yves Robillard, «Introduction aux cahiers de Fusion (1969)», dans Yves Robillard (dir.), *Québec Underground*, Montréal, Ed. Médiart, 1973, t. I, p. 181.

15. *Le manifeste de Fusion des Arts*, novembre 1965; il a été rédigé par Yves Robillard et soumis aux autres membres du groupe qui l'ont signé. (*Ibid.*, p. 204-211.)

16. Les membres de Fusion des arts reconnaissent également l'influence des écrits de Pierre Francastel sur le développement de leur propre réflexion théorique. Dans son ouvrage *Art et technique* (1956), Pierre Francastel affirme que le développement de la science et de la technique a transformé le répertoire des formes et l'outillage matériel et mental des artistes. Francastel a cherché à convaincre le milieu intellectuel d'alors que l'art devait être étudié dans ses relations avec d'autres pratiques sociales comme celle de l'activité technique et de connaissance et que l'art était un mode de connaissance du réel au même titre que ces pratiques.

17. Herbert Marcuse, *L'Homme unidimensionnel, essai sur l'idéologie de la société*, Paris, Éd. de Minuit, coll. «Points», 1968, 281 p.

18. Clement Greenberg, «Avant-garde and kitsch», dans *Art and Culture*, Boston, Beacon Press, 1965, p. 3-21.

19. Groupe de recherche d'art visuel, «Propositions générales du Groupe de recherche d'art visuel», 25 octobre 1961, *Catalogue*, galerie Denise René (Paris), avril 1962, p. 2.

20. A. N. Constant, texte d'une conférence prononcée à Copenhague, 12 mars 1964. (Archives Yves Robillard.)

21. Johan Huizinga, *Homo ludens, essai sur la fonction sociale du jeu*, Paris, Gallimard, 1988, 340 p.

22. Voir aussi *Déclaration d'Amsterdam*, signée par G. Debord et A. N. Constant, 10 novembre 1958. (Archives Yves Robillard.) Voir aussi une déclaration publiée dans la revue *Internationale Situationniste*, n° 3, 1959, mais signée uniquement par Constant.

23. En avril et mai 1965, le groupe avait également présenté aux commissaires de l'Expo 67 un autre projet de réalisation d'une œuvre qui devait être installée à l'intérieur du pavillon Katimavik. Le projet a été refusé par les commissaires, bien que l'architecte du pavillon eût sollicité le projet auprès de Fusion des arts. Les documents décrivant l'aspect de l'œuvre qui se présente comme une immense sculpture-fontaine indiquent qu'elle ressemble à *Synthèse des arts*. Elle aurait été le résultat d'une collaboration entre artistes, architectes, ingénieurs et industriels. Elle était constituée de formes de plastique montées sur une structure d'acier; ces formes de grandes dimensions devaient être mises en mouvement et éclairées par des jeux de réflecteurs; cette œuvre intégrait également des jets d'eau dont l'effet sonore aurait été amplifié. (*Projet de création d'un lieu-synthèse des arts*, document présenté à Leslie Brown, commissaire au pavillon canadien de l'Expo 67, le 15 janvier 1965; cité dans *Québec Underground, 1962-1972, op. cit.*, t. I.)

24. Denys Chevalier, «Art constructif, art visuel, art cinétique», catalogue de l'exposition *Art et Mouvement*, Musée d'art contemporain, août-septembre 1967. Cette exposition avait été organisée par le Musée d'art contemporain et la galerie Denise René (Paris).

25. Hugo McPherson, «La sculpture au Canada», *Architecture et sculpture au Canada*, Le pavillon du Canada, Expo 67, Ottawa, Imprimeur de la Reine, p. 3-10.

26. Yves Robillard, «Notes d'atelier de François Soucy, de F. Rousseau, d'Yves Robillard», dans *Québec Underground, 1962-1972, op. cit.*, t. I, p. 188-191.

27. Frank Popper, *L'art cinétique*, 2e éd., Paris, Gauthier-Villard, 1970, p. 97.

28. Jean Clay, «Painting, a thing of the past», *Studio International*, vol. CLXXIV, n° 89, p. 12-17.

29. Dorothy Todd Hénault, «Expo as environnement», *Arts Canada*, n° 113, 1967, p. 11.

30. Michel Benamou, «Notes on the technological imagination», dans Teresa de Lauretis, Andreas Huyssen et Kathleen Woodward, *Technological Imagination: Theories and Fictions, op. cit.*, p. 65-75.

31. Robert Ayre, «Ingenuity and Emotion», *Montreal Star*, 16 septembre 1967.

32. Hélène Sicotte, *Walter Abell, Robert Ayre, Grahamm McInnes: aperçu de la perspective sociale dans la critique d'art canadienne entre 1935 et 1945*, mémoire de maîtrise, Département d'histoire de l'art, Université du Québec à Montréal, 1990.

33. François-Marc Gagnon, «Le sens du mot abstraction dans la critique d'art et les déclarations des peintres des années quarante au Québec», dans *L'avènement de la modernité culturelle au Québec*, Québec, IQRC, 1986, p. 113-138.

34. Marie Carani, *L'œil de la critique, Rodolphe de Repentigny, écrits sur l'art et théorie esthétique, 1952-1959*, Québec, Septentrion/Célat, 1990, 282 p.

35. Fernande Saint-Martin, «Un nouvel art: la sculpture en mouvement», *Liberté*, vol. VIII, n°s 5-6, septembre-décembre, 1966, p. 146-148.

36. Fernande Saint-Martin, «Lettre de Montréal», *Art International*, vol. IX, n° 5, juin 1965, p. 47.

37. Fernande Saint-Martin, «Un nouvel art: la sculpture en mouvement», *loc. cit.*

38. Yves Robillard, «L'ABC de la vision», *La Presse*, 10 juin 1967.

39. Groupe de recherche d'art visuel, Paris, le 25 octobre 1961. Catalogue de l'exposition GRAV, galerie Denise René, Paris, avril 1962, cité par Yves Robillard, «*L'ABC de la vision*», *loc. cit.*

40. *La IIIe Biennale de Paris est ouverte. Le Groupe de recherche d'art visuel répète: assez de mystifications*, octobre 1963.

41. Yves Robillard, «Pour changer de milieu, allez faire un tour au Musée d'art contemporain», *La Presse*, 9 septembre 1967.

42. Frank Popper, *Le déclin de l'objet*, Paris, Chêne, 1975, 143 p.

43. Pierre Desrosiers, «Fusion des Arts», *Culture vivante*, n° 5, 1967, p. 86-89.

44. Liste des exposants, galerie du Siècle, décembre 1967: Roger Paquin, Jean Noël, Jacques Cleary, Serge Cournoyer, Serge Otis, Jean-Marie Delavalle, Claire Hogenkamp, Jean-Claude Lajeunie.

45. Le jury de l'exposition est formé d'experts des milieux artistiques québécois et canadien: Ronald Bloore, peintre et professeur d'art, York University; Guy Viau, directeur du Musée du Québec; Yves Gaucher, peintre et professeur d'art, Sir George Williams University; Alan Jarvis, directeur de la Conférence canadienne des arts; Richard Lacroix, membre de Fusion des arts et directeur de l'Atelier libre de recherche graphique; Moncrieff Williamson, directeur de la galerie d'art du Centre de la confédération, Charlottetown. (*Perspective 67*, catalogue d'exposition, Art Gallery of Ontario, du 8 juillet au 10 septembre 1967.)

46. Robert Ayre, «Perspective 67, the young generation», *The Montreal Star*, 22 juillet 1967.

47. Réal Bouvier, «Serge Cournoyer, sculpteur», *L'Ovale CIL*, vol. XXXVIII, n° 2, p. 8-10.

48. Irène Heywood, «Bridging the artist-gap», *The Gazette*, 10 août 1968.

49. Normand Thériault, «Les sculpteurs du Québec au Musée d'art contemporain», *La Presse,* 27 juillet 1968.

50. Jack Burnham, *Beyond Modern Sculpture,* New York, George Braziller, 1967; Frank Popper, *Art, action, participation, l'artiste et la créativité d'aujourd'hui,* Paris, Klincksieck, 1985, 368 p.

51. Laurent Lamy, «Sculptures aujourd'hui: fleurs, espaces, fusées», *Le Devoir,* 16 décembre 1967.

52. *Ibid.*

53. Richmond Jones, «Anti-form and anti-machines», *The Gazette,* 16 décembre 1967.

54. Robert Ayre, «Guggenheim international biggest show in town», *The Montreal Star,* 6 juillet 1968.

55. Robert Ayre, «The new sculpture», *The Montreal Star,* 30 mars 1968.

56. Laurent Lamy, «Sculptures...», *loc. cit.;* Normand Thériault, «La sculpture québécoise: un silence et quelques cris», *La Presse,* 27 juin 1970.

57. Claude Jasmin, «L'art nouveau des jeunes peintres de Montréal», *Vie des Arts,* n° 44, automne 1966, p. 52-55.

58. Robert Ayre, «Contemporary sculptors from Quebec», *The Montreal Star,* 16 décembre 1967.

59. Jean-Claude Lajeunie, *Intersystem set Lajeunie, 1967-1968,* National Gallery of Canada, 1968.

60. «J'ai lu de la science-fiction. On était dévoré par la science-fiction. On lisait tout ce qui nous passait sous la main. On se nourrissait de science-fiction... Je ramassais toute la documentation, les photographies que je pouvais trouver sur les lancements de fusée. Je suivais ça à la minute près. Je me souviens encore des noms des cosmonautes.» (Entretien de F. Couture avec Jean-Claude Lajeunie, juin 1987.)

61. Rédigé par le poète Claude Péloquin et signé par les peintres Serge Lemoyne, Pierre Cornellier, le musicien Jean Sauvageau et le mathématicien Gilbert Labelle. Le manifeste a été publié aux éditions de l'Hexagone en 1967.

62. Marcel Saint-Pierre, *Serge Lemoyne,* Musée du Québec, Québec, 1988, 236 p.

63. Claude Péloquin, «Manifeste Infra», dans Yves Robillard (dir.), *Québec Underground, op. cit.,* t. I, p. 150.

64. *Québec Underground, op. cit.,* t. I, p. 231.

65. Dorothy Hénault, *Arts Canada,* n° 14, supp., novembre 1967, p. 1-211; Marcel Huguet, «Les Mécaniques de Lacroix», *Photo-Journal,* 2 au 9 août 1967.

66. Dorothy Hénault, *op. cit.*

67. Yves Robillard, «Pour transformer en plaisir les moyens techniques», *La Presse,* 1er juillet 1967.

68. Yves Robillard, «L'imagination au pouvoir», *La Presse,* 24 avril 1968.

69. Yves Robillard, «Comtois: le géométrique contre l'organique», *La Presse,* 22 mars 1967.

70. Yves Robillard, «François Dallegret ou le portrait de l'artiste en surhomme», *La Presse,* 3 juin 1967.

71. Extrait de la demande de subvention adressée au gouvernement du Québec, mai 1967, cité dans *Québec Underground*, *op. cit.*, t. I, p. 245.

72. Conseil des Arts: 19 500 $; ministère des Affaires culturelles: 5000 $.

73. Pierre Desrosiers, «Fusion des arts, entretien avec Richard Lacroix», *Culture vivante*, n° 5, 1967, p. 89.

74. Jacques Godbout, «Pour un ministère de la culture», *Liberté*, vol. IX, n° 2, mars-août 1967.

75. Luc Racine, Michel Pichette, Narciso Pizarro et Gilles Bourque, «Production culturelle et classes sociales au Québec», *Parti pris*, vol. IV, n°s 9-10-11-12, mai-août 1967, p. 43-75.

76. Marcel Rioux, «Remarque sur le phénomène de *Parti pris*, 1963-1968», *Index de Parti pris, 1963-1968*, CELEF, Université de Sherbrooke, 1975, p. 3-9.

77. Robert Millet, «Fusion des arts, un mouvement politisé», *Magazine Maclean*, vol. VIII, juillet 1968, p. 46.

78. Yves Robillard, «Fusion des arts in Montreal», *Arts Canada*, n°s 120-121, août 1968, p. 25-28.

79. *Ibid*. Voir la version française de ce texte dans *Québec Underground*, *op. cit.*, t. I, p. 254.

80. Cet extrait n'a pas été publié par *Arts Canada*. Voir la version française, *ibid*.

81. Suzanne Lemerise, «La Commission Rioux et la place de l'art», *La pratique des arts au Canada*, Association des études canadiennes, vol. XII, 1989, p. 35-49.

82. Maurice Demers, *Un théâtre authentiquement québécois: le théâtre d'environnement intégral*, texte inédit, 1972.

83. Claude Jasmin, «Un événement: la création de Maurice Demers», *Sept-Jours*, 24-30 mars 1968.

84. Carton d'invitation, *Futuribilia*, du 20 mars au 20 avril 1968, atelier de l'artiste, 6613, rue Saint-André, Montréal.

85. Marshall McLuhan, *Pour comprendre les médias*, LaSalle, Hurtubise HMH, 1968.

86. Normand Thériault, «De nouvelles machines à percevoir», *La Presse*, 2 août 1969.

87. Normand Thériault, «La magie de la 4e dimension», *La Presse*, 6 septembre 1969.

88. Yves Robillard, «L'art 2000 et ses plaisirs», *La Presse*, 25 mai 1968.

89. Yves Robillard, «De l'environnement comme apprentissage de la liberté», *La Presse*, 20 avril 1968.

90. Maurice Demers, «Réflexions sur le théâtre d'environnement», *Le Devoir*, juillet 1971.

ROSE-MARIE ARBOUR

CHAPITRE V

Intégration de l'art
à l'architecture

La question de l'intégration des arts à l'architecture va de pair avec le questionnement de l'architecture moderne dans un contexte urbain industrialisé. Ce questionnement concerne aussi l'art comme tel dans sa conception et sa pratique traditionnelles: d'activité individuelle et solitaire en atelier, l'art deviendrait-il une activité débordant l'objet d'art, s'allierait-il à des technologies et à des matériaux nouveaux rendant essentiel un travail en commun avec des spécialistes de l'industrie et des hautes technologies? L'art changerait-il de fonction dans cette société que certains veulent voir se renouveler entièrement, ou bien se restreindrait-il à n'avoir qu'une fonction de bonification de l'architecture et de l'environnement industriels?

À partir des années cinquante, au Québec, les expérimentations dans le domaine du modernisme architectural s'amplifièrent et, dans les années soixante, les aéroports, les hôpitaux, les écoles, les édifices à bureaux et les tours d'habitation, sans oublier les constructions résidentielles, se multiplièrent à travers tout le Canada. L'acte d'habiter n'était plus concentré majoritairement dans l'ordre du privé, mais passait dans l'ordre du public. Acte social et collectif s'il en fût, habiter un édifice pose, depuis l'avènement de la société industrielle, la question de l'humain. La nécessité d'une réflexion sur l'utilisation des matériaux industriels et les nouveaux besoins auxquels tentait de répondre l'architecture urbaine fut aussi abordée par les artistes qui articulaient à leur volonté d'être modernes la recherche d'une fonction sociale de l'art.

Ce fut dans le contexte de la Révolution tranquille que furent érigés les grands édifices qui ponctuent le profil de la métropole montréalaise: la place Ville-Marie, la place Victoria, Westmount Square, la place Bonaventure, etc. Les besoins en édifices à bureaux, et aussi en bâtiments que nécessitait le nouveau système d'éducation (du primaire à l'université), furent à l'origine de l'érection de constructions publiques comme jamais auparavant. Les politiques et programmes culturels concrétisèrent leur efficacité et leur présence dans des édifices abritant les institutions culturelles (Galerie nationale du Canada, Musée d'art contemporain).

D'une façon moins monumentale mais tout aussi importante, des discothèques s'ouvrirent de plus en plus nombreuses, prenant en charge tous les aspects des loisirs du grand public. À divers titres, l'Exposition universelle de Montréal, en 1967, sera un lieu d'expérimentation pour l'architecture et l'ingénierie, l'intégration des arts, les tentatives multidisciplinaires en arts et l'usage des nouveaux médias: les artistes y ont été autant les utilisateurs de l'architecture moderne que les initiateurs de projets, en regard des nouveaux éléments de l'environnement urbain. Comme l'écrivait Jean-Paul Morrisset[1], l'Expo 67 constitua «l'apogée de la confiance moderniste» et l'aboutissement d'un cheminement allant d'une notion d'art mural dans les années cinquante à une notion d'intégration des arts à l'architecture, puis de fusion des arts. L'Expo 67 aviva des besoins déjà existants concernant l'utilisation de nouveaux médiums et de processus de réalisation industriels, elle concrétisa les espoirs de lier l'art à l'environnement en donnant des commandites aux artistes.

Le rapport entre l'art et la société se réarticula dès lors différemment: l'art comme objet de contemplation, le spectateur comme témoin passif devenaient des notions dépassées. La conception de l'art comme acte intime et privé, solitaire et romantique fut remplacée par l'ouverture du concept et de l'acte artistique à l'espace architectural, urbain, social et à la participation du public au projet créateur.

En 1965, la revue *Canadian Art* publia un compte rendu des débats sur la question complexe de l'intégration de l'art à l'architecture[2] qui résumait bien, même s'il s'adressait au milieu torontois, les argumentations diverses sur le rôle de l'artiste par rapport à celui de l'architecte dans l'entreprise, article destiné aux artistes dits avancés[3]. Y étaient évoquées par les participants la question de l'utilisation de matériaux industriels (y compris la lumière, le mouvement) et, conséquemment, celle de la modification profonde de la notion d'œuvre d'art et de l'objet d'art comme tel. Le travail isolé de l'artiste traditionnel était remis en cause et son intervention était revendiquée dès le stade de la conception de l'édifice par l'architecte. On insistait sur les questions sociales qu'aucune architecture ne peut négliger:

> Peut-être que le problème de la beauté dans les villes est si grand qu'il ne suffit plus de l'évoquer à propos d'un édifice. Nous devons considérer l'art dans la rue [...], les autoroutes [...], les ponts [...]. Nous devons changer notre conception de l'objet d'art contemplé d'un point fixe. Nous nous déplaçons à 60 milles à l'heure sur les autoroutes: nous avons besoin d'un nouveau type d'art pour cela. Peu d'artistes pensent à cela. Peu d'ingénieurs pensent à cela. L'ingénierie peut être un art[4].

En 1969, l'architecte montréalais Patrick Blouin écrivait: «Un mouvement significatif presque simultané se dessine à travers le Canada depuis quelques années, la sculpture sort des Musées, des Galeries et des Ateliers, pour venir s'installer là où elle doit résider de droit et par nécessité, sur la Place. Sur la Place, c'est-à-dire dans l'environnement urbain, à la rencontre de la grande masse et bientôt, souhaitons-le, comme partie intégrante du relief de la Cité[5].»

❏

La question de l'intégration de l'art à l'architecture fait partie d'un ensemble et d'un climat artistiques et culturels où l'interdisciplinarité en arts est centrale et nous amène à considérer des questions d'ordre technologique et social.

Entre l'intégration de l'art à l'architecture et la disparition de l'art comme tel, absorbé par son propre environnement, les positions étaient nombreuses. Il y eut, par exemple, des projets utopistes non réalisés tels ceux d'Yvette Bisson, où la dimension sociale devenait prépondérante, primordiale;

cette sculpteure (*Architecture nº 1*, 1967, ill. 43), avec ses maquettes d'architecture qui furent considérées comme des sculptures, projeta des lieux d'habitation pour une société utopique, axée sur des valeurs différentes. À l'autre pôle, des réalisations, certes plus restreintes mais fondées sur une volonté immédiate de changement des mentalités et des comportements, les Moussespathèque, de l'artiste Jean-Paul Mousseau, furent exemplaires. Un assez grand nombre d'artistes pratiquèrent par ailleurs une intégration sans heurt, dans la tradition des arts décoratifs voués à l'embellissement et à la finition d'espaces et d'édifices architecturaux modernes. Ainsi en fut-il des murales de Mario Merola. (Maquette de la murale de l'Expo universelle de Bruxelles, 1957). Entre ces pôles extrêmes, bien des options et des propositions prirent place — les unes se concrétisèrent dans des réalisations stables et unitaires, d'autres furent plus ponctuelles ou encore restèrent à l'état de projet.

Nous analyserons ici les œuvres et les discours d'artistes engagés dans cette problématique ainsi que la réception de ces œuvres à Montréal surtout au cours des années soixante.

Un nouveau paramètre:
les femmes et l'espace public

Dans ce contexte et cette problématique d'*art public*, face à la destination nouvelle de l'art actuel jusqu'alors confiné dans la marginalité et limité à des cercles restreints de spécialistes, le rôle des femmes artistes apparaît novateur: non seulement tentèrent-elles, comme le firent des hommes artistes, d'établir un pont entre un public non spécialiste et l'art actuel, mais elles rompirent en même temps avec une tradition de petits formats, de sujets intimistes, d'objets voués à la contemplation individuelle, tradition dans laquelle elles étaient enfermées en raison d'une éducation à l'art vu comme activité de loisir et comme décoration. Elles furent amenées à un travail en équipe (techniciens, architectes, ingénieurs), à une réflexion sur l'art et sa fonction sociale — réflexion dont elles avaient été pour la plupart complètement coupées antérieurement. Cette réflexion ne put se faire qu'à partir d'un changement notable dans la conception de l'artiste qui, d'individu isolé et secret, devenait un citoyen ou une citoyenne préoccupés des nécessités collectives. À cela les femmes n'avaient pas été officiellement invitées, même si toutes leurs habitudes de vie les y avaient préparées.

L'exemple américain des murales réalisées dans des édifices publics, dans les années trente et quarante[6], n'avait pas eu de contrepartie au Canada. Plusieurs femmes artistes américaines avaient alors produit des œuvres monumentales avec l'aide d'assistants et de techniciens grâce à une politique d'accès équitable pour les femmes. Mais chez les femmes artistes québécoises, les œuvres de grand format étaient inexistantes — si l'on excepte la fresque commandée par le docteur Hans Selye à Marian Scott pour la salle d'étude du Département d'histologie de l'Université McGill au début des années quarante. Aussi les femmes provoquèrent-elles une rupture nette avec des lieux et des pratiques artistiques qui leur étaient traditionnelles en réalisant des œuvres destinées à des espaces architecturaux publics, intérieurs et extérieurs.

Art public

La question de l'intégration des arts à l'architecture sera examinée ici sous l'angle précis de l'art public, car sous ce terme sont réunis des éléments axés principalement sur la fonction sociale de l'art, clé de cette analyse. La problématique de l'art public et celle de l'intégration de l'art à l'architecture exigent une brève mise en place historique qui permettra de mieux saisir l'intérêt qu'elles suscitèrent et les activités qui en découlèrent au Québec dans les années soixante.

Sur le plan idéologique mais aussi esthétique, l'art public et l'intégration de l'art à l'architecture furent à l'origine de la réorientation de plusieurs peintres et artistes post-automatistes qui s'étaient fait connaître depuis les années cinquante.

Le vocabulaire de *l'art public* était plutôt imprécis dans le Québec des années cinquante et soixante: les termes d'art décoratif, d'art intégré, d'art monumental étaient alors couramment utilisés dans le milieu artistique canadien-français. Souvent imprécises, ces notions traduisaient néanmoins une volonté de modifier la fonction traditionnelle de l'art. On peut critiquer les notions et les impasses associées à certaines réalisations et prises de position des artistes, mais on ne peut nier que ces notions exprimaient, tels des leitmotive, des pensées et des aspirations reliées à une volonté de changement quant au rôle de l'art dans la société. Le terme d'*art public* fut utilisé pour bien marquer le lieu — c'est-à-dire l'espace public — auquel certaines formes d'art étaient destinées, soulignant ainsi le grand format qui les caractérisait, l'espace architectural dans lequel elles s'inséraient et en fonction duquel elles étaient conçues, le pouvoir de modification des ambiances dont elles étaient porteuses.

Plusieurs artistes furent encouragés à tenter des expériences d'intégration de l'art à l'architecture, grâce au financement de telles œuvres d'art par des entreprises privées et quelques grandes corporations (par exemple Benson & Hedges).

En juin 1965, le Musée d'art contemporain de Montréal avait présenté une exposition intitulée *Collaboration Artistes-Architectes,* qui comprenait trente et une œuvres d'intégration de l'art à l'architecture[7]; cela confirmait l'acceptation institutionnelle de cette pratique.

C'est ainsi que, de façons variées et selon des optiques certes différentes, des artistes tels Jean-Paul Mousseau, Marcelle Ferron, Micheline Beauchemin, Jean Lefébure, Laure Major, Rita Letendre modifièrent ponctuellement ou définitivement non seulement leurs outils et médiums artistiques, mais leur projet créateur en regard de ce rapport art-architecture. Des artistes consacrèrent alors la majeure partie sinon la totalité de leur activité artistique à cette entreprise (Mario Merola, Jean-Paul Mousseau, Marcelle Ferron). D'autres le firent parallèlement à leur pratique picturale destinée à une clientèle privée (Laure Major, Micheline Beauchemin, Mariette Rousseau-Vermette, Jean Lefébure, Rita Letendre, Jordi Bonet, entre autres).

En 1956 et 1957, des concours de pièces murales avaient été organisés par le Musée des beaux-arts de Montréal et l'École des beaux-arts. Le critique d'art Rodolphe de Repentigny avait néanmoins souligné la difficulté de saisir les contraintes et enjeux de ce domaine de l'art public ainsi que leur ambiguïté: «[...] la presque totalité des artistes qui ont participé à ces concours n'ont pas la moindre idée de ce qui peut faire une pièce murale[8].»

En 1957, un concours pour une murale destinée au pavillon canadien à la Foire de Bruxelles fut lancé et une vingtaine de projets furent présentés par les artistes: Mario Merola y remporta le prix du meilleur projet et celui de

Micheline Beauchemin fut qualifié de «plus intéressant dans l'immédiat, avec sa complexité organique», mais on craignit «qu'il ne se trouve aucun artisan au pays capable de réaliser, en ce moment, un tel travail[9]».

Par de tels concours, la destination et la fonction traditionnelles de l'œuvre d'art et ses processus de réalisation se trouvaient mis en question: on voulait sortir l'objet d'art de l'espace privé du collectionneur et le propulser sur la place publique. On projetait de faire éclater l'isolement de l'artiste, notamment en insérant son travail dans le contexte d'une architecture publique.

Certains artistes — particulièrement des femmes — choisirent de reprendre des médiums traditionnels qui avaient eu, déjà, une vocation architecturale et monumentale. Ce fut le cas du vitrail avec lequel Micheline Beauchemin et Marcelle Ferron se familiarisèrent en France dans les années cinquante et soixante. Avec l'adoption du vitrail comme médium artistique, Marcelle Ferron donnera un deuxième souffle à une carrière de peintre déjà bien établie. Micheline Beauchemin, quant à elle, le délaissera rapidement pour un autre médium, celui-là franchement artisanal, populaire et propre aux femmes: le tapis crocheté (*Milles-pattes*, 1955, ill. 36).

Ce fut aussi le cas de la tapisserie (laine, haute et basse lice), tradition avec laquelle Mariette Rousseau-Vermette composa dès le début de sa pratique et qu'elle sut adapter aux nouvelles exigences d'intégration de l'art à l'architecture industrielle.

Situation historique du rapport entre l'art et l'architecture

À l'École des arts appliqués mais aussi à l'École des beaux-arts de Montréal depuis sa fondation (1923), un enseignement des arts appliqués était dispensé, car ceux-ci étaient envisagés comme une des solutions commodes pour rentabiliser socialement la pratique artistique, la rendre utile tant pour la communauté que pour l'individu qui la faisait sienne.

Dans le milieu de l'*art vivant*, l'importance de Pellan dans l'élaboration du questionnement sur les rapports entre l'art et l'architecture est à rappeler ici: cet artiste avait eu sa rétrospective au Musée d'art moderne de Paris en 1955 et avait reçu, la même année et de cette ville, un premier prix d'art mural, confirmant ainsi une préoccupation partagée par de nombreux artistes européens de l'après-guerre. L'art mural contemporain, qu'il fût abstrait ou figuratif, représentait un enjeu important pour les peintres des années cinquante: «Je crois que l'architecture moderne se prête énormément à la décoration murale parce qu'elle est plutôt froide», disait cet artiste[10]. En 1956, son exposition à l'hôtel de ville de Montréal contribua à alimenter le débat sur cette question de l'art mural. En 1960, un *Hommage à Pellan* à la galerie Denyse Delrue souligna de nouveau l'importance du rapport peinture-architecture pour cet artiste qui se disait même hanté par le divorce entre ces deux pratiques, allant jusqu'à affirmer avoir conçu une partie importante de sa peinture en fonction de l'architecture[11].

La Conférence canadienne des arts (Nouveau-Brunswick, 1967) incita les artistes à s'organiser en groupes autonomes multidisciplinaires à partir de trois zones réparties dans le Canada: Vancouver (où fut créé le groupe Intermedia), Toronto (où fut créé le groupe Intersystem) et Montréal. À Montréal, plusieurs groupes — particulièrement celui de Fusion des arts — correspondaient déjà au profil désiré, mais un autre groupe, le groupe Création (1968), se forma[12]. Il se voulait un trait d'union entre les ateliers d'artistes, les producteurs industriels, les centres de recherche et les universités, indiquant bien par là son projet de travailler en collectif. Son programme proposait de rapprocher l'art et le public: «Pour déboucher sur une culture populaire véritable, pour en finir avec l'artiste-idole, pour que l'art soit effectivement dans la rue et que la rue soit belle, pour mieux vivre et puis aussi pourquoi pas?» déclarait Marcelle Ferron[13].

Dans les années soixante, la problématique de l'intégration des arts à l'architecture pouvait être considérée sous un double aspect:

a) celui de l'intégration des arts les uns par rapport aux autres. Les expériences étaient nombreuses qui avaient réuni poètes (groupe Image et Verbe, Claude Gauvreau, Claude Péloquin, Raoul Duguay) et artistes, gens de théâtre (Maurice Demers), danseurs et danseuses (groupe de la Place Royale dirigé par Jeanne Renaud en collaboration avec Françoise Riopelle et Françoise Sullivan), musiciens (Pierre Mercure, Serge Garant), vidéaste (Gilles Chartier);

b) celui de l'intégration de l'art à l'architecture proprement dite et plus largement à l'environnement architectural. Jean-Paul Mousseau, Mario Merola, Micheline Beauchemin, Mariette Rousseau-Vermette, Marcelle Ferron, Yvette Bisson, Laure Major et d'autres pouvaient à des titres très divers se rattacher à cette deuxième catégorie qui, à son tour, pourrait être fragmentée en deux tendances, aux fins de cette étude:

1) une globalisation et une autonomie architecturales de l'art. Cette catégorie comprend les artistes qui tendent à absorber l'environnement architectural dans leur œuvre (J.-P. Mousseau, M. Ferron, Y. Bisson);

2) une intégration de l'art à l'architecture. Dans cette tendance entre la majorité des entreprises. Les œuvres, tout

en se modelant à l'architecture, n'en constituent pas moins des unités plus ou moins autonomes qu'on pourrait extraire de l'espace architectural tout en leur conservant leur intégrité (L. Major, M. Merola, R. Letendre, J. Lefébure, M. Beauchemin, M. Rousseau-Vermette, J. Bonet, Y. Trudeau).

L'Expo 67, répétons-le, fut le point culminant et final d'un régime de commandites de la part de compagnies et de corporations. Sans cet apport financier soutenu, aucun artiste n'aurait pu en effet maintenir le projet d'intégration de l'art à l'architecture hormis dans des lieux marginalisés qui seront qualifiés d'*underground*[14] et où les notions de fusion des arts, de multidisciplinarité remplacèrent celle d'intégration de l'art à l'architecture[15].

Enfin, au paramètre de lecture de la notion d'intégration de l'art à l'architecture et de celle d'art public qui lui est connexe s'ajoute celui mentionné plus haut de l'apport des femmes artistes dans ce domaine. Ce paramètre est nouveau dans la constitution de l'histoire de l'art contemporain au Québec et il oblige à une lecture différente de cette problématique qui attire l'attention entre autres sur la position sociale des artistes (liée à leur sexe), sur l'utilisation de médiums ayant une longue tradition dans la vie des habitants de cette province: le vitrail, la tapisserie et le tapis crocheté (utilisés surtout par les femmes artistes dans le cadre historique analysé ici). De ce fait, une dimension ethnologique s'ajoute, soulignant l'importance en art de ce qui est local, et interroge une norme tabou du modernisme: l'universel.

L'art comme environnement global

Jean-Paul Mousseau

Jean-Paul Mousseau fut une figure centrale et emblématique pour l'art public au Québec. Il a toujours affirmé la nécessité de l'intervention artistique dans l'espace urbain collectif: pour lui et pour d'autres artistes de sa génération, cette conviction fondait le rôle et la fonction de l'art dans la société. Il fut une figure centrale mais non dominante dans cette entreprise. Il ne forma pas de groupe et n'eut pas de disciples avoués, mais il réalisa dès le début de sa carrière d'artiste en arts visuels une forme de décloisonnement. Lors d'une rétrospective de l'œuvre de Mousseau au Musée d'art contemporain en 1968, Gilles Hénault soulignait que Mousseau «n'a jamais été tributaire d'un système. Chez lui, le problème de la création implique une attitude de l'artiste face au monde, plutôt qu'une problématique strictement formelle. Il y a chez Mousseau de l'artisan et du technicien [...]. Ce qui distingue Mousseau, c'est d'avoir utilisé tous les matériaux et toutes les techniques dont il pouvait disposer[16].» Il aura toujours rejeté la notion de l'art comme objet de contemplation isolé de la vie. Ce lien avec la vie se traduisit par le projet de «recréer, avec les moyens de la technique moderne, des synthèses de sensations, de toutes ces sensations qui sont éparses dans les villes [...]. L'ambition de Mousseau est de rendre l'homme conscient du dynamisme de notre siècle, et [de produire] un monde extérieur plus harmonieux et plus vivable[17]». En d'autres termes, il se voulait incitateur d'une «sensibilité nouvelle», englobante, qui ne se satisfait pas de stricts éléments formels, une sensibilité qui rejette toute distinction fondamentale entre art et vie.

Ce projet de faire de l'art pour mieux vivre distingua Mousseau de la plupart des peintres plus préoccupés par l'objet d'art que par l'espace environnemental. Au début des années cinquante, il se fit résolument décorateur de lieux publics dont le célèbre café L'Échouerie (1953), lieu de rencontre des artistes montréalais. Il recommença au restaurant du lac des Castors sur le mont Royal, au collège Notre-Dame où, en collaboration avec le céramiste Claude Vermette, il réalisa (1959) des murales en céramique; au centre commercial Rockland (1959), il réalisa des vitraux de plastique et continua, avec ses *Objets lumineux* (1960[18]), une recherche sur les styrènes et les plastiques. Cette recherche allait le mener à la conception et à la réalisation d'une murale spectaculaire exposée dans le hall de l'édifice d'Hydro-Québec à Montréal (1961[19]). Ce travail sans répit avait été souligné par le critique d'art Rodolphe de Repentigny dès 1958:

> S'il est un peintre à Montréal qui donne une démonstration pratique de la contribution importante que peuvent apporter les artistes à l'aspect de notre ville, c'est bien Jean-Paul Mousseau [...] pour [qui] la peinture de chevalet n'est qu'une des possibilités à sa faculté et à son besoin d'expression. Il ne lui suffit pas de se projeter sur un petit rectangle de toile, et d'y limiter son monde; il a le besoin généreux de modifier son ambiance, d'en faire une création à l'échelle humaine, enrichissante[20].

Cette volonté d'humaniser l'environnement était d'ailleurs un leitmotiv des débats sur l'art public, leitmotiv qui ralliait, tel un dénominateur commun, des artistes aussi différents que Marcelle Ferron, Rita Letendre, Jean Lefébure, Micheline Beauchemin, Laure Major, Yves Trudeau, pour ne nommer que ceux-là.

Si on peut poser que les artistes post-automatistes qui se tournaient vers l'art public s'inscrivirent dans le projet de l'automatisme originel pour qu'un lien entre art et vie existe, avec Jean-Paul Mousseau la question du rôle et de la fonction de l'artiste fut poussée dans ses positions limites: le décloisonnement des disciplines, le déplacement de l'espace de l'art vers la place publique, l'art pour modifier la vie. Cet artiste s'est résolument situé dans une position déjà prônée au début du XXe siècle en Europe par le Belge Henry Van de Velde, artiste multidisciplinaire et architecte, qui intervint dans les domaines de l'artisanat et de l'art, en passant par l'architecture, la joaillerie et le design. Jean-Paul Mousseau, s'il ne se fit pas architecte, travailla néanmoins en étroite collaboration avec ces derniers: sa collaboration, en 1958, avec l'architecte Gérard Notebaert au nouveau pavillon du collège Notre-Dame (Montréal) et, en 1959, avec l'architecte Hazen Sise au restaurant du lac des Castors montre une volonté de décloisonnement des disciplines et de débordement des cadres traditionnels de la peinture.

De nouveaux matériaux pour un art différent

Un nouveau matériau, la résine armée, permit à Mousseau de donner des dimensions inusitées et inédites à ses objets et à ses murales dès la fin des années cinquante. Il fabriqua des «objets lumineux» (*Sans titre*, 1961, ill. 46) en styrène polychromé qui ne manquèrent pas d'attirer l'attention des architectes: «Les pigments qui colorent la résine forment de châtoyantes [*sic*] teintes auxquelles la lumière donne l'attrait d'un feu de cheminée. Ces objets ont enfin soulevé l'enthousiasme et l'admiration des architectes et décorateurs [...]. Les *objets psychologiques à la fois sculpturaux et lumineux*, c'est ainsi qu'il décrit ses lanternes[21].» C'est en collaboration avec l'artiste François Soucy que Mousseau avait produit ces sculptures lumineuses, aidé d'une équipe de collaborateurs: ni peintures ni sculptures, ces objets étaient davantage une mise en forme de la lumière-couleur. En fait, Mousseau expérimentait divers médiums et processus artistiques comme autant de moyens de «connaissance de l'homme[22]»: l'utilisation de la lumière artificielle modulant la transparence du matériau le stimulait. Son projet était d'englober le spectateur, d'en faire un élément potentiel de l'œuvre: cette préoccupation était centrale chez Mousseau.

La lumière fut l'élément déterminant dans toute son œuvre, qu'il s'agisse de sa peinture, de pastel ou de ses panneaux muraux en styrène. Mais elle ne constituait pourtant qu'un moyen pour atteindre son objectif: que l'art soit un lieu privilégié de communication interpersonnelle. En ce sens, Mousseau se situait à l'antipode d'un Warhol qui aspirait à devenir comme une machine. C'est dans cette relation dynamique que le sens existait. Ainsi, à l'exposition des *Objets lumineux* (1961[23]), le spectateur pouvait modifier, au moyen de manettes, l'éclairage des murales et des objets-sculptures de formes cylindriques plus ou moins régulières intitulées *Dolmens: Dolmen mâle, Dolmen femelle, Dolmen côte...* L'irrégularité même du matériau (styrène), les éclairages changeants qui faisaient jouer les couleurs de ces formes plus ou moins cylindriques, faisaient surgir métaphoriquement de la chair-lumière, de la matière vivante. Mousseau recommença avec ses «objets-tableaux» circulaires qui, montés sur vis, pouvaient tourner sous la poussée de la main (1964[24]), conjuguant ainsi espace et temps: des stries et des rayures traversaient le diamètre de ces cercles colorés. «Au point où j'en suis, je ne pouvais pas faire autre chose. J'aurais pu actionner mes tableaux électriquement de sorte qu'ils tournent lentement sur eux-mêmes: ça c'est du truc. Où serait alors la participation du spectateur? [...] Je refuse ce genre de compromis[25].» Le compromis aurait été d'abandonner ce lien direct avec le public.

L'artiste comme chercheur

Mousseau se voyait plus comme un chercheur que comme un artiste. Refusant la passivité du spectateur devant l'objet d'art, il prônait autant l'engagement social de l'artiste. Dans cette optique, il collabora à l'organisation de fêtes populaires. En 1964, il conçut et réalisa, aidé d'une douzaine de collaborateurs, deux chars allégoriques pour la fête de la Saint-Jean-Baptiste. Ces chars réunissaient des objets lumineux et rotatifs, une iconographie reliée aux métiers évoqués, un gigantisme des formes: «Je ne veux pas que cela soit uniquement beau. Je veux également que chaque ouvrier, chaque pêcheur, s'il y en a dans la foule, se retrouve en voyant ces deux chars — parce que après tout, le défilé de la Saint-Jean-Baptiste, c'est son défilé à lui», déclarait l'artiste[26]. Comme toute communication, celle à laquelle il aspirait se fondait sur le partage de valeurs symboliques communes que l'artiste avait pour mission de concrétiser formellement et d'actualiser: «Avant, la Saint-Jean-Baptiste suscitait un sentiment péjoratif parmi certaines gens. Maintenant les intellectuels ont changé d'idée: ils veulent lui donner de la classe. Pour que le défilé corresponde à quelque chose, il faut qu'il soit constitué d'éléments collectifs, symboliques d'une réalité actuelle. C'est uniquement comme cela qu'on arrivera à donner une image véritable du pays[27].»

Malgré cette conception ouverte et éclatée de l'art, la reconnaissance et le succès publics ne répondirent pas aux efforts de Mousseau. Borduas s'était exilé à New York en 1953; à l'automne 1964, Mousseau décida de faire de même, déclarant à propos de l'entreprise artistique nouvelle au Québec: «On sent que ce n'est pas une nécessité. Ici, tu n'as pas l'impression d'avancer, de faire des progrès. [...] Les Canadiens français ont trop longtemps été pauvres [...]. Ce sera la prochaine génération de Canadiens qui s'intéressera à la peinture[28]...» Et il ajoutait: «On ne peut pas compter sur ceux qui ont de l'argent, les bourgeois, pour acheter nos œuvres, nos œuvres sont contre eux. C'est donc toujours par erreur ou par hasard qu'ils nous encouragent.»

En fait, l'artiste constatait la disparité profonde existant entre les valeurs de l'avant-garde artistique et les valeurs socioculturelles dominantes: le marché de l'art était quasi inexistant et rien ne soutenait une recherche novatrice comme la sienne. La définition de l'artiste d'avant-garde élaborée par Adorno lui convenait en principe, qui le définissait en termes exclusivement oppositionnels face aux valeurs dominantes et au contexte socio-économique et politique de son époque. Mais en pratique, sa murale chez Hydro-Québec (Montréal) deviendra emblématique de la Révolution tranquille et ses discothèques seront un temps très à la mode... C'est que, même antérieurement à ces réalisations, Mousseau ne voyait pas, en 1964, comment il pouvait décemment continuer à évoluer en tant qu'artiste au Québec: «Je n'arrive plus, moi. Organiser une exposition coûte un prix fou et rapporte peu. Tu es balayé à tout coup[29].» Se remettre à la peinture, ou du moins à l'utilisation des médiums traditionnels de l'art, lui apparaissait une aberration: «Au xxᵉ siècle, nous avons la science à notre disposition, de nouveaux matériaux, de nouvelles réalités, autant de choses qu'il faut intégrer à l'art[30].» Il concluait: «Aujourd'hui, on ne peut plus rien faire ici. Il n'y a pas de diffusion, pas de nourriture artistique. Il faut aller à New York, à Paris, là où il y a des contacts, des sources.»

Mousseau ne quitta pourtant pas le Québec: l'imminence d'Expo 67 à Montréal favorisa les entreprises et projets liés à l'organisation de l'espace et de l'environnement publics. En 1965, Jean-Paul Mousseau, Jordi Bonet, Mario Merola, Marcelle Ferron, Jean Lefébure, Edmund Alleyn exposèrent à la galerie Soixante[31] des œuvres murales qui anticipaient les modes de collaboration des artistes au grand événement de 1967.

Mousseau réalisa (1966) des murales en céramique à motifs circulaires à la station de métro Peel (ill. 40), en collaboration avec les architectes Papineau, Gérin-Lajoie et Leblanc[32]: il accomplissait ainsi un rêve vieux de trois ans qui était de créer un environnement global branché sur le dynamisme du public. La Moussespathèque de la rue Crescent, à Montréal, ouverte au public en septembre 1966, allait dans le même sens et fut suivie d'autres semblables, tant à Montréal, à Québec, à Alma qu'à Ottawa: «Ce que je crée est dans le courant d'une évolution, vers un sens plus social, disait-il. Ce besoin d'un contact direct avec les gens m'a amené à la Moussespathèque qui est une synthèse du théâtre et de la discothèque. [...] c'est une révolution dans le monde du cabaret: elle apporte une autre inquiétude aux gens et jusqu'à une certaine façon, fait œuvre d'éducation en leur apprenant à voir et à regarder», concluait-il[33]. Le public comme spectateur et participant, des décors mobiles à l'infini grâce à la modulation de la lumière projetant en grandes masses verticales les couleurs dans l'espace ambiant, l'utilisation de thèmes à valeur symbolique sous le signe de Cybèle, Pluton, Orphée, la volonté de toucher tous les sens pour stimuler divers états psychologiques, telles étaient les composantes de ce que Mousseau considérait dorénavant comme sa pratique artistique.

Fait important dans cette ère de changement culturel, les femmes étaient considérées par Mousseau comme présentes au cœur de l'espace à inventer: «On mettra l'accent sur la femme, sur l'aspect féminin dans tout: la matière, l'espace...», affirmait l'artiste[34] qui voulait que ces dernières s'y sentent chez elles, délivrées des comportements traditionnels machos. «C'est donc une révolution tranquille (encore!) dans le style du bar, de la discothèque ou de la boîte de nuit», concluait avec optimisme le critique[35]...

Au début du siècle, l'artiste futuriste italien Balla, avec ses environnements globaux, avait donné un exemple moderne d'art total. L'artiste hollandais Constant, avec ses maquettes de *New Babylon*, à la fin des années cinquante, avait visé la modification du mode de vie (sentir et penser) au moyen de ses «salles à émotions». Mousseau se situait dans cette lignée de projets liés au social. Ses expériences de travail à la réalisation de décors de théâtre ne furent pas étrangères à l'importance qu'il attachait aux conditions de diffusion la plus large possible des arts visuels: il se déclarait socialiste et désignait l'art cybernétique comme le seul valable. À la Moussespathèque de la rue Crescent, les changements d'ambiance et la mobilité spatiale étaient assurés par les projections de diapositives regroupées par thèmes. Ces projections se faisaient sur douze mille cartouches de bois suspendues, ce qui avait pour effet de décomposer l'image en autant de particules.

Les thèmes adoptés par Mousseau rejoignaient une préoccupation majeure: «Toute création ou tout moyen d'expression n'est pas une fin mais un moyen de connaissance de l'homme[36]», avait-il déclaré en 1961. Si des thèmes caractérisèrent les différentes discothèques de Mousseau, c'était dans une perspective de prise de conscience du climat social et culturel de cette période: ainsi l'environnement au Crash était une réflexion sur la société américaine. Malheureusement, le rapport entre les animateurs de ces discothèques et le public disparut assez rapidement en regard des nécessités de rentabilité: «Il n'en reste qu'un beau décor[37].» L'échec s'explique par la perte de contrôle par Mousseau du fonctionnement et de la gestion de ces établissements qui étaient des lieux commerciaux avant d'être des lieux de transformation culturelle.

En résumé, dans une optique d'environnement total, ces discothèques s'inscrivent dans une tendance marquée par l'autonomie architecturale, là où l'œuvre devient elle-même environnement, ambiance, lieu distinct. Les Moussespathèque furent un lieu différencié du tissu urbain environnant, tant par le traitement de l'espace que par les valeurs nouvelles qui y étaient proposées sur le plan socioculturel.

Marcelle Ferron

Le rapport art-architecture fut d'abord relié, chez Marcelle Ferron, à la transformation d'un médium traditionnel (le vitrail) en un médium requérant une technologie relativement avancée et nommé *verre écran.*

L'intérêt de cette artiste, au début des années soixante, pour le verre coloré, joint à ses préoccupations éthiques en art, l'amènera à la notion d'intégration de l'art à l'architecture urbaine. La volonté de modifier le rapport traditionnel entre l'art et le public était, comme nous l'avons vu, partagée par plusieurs artistes québécois à la fin des années soixante et jusqu'au milieu des années soixante-dix. La question d'un art public intéressait Marcelle Ferron dans la mesure où ce domaine relativement nouveau en art actuel lui permettait de rendre l'art abstrait accessible à un public élargi, grâce à de nouveaux moyens techniques qui favorisaient sa production et son insertion dans l'espace public et urbain.

Marcelle Ferron avait participé en 1965 à l'exposition de groupe de six artistes dits muralistes organisée par Otto Bengle à la galerie Soixante[38]. Elle considérait ses verres écrans comme des sculptures de verre spatiales: ce matériau et ce médium consistaient en l'adaptation de la technique du verre coloré traditionnel à un mode de production industrielle. Le verre écran était produit en usine grâce à un travail d'équipe qui faisait passer le processus de création d'un mode artisanal (peinture à l'huile, support de toile) à un mode hautement «technologisé». Il est à noter qu'à l'instar de Micheline Beauchemin, Marcelle Ferron se situait dans la perspective d'une modernisation radicale d'un métier ances-tral — le verre peint —, et la critique souligna le rôle de l'ar-tiste dans le renouvellement en profondeur de ce médium traditionnel: «Dans l'essor des plus féconds qui s'est effectué dans le domaine des métiers d'art au Québec depuis une trentaine d'années, le vitrail est resté jusqu'à ces derniers temps, le parent pauvre. [...] Jusqu'à ce qu'une femme auda-cieuse, Marcelle Ferron, se soit intéressée au vitrail[39].» En 1970, on reconnut à cette artiste la première place dans la mo-dernisation actuelle de ce médium[40].

Le décloisonnement des disciplines

L'exposition organisée par Otto Bengle rendit officiel le mouvement de promotion d'un art mural et d'un art public qui avait commencé à se manifester au Québec, dans une op-tique moderne, à la fin des années cinquante.

L'appel était lancé aux «architectes, ingénieurs, construc-teurs de tout acabit» en faveur d'une pratique relativement nouvelle de collaboration avec les artistes qui, eux, étaient stimulés par un «nouveau sens communautaire[41]». Un cri-tique qualifia les artistes réunis à la galerie Soixante de «cher-cheurs visuels qui veulent jouer un rôle dans l'élaboration du monde qui va nous entourer[42]». Les termes n'étaient pas ano-dins: plutôt que d'artistes il s'agissait ici de *chercheurs visuels,* en référence au *chercheur scientifique,* dont la démarche et les méthodes (théorie et pratique) étaient préjugées objectives, même dans la phase expérimentale de leur travail. L'objecti-vité et la scientificité constituaient donc les lettres de noblesse d'une activité artistique qui tentait désormais de s'inscrire dans un contexte plus actuel et industriel. Un projet collectif — celui de la modernisation et de l'ouverture du Québec sur le monde — déterminait un nouveau rôle social pour l'artiste. En 1967, Marcelle Ferron réaffirmait ce rôle que les artistes actuels devraient jouer auprès des architectes: «Nous pou-vons innover en montrant aux architectes les matériaux superbes qui leur sont accessibles, indiquant la transparence du verre comme élément proprement apte à s'insérer dans l'architecture actuelle: *réchauffer* l'architecture froide et sans teint des villes industrielles[43].»

Le verre écran

Une exposition de dix-sept des verres écrans[44] de Marcelle Ferron (*Sans titre*, 1966) eut lieu à la fin de 1966 au Musée d'art contemporain sous le titre de *Verrières*[45]. Cette exposition coïncidait avec une orientation que le ministère des Affaires culturelles tentait alors d'adopter «en s'ouvrant aux recherches techniques et aux nouveaux moyens d'expression[46]». L'exposition fut, dans ce cadre, considérée comme une manifestation expérimentale en art, entre autres parce que le verre écran nécessitait, pour sa production et sa mise en place, une équipe polyvalente spécialisée, ce qui faisait de l'artiste une figure parmi d'autres au sein d'une équipe d'experts: «C'est en discutant avec les architectes et avec les ingénieurs que l'artiste peut parvenir à imposer sa vision. [...] [c'est] en recherchant ce contact que débute le travail d'équipe[47].» Centrées sur le problème des ouvertures extérieures des édifices publics, les recherches de Marcelle Ferron sur le verre coloré trouvèrent une application concrète. Techniquement «il fallait donner au verre une légèreté, une grande souplesse d'écriture pour l'intégrer à l'architecture», disait l'artiste[48].

La voie d'une tradition: un art public

La recherche d'un public élargi avait poussé Marcelle Ferron à s'intéresser à d'autres médiums que l'huile et l'acrylique, à d'autres supports que la toile: «Une œuvre d'art devrait être accessible à chacun, riche ou pauvre, et devrait constituer son environnement quotidien en se rendant ou en revenant de son travail[49].» Le seul milieu des collectionneurs privés ne la satisfaisait plus[50]. L'art public permettait de travailler pour et selon un public non spécialisé, non limité dans sa perception par les conventions qui régissent le rapport traditionnel (l'espace et le temps de perception) à l'objet d'art même si, en définitive, ce sera la contemplation qui, pour cette artiste, régira la réception de l'œuvre intégrée à l'architecture. Un rapport personnel à l'œuvre d'art caractérisa toujours sa conception de la réception de l'art par le public (tableau ou œuvre monumentale). Seul le lieu de réception de l'œuvre changeait: de privé il devenait public. Cette conception d'une communication intimiste avec l'œuvre, au-delà même du médium utilisé, éclaire le sens que Marcelle Ferron donna à sa nouvelle entreprise artistique. Même si pour elle l'art public était un moyen historique de faire changer l'art de destination, son projet visait en fait la perpétuation d'une conception de l'art fondée sur la liberté de l'artiste plutôt que sur une conception véritablement collective et déhiérarchisée de la production artistique. Le travail avec des ingénieurs, designers, architectes, raison d'être du groupe Création dont elle sera une des fondatrices, apparaît, à la lumière de cette trajectoire, davantage comme la conséquence de l'impossibilité pour un individu isolé de réaliser un art public que comme le fruit d'un projet théorique et pratique d'ouverture du processus créateur à la collaboration de plusieurs individus à une production artistique où l'art ne devrait plus, à la limite, être identifié ni évalué en tant qu'art mais absorbé dans un ensemble urbain plus global[51] qui serait restructuré autrement.

Si, donc, Marcelle Ferron s'intéressa à d'autres matériaux que l'huile, notamment au verre écran, c'était «que la curiosité la poussait à découvrir de nouvelles possibilités picturales en utilisant d'autres matériaux que les seules couleurs, toiles et papier, et en même temps le désir de créer des œuvres d'art qui, dans le cadre de l'architecture moderne, trouveraient une résonance plus vive que les tableaux de chevalet[52]».

La station de métro Champ-de-Mars (1967)

Cette station, située entre le Vieux-Montréal et le centre-ville, forme un élément architectural urbain en soi. Elle constitue, la nuit, un édicule de signalisation lumineux: la station semble flotter au-dessus du sol dans une lumière rougeoyante. Mais le jour, les usagers du métro, émergeant du sous-sol, reçoivent la lumière du grand jour que filtrent les murs de verre animés par de grands axes de zones colorées. Cet édifice-édicule existe en tant que contexte lumineux et temporel (intérieur ou extérieur) et en tant que contexte spatio-fonctionnel (le passage des gens): il n'est pas une *architecture* dans le sens conventionnel du terme mais un *signal*, tout en étant un lieu de passage; il fait partie d'une logique urbaine et environnementale qui transforme des éléments de signalisation en bâti. Marcelle Ferron a contribué à sensibiliser une génération d'artistes et d'architectes à la nécessité, pour le public, d'avoir accès à l'art dans des lieux entièrement ouverts et fonctionnels, et ce dans un contexte de changement social et de détermination d'une identité culturelle. En ce sens, son projet d'*artiste* s'inscrit dans une perspective proprement libérale de la société actuelle tout en gardant, contrairement au projet de Mousseau, la foi en l'individualité de l'artiste dans sa pratique spécifique.

La réception des verres écrans fut très positive, tant du côté des institutions de diffusion les plus importantes — le Musée d'art contemporain et le Musée de Québec les exposèrent à l'automne 1966 — que du côté de la critique qui fut unanime à en souligner le potentiel d'intégration à l'architecture publique: «Jusqu'ici, la nouvelle la plus sensationnelle de la saison fut la révélation, faite à la fin de l'année, par l'exposition des grandes verrières modulaires de Marcelle Ferron au Musée d'art contemporain[53].»

Il faut souligner qu'une autre artiste, Laure Major, avait tout de même précédé Marcelle Ferron dans le domaine de l'intégration de l'art à l'architecture: reconnue comme une des peintres les plus importantes de la relève post-automatiste (1959), elle s'était engagée activement dans le rapport art-architecture à partir de 1960. À la différence de Marcelle Ferron, Laure Major ne reçut pas d'attention particulière de la part des critiques pour ses réalisations en ce domaine, bien qu'elle fût l'auteure de nombreux projets en collaboration entre 1962 et 1969. Situés dans des lieux peu prestigieux (des écoles surtout), ses travaux étaient très peu accessibles tant au grand public qu'aux critiques[54].

Cette constatation montre la difficulté pour tout artiste de se manifester en dehors des lieux désignés d'exposition. Situées hors circuit, les productions sont plus difficilement objets de discours et de réflexion sur l'art, du fait même de leur fonction dans un lieu donné.

Arts textiles: du mineur au majeur

Dans la problématique de l'intégration de l'art à l'architecture, une place importante doit être donnée à la tapisserie, traditionnellement considérée comme art décoratif et comme art mineur: au cours des années soixante, elle acquit une légitimité et une reconnaissance dans le champ de l'art contemporain ici, en Amérique du Nord, mais aussi en Europe, et l'importance d'artistes québécois dans ce domaine est à souligner.

Dans les limites de l'art public, la tapisserie présentait une valeur architectonique monumentale, mais permettait également de modifier l'ambiance d'un lieu. Les éléments intrinsèques à cette discipline — facture, étapes de conception et de réalisation, nature des matériaux et des supports — ne feront l'objet que de rapides indications, étant donné que ce n'est pas ici notre propos.

Les tapisseries réalisées par Micheline Beauchemin, Mariette Rousseau-Vermette, Fernand Daudelin n'eurent pas toutes valeur architecturale, car toutes n'étaient pas destinées à s'intégrer à cet environnement. La présente étude concerne d'abord et avant tout les œuvres à destination publique, la plupart situées dans des édifices modernes et industriels. Cette présentation et cette analyse se limiteront à certaines œuvres de Micheline Beauchemin et de Mariette Rousseau-Vermette: la polyvalence dans le traitement des médiums, l'importance monumentale et technique de leurs tapisseries (tel le rideau de scène pour l'Opéra du Centre national des arts du Canada à Ottawa, de Micheline Beauchemin) suffiront à situer l'apport de cette discipline au domaine de l'intégration de l'art à l'architecture.

Mariette Rousseau-Vermette

Lors d'une exposition (Triennale de Milan, *Arts et architecture*, 1968), Mariette Rousseau-Vermette résumait ainsi son engagement quant à la question de l'intégration de l'art à l'architecture: «Je veux transmettre à la ville et aux édifices publics le sentiment de plénitude propre à la beauté et au calme de la nature[56].» À son tour, l'auteur André Kuenzi soulignait la fonction esthétique des tapisseries de cette artiste: «Les tapisseries de Rousseau-Vermette ont, comme une nature reprenant le dessus sur le désert des villes, envahi peu à peu le béton de nos murs [...], liées à la naissance de nouveaux édifices. [...] œuvre tissée originale, parfaitement adaptée à l'architecture contemporaine et aux besoins physiques et psychiques créés par les rigueurs de la nature canadienne[57].»

Mariette Rousseau-Vermette réalisa, pour le John F. Kennedy Center, un rideau de scène[58] qui fut considéré comme l'«intégration parfaite d'une œuvre d'art dans un environnement architectural[59]», selon les architectes de l'édifice. L'art intégré dans l'architecture publique faite de béton et de verre, d'espaces anonymes et froids, était considéré comme une halte nécessaire de chaleur, de couleur, de douceur: le «pont sensible entre l'homme et le béton[60]».

Chez Mariette Rousseau-Vermette, il n'y eut pas le geste initial, comme ce fut le cas chez Micheline Beauchemin, d'une remise en question des techniques et matériaux traditionnels de la tapisserie. Elle utilisa, dès le début de sa carrière, les données et moyens traditionnels de la tapisserie considérée alors comme *art mineur* dans le système des beaux-arts.

Elle avait reçu sa formation à l'École des beaux-arts de Québec et fait un stage d'un an dans les ateliers de Dorothy Liebes à San Francisco, qui contribuait alors à moderniser l'esprit et les matériaux du tissage. L'obtention en 1957, pour une tapisserie tissée d'après un dessin original de Fernand Leduc, du premier prix des Concours artistiques de la province, puis en 1960 l'obtention du deuxième prix offert par la Canadian Handicraft Guild, contribuèrent à encourager chez Mariette Rousseau-Vermette des passages de plus en plus fréquents entre *arts mineurs* (tapisserie, tissage) et *arts majeurs* (sculpture, peinture, architecture).

L'utilisation de la laine comme matériau unique (*Contrastes*, 1965) — du moins au cours des années soixante — ainsi que l'usage du métier à tisser traditionnel étaient significatifs d'une conception qui privilégiait davantage les continuités que les ruptures.

Dès la fin des années cinquante, des expositions dans les galeries et institutions d'art avaient confirmé la position de Rousseau-Vermette comme artiste, et non comme artisane, et conféré une qualité artistique à ses productions. Si d'abord elle s'était consacrée à la réalisation de cartons d'artistes plasticiens (Fernand Leduc, Jean-Paul Mousseau, Guido Molinari), cette artiste exposa (automne 1961) des œuvres de grand format, d'après ses propres cartons, à la galerie Norton du Musée des beaux-arts de Montréal: ces œuvres de laine avaient été exécutées à partir d'esquisses au pastel et conçues dans le processus même de manipulation des laines. La gamme et l'intensité des couleurs inusitées, ainsi que le traitement de la laine, qui leur donnait une texture, une profondeur peu communes, singularisèrent ces œuvres dans les biennales internationales de la tapisserie (Lausanne) inaugurées en 1962, événement auquel l'artiste participait régulièrement. Ses tapisseries étaient véritablement de l'art intégré à l'architecture: de grand format, elles soulignaient les éléments structuraux et spatiaux des ouvrages où elles s'inséraient (*Vers l'azur des lyres*, 1968, ill. 38). *Soleil* (2,46 m sur 8 m), tapisserie réalisée pour la salle de conseil du siège social de la Banque canadienne nationale à Montréal, s'étend du plafond au plancher et d'un mur à l'autre — l'intégration physique au mur étant ainsi parfaitement achevée. En 1968, Mariette Rousseau-Vermette réalisait *Sous-bois à l'automne* (5,23 m sur 3,38 m) pour la compagnie internationale de bois MacMillan Bloedel à Vancouver et, dans ce cas précis, l'artiste avait travaillé avec l'architecte dès le moment de la conception de l'édifice.

Il faut rappeler que la monumentalité de ces tapisseries n'avait été possible que grâce à des commandes de firmes (privées ou publiques), ce qui explique le rapport privilégié à l'architecture industrielle qui avait cours dans les années soixante au Québec. C'est alors que la tapisserie a contribué à tracer les contours de l'art canadien sur la scène nationale et internationale[61]: en 1970, le Québec était encore vu comme un leader au sein de l'art canadien lors de l'Exposition universelle d'Osaka, et la tapisserie, considérée comme un art d'environnement au même titre que les murales de Mario Merola et de Louis Jaque présentées à Osaka dans le pavillon du Québec[62], avait largement contribué à cette notoriété.

Une exposition intitulée *Exposition environnement* qui eut lieu à l'automne 1969[63] ajouta une dimension particulière à la question du rapport art-architecture: des artistes s'étaient réunis pour réaliser un environnement autonome fondé sur l'intégration de leurs œuvres les unes aux autres: les aluchromies de Réal Arsenault, les laines de Mariette Rousseau-Vermette, les éléments en céramique de Robert Savoie constituaient un tout dont les articulations allaient ainsi davantage vers la notion d'*arts intégrés* que vers celle d'intégration de l'art à l'architecture. Les pièces jouaient dans un même sens chromatique, toutes en modulations de surface, et formaient entre elles un tout autonome.

Mariette Rousseau-Vermette en était donc venue à des œuvres de grand format en réponse à des commandites d'importantes corporations, ce qui l'amena à s'interroger sur les possibilités de modifier l'ambiance, l'atmosphère des lieux publics. La qualité première de ses productions se situe non dans l'innovation sur le plan de la facture, des procédés ou des matériaux utilisés, mais dans leur insertion dans des espaces publics ou semi-publics, et dans leur monumentalité. L'artiste contribua à faire de la tapisserie un *art majeur,* et cela principalement en fonction de son positionnement comme artiste dans le rapport — alors relativement nouveau au Québec — de l'art et de l'architecture industrielle[64].

Micheline Beauchemin

Formée à l'École des beaux-arts de Montréal de 1946 à 1951 dans la section vitrail, Micheline Beauchemin s'intéressa à la tapisserie et à la broderie à la suite d'un séjour de quelques mois en Grèce en 1955. Elle y apprit quelques techniques locales de tissage et exécuta des broderies[65] qu'elle exposa à Paris la même année avec d'autres pièces tissées, probablement les premières qu'elle ait réalisées. En juin 1957, invitée à participer à la première Exposition nationale des arts appliqués à la Galerie nationale du Canada, elle y exposa, aux côtés de trente-cinq autres participants du Québec[66], quatre œuvres[67] qui furent qualifiées de «tapis crochetés[68]» par certains critiques, de «tapisseries» par d'autres[69]. Déjà l'appellation de sa production artistique faisait problème: entièrement conçues et réalisées par elle-même, ces tapisseries l'amèneront à travailler avec des exécutants.

Mentionner cet intérêt pour un artisanat local alimente la thèse selon laquelle des modifications dans le champ de la modernité en arts visuels sont souvent provoquées par des incursions dans d'autres domaines que ceux des disciplines traditionnelles en art: ainsi l'intrusion d'un «art populaire» (tapis crocheté) dans le domaine de la tapisserie (de haute et de basse lice) aura entraîné une rupture d'avec les méthodes conventionnelles et traditionnelles dans ce domaine et l'entrée de cet art dans les enjeux de la modernité (nouveauté, déconstruction, décloisonnement). La tapisserie ainsi renouvelée fut considérée par Micheline Beauchemin comme pratique artistique au même titre que la peinture ou la sculpture, puis la critique et le public la suivirent. Avec d'autres artistes (par exemple Charlotte Lindgren, d'Halifax, Denise Beaudin, de Montréal), Beauchemin fut à l'origine d'une rupture et d'un renouvellement de cette discipline avant même qu'elle soit prise en charge par la Biennale internationale de la tapisserie (Lausanne) à partir de 1962. Dans ce haut lieu de la nouvelle tapisserie, il y eut d'ailleurs crise lorsqu'on introduisit des techniques autres que celles de la haute et basse lice et des emprunts de toutes sortes (techniques de tissage, matériaux divers…) d'éléments nouveaux qui firent que l'appellation même de tapisserie fut mise en question.

Problématique art/artisanat

Autrefois la tapisserie avait été largement pratiquée au Canada français dans les milieux ruraux. Sa réinsertion dans un milieu urbain et sa transformation, au contact de nouveaux besoins tant environnementaux que technologiques, n'étaient pas pour déplaire aux tenants d'un néo-nationalime culturel. La critique d'art américaine Lucy Lippard[70] a souligné combien il est important, dans les rapports des artistes avec le public, qu'il y ait des voies communes de communication pour que des changements et des mutations surviennent dans le champ artistique. Dans la problématique qui nous intéresse ici, il arriva un moment dans la décennie 1960 qui permit de légitimer l'introduction de moyens et de pratiques culturelles (artisanales et populaires) étrangers aux arts plastiques traditionnels sans pour autant entraîner une régression ou une banalisation. Micheline Beauchemin fut parmi les artistes qui élargirent la notion et les moyens de l'art, rappelant aux critiques d'art le potentiel expressif d'un humble médium artisanal utilisé à des fins et dans un contexte complètement différents. Le glissement d'une culture artisanale et folklorique à une culture savante et urbaine[71] fut ainsi revendiqué et réalisé en regard d'une problématique purement artistique: l'expression colorée.

On sait combien la notion de nouveauté a constitué un des éléments importants de la modernité en arts: elle a qualifié le travail de cette artiste, autant par la façon dont cette dernière réutilisa une simple technique artisanale que par le rapport qu'elle établit entre l'art et l'architecture. En ce sens, le renouveau chez Micheline Beauchemin résida davantage dans sa façon de traiter l'objet dans l'espace que dans l'utilisation inusitée de matériaux hétéroclites[72] et de techniques et procédés non spécifiquement artistiques. Elle se rallia à une problématique spatiale dans laquelle la couleur-lumière, fondement de l'expression, était centrale, modifiant ainsi l'idée qu'on avait eue de l'art mural jusque-là, au Québec du moins: «Muraille et non murale parce que, pour moi, une murale est intégrée à un mur tandis que mes tapisseries peuvent s'ériger dans le vide», dit-elle[73]. Micheline Beauchemin visait à ren-

dre accessible au public une expression artistique fondée sur
l'expression du sujet face au monde. À l'égard de cette mission première de l'art — qui avait été celle de la génération
des automatistes et des post-automatistes —, elle n'adopta
pas le discours fonctionnaliste et participationnel, ni le discours techniciste qu'entraîna alors le questionnement du rôle
de l'artiste dans une société en voie de mutation.

Beauchemin insista sur l'autonomie de sa pratique: «Explorer le plus grand nombre de matériaux, mettre en évidence les contrastes entre ceux-ci et capter le plus de lumière
possible à la recherche de formes que l'on ne peut créer en
peinture, voilà ce qui m'intéresse.» «Recherche d'avant-
garde», son travail artistique est «ouvert sur l'avenir», écrivait le critique Laurent Lamy après Yves Robillard, et Robert
Ayre (*The Gazette*) comparait avantageusement l'artiste aux
Européens et aux Américains dans ce domaine.

Dans ses quelques écrits, déclarations ou entrevues, Micheline Beauchemin a qualifié son activité artistique d'invention, de jeu, de plaisir, de découverte, de lien nouveau établi
entre les éléments colorés et les textures. On peut se demander pourquoi cette artiste a consacré plus d'énergie et de
temps à la réalisation de rideaux de scène (auxquels elle
consacra la majeure partie de son temps dans les années
soixante et soixante-dix) qu'à des œuvres plus autonomes et
libres. C'est que ces œuvres monumentales répondaient à des
commandes dont il est impossible pour un artiste de se dégager quand il s'agit du rapport art-architecture[74]. Les «murs
flexibles» (en anglais: *Wall Hangings*) de Micheline Beauchemin furent unanimement reçus comme œuvres d'art majeur,
par leur valeur intrinsèque fondée sur la luminosité et le jeu
dans l'espace, en même temps que comme œuvres d'art
public.

Ces «murs flexibles» que Micheline Beauchemin avait
exposés en 1967 à l'Université McGill constituèrent l'apogée
de son projet de décloisonnement de l'art et l'architecture.
Yves Robillard écrivait à ce propos:

> De nos jours, Micheline Beauchemin et beaucoup d'au-
> tres artistes conçoivent tout à fait différemment leur

métier. Ils isolent les espaces intérieurs, cherchent à créer dans chacun de ceux-ci une ambiance spéciale, sont à l'affût des nouveaux matériaux pour tous les effets qu'ils pourront en tirer et désirent travailler avec l'architecte à l'élaboration de murs, plafonds, cloisons qui pourraient être mobiles, etc. L'art de la tapisserie aujourd'hui tend à tout englober ou à devenir autre chose[75].

En 1966, Claude Gauvreau avait justement distingué entre la tapisserie («une affaire personnelle entre elle et des formes et couleurs, un problème ou une fête») et le rideau de scène («tenir compte de toutes les exigences techniques, du contexte architectural[76]»): dans l'exposition à l'Université McGill, Micheline Beauchemin exposait donc, avec les «murs flexibles», une sorte de synthèse de ces deux catégories d'œuvres.

La critique hésitait à nommer ses œuvres «tapisseries». Micheline Beauchemin se servait donc de la tradition plutôt qu'elle ne la servait: «Ceux qui croient que l'art a besoin d'être soutenu par des techniques traditionnelles sont dés-orientés par la liberté que Micheline Beauchemin prend avec le procédé. [...] Cette jeune femme a l'étoffe d'un créateur [...]. Ouvrir des voies, être un défricheur, tel est son destin[77].»

Certains critiques d'art saisirent la portée culturelle et conceptuelle des œuvres de cette artiste, reconnurent sa pra-tique novatrice inscrite dans un contexte architectural fran-chement moderne. Cette reconnaissance n'était peut-être pas étrangère aux mouvements sociaux et culturels qui avaient commencé avec la Révolution tranquille: une ère culturelle nouvelle amenait certains artistes à tracer les contours d'une identité québécoise fondée en partie sur la redécouverte de traditions artisanales et architecturales d'un patrimoine ou «matrimoine» culturel désaliéné, libéré des valeurs d'oppres-sion contre lesquelles les signataires du *Refus global* s'étaient rebellés en 1948.

De nouvelles façons de voir, de sentir, d'agir, permet-taient donc de s'inscrire dans la modernité tout en gardant des traits spécifiques issus d'une tradition locale.

Art novateur et art public

Lors d'une exposition itinérante organisée en 1960 par la Galerie nationale du Canada (aujourd'hui le Musée des beaux-arts du Canada) et intitulée *Canadian Artists (Series III)*, Micheline Beauchemin et Mariette Rousseau-Vermette présentèrent dans deux courts textes leur conception de l'art[78]: elles assignaient entre autres un nouveau rôle à l'art vivant des années soixante par la voie de l'intégration de l'art à l'architecture. La valeur monumentale de la tapisserie, l'adaptabilité de ce médium aux nécessités architecturales et monumentales, le potentiel de transformation des modes artisanaux de réalisation et d'exécution en techniques sophistiquées constituèrent des traits novateurs, en particulier chez Micheline Beauchemin qui, travaillant davantage avec des décorateurs et des architectes, soulignait le rôle primordial que pouvait jouer la tapisserie dans un contexte architectural.

À partir de 1967, elle répondit presque exclusivement à des commandes de tapisserie de haute et de basse lice[79] à l'exception, comme on le sait, des «murs flexibles[80]» et du monumental rideau de scène du Centre national des arts (salle d'opéra, ill. 37), à Ottawa (1968[81]). Cela n'était peut-être pas tout à fait indifférent au statut d'*objet*, vers lequel glissait de plus en plus la nouvelle tapisserie par rapport à la fonction d'intégration à l'architecture.

Le rideau de scène de la salle d'opéra du Centre national des arts (1968)

Les très grandes dimensions de ce rideau en font une sorte de monument mobile qui s'abaisse et s'élève lentement pour ouvrir ou pour clore l'espace scénique de l'Opéra du Centre national des arts. La frontalité est résolument affirmée par ces panneaux de matière rutilante et vivement colorée qui se chevauchent dans une géométrie approximative (en apparence seulement) fondée sur les jeux simultanés des pans de couleurs. La mobilité virtuelle de cette œuvre est un effet du jeu des lumières sur les textures du rideau de scène: cette mobilité sollicite l'œil et le regard du spectateur, non son corps — ce qui d'ailleurs est dans la logique du lieu même.

Plutôt que de transparence, il s'agit ici d'opacité lumineuse: il n'y a aucune profondeur en jeu, ce qui serait en contradiction avec la fonction du rideau de scène; tout se joue en frontalité et dans la qualité de plan (plutôt que dans la profondeur) du rideau. Le regard n'est pas sollicité de gauche à droite, ni de bas en haut: il s'agit plutôt d'une sorte de mouvement «sur place», quasi immobile, de la matière colorée et brillante suspendue entre la scène et le public, sorte de membrane entre deux mondes, l'un concret, l'autre fictif. Le rideau fait office tout à la fois d'écran de projection et d'élément de séparation entre la fiction et la réalité, entre la scène et le public, la masse rutilante et chatoyante des fibres suspendues créant une sorte de fascination immobilisant le regard des spectateurs pour les mettre en attente.

Les agents politiques et culturels de la Révolution tranquille considérèrent pendant une certain temps[82] l'art comme un facteur de progrès social et de réconciliation des espaces socio-économiques et culturels. Le lien entre l'ancien (artisanat) et le moderne (art vivant) représenta, par analogie, le lien entre le savoir-faire traditionnel et l'économie de type industriel, entre l'entrepreneurship novateur et l'art actuel — leur production respective s'inscrivant dans un même paradigme de fonctionnement social. Micheline Beauchemin réconciliait la tradition et la novation, affirmait paradoxalement une autonomie propre à l'art moderniste (peinture et sculpture) pour des œuvres destinées aux lieux publics et mettait en veilleuse l'appellation d'art décoratif trop marquée de traditionalisme et d'inféodation à un modèle préétabli et conventionnel.

La tapisserie comme discipline spécifique s'est ainsi redéfinie en fonction de paramètres modernistes (autonomie, spécificité) dans un projet de démocratisation et de fonctionnalisation de l'art actuel, rejoignant transitoirement le projet de politique culturelle du ministre de la Jeunesse dans le gouvernement Lesage, Paul Gérin-Lajoie[83].

Micheline Beauchemin sut discerner ces enjeux: elle remit en question l'adéquation figée entre tissage et tapisserie pour faire accéder cette dernière au rang de pratique artistique novatrice et autonome, ne donnant aux médiums et aux techniques que le statut de moyens matériels et de processus de fabrication et non celui de définisseur premier de la discipline — comme il était courant dans cette période où les nouvelles technologies surent capter l'imagination de tant d'artistes, surtout nord-américains.

Dans les années soixante, Micheline Beauchemin contribua donc à l'éclatement de la notion d'*art mural* en optant pour la disposition de ses œuvres dans l'espace dont elle prenait ainsi littéralement possession. La technologie sophistiquée qui lui permettra de réaliser ses rideaux de scène monumentaux lui vint du Japon (où le rideau de scène constitue une catégorie d'art décoratif). Mais Beauchemin se situa pour une grande partie de sa production (jusqu'en 1970) dans le champ d'un «art d'ambiance», à mi-chemin entre la tradition des arts décoratifs et un art intégré à l'architecture (à cause des dimensions de ses œuvres et de leur destination).

La tapisserie de Micheline Beauchemin a accédé au rang d'art tant par la rupture que l'artiste a opérée sur le plan technique et technologique que par le projet d'amener sur la place publique un art d'expression dont les qualités spécifiques remplacent les valeurs traditionnelles décoratives auxquelles la tapisserie n'avait pas dérogé depuis longtemps, à quelques exceptions près.

Art intégré

La notion d'*art intégré*, comme nous l'avons définie précédemment, concerne les réalisations qui, au risque de perdre leur signification, ne peuvent être isolées du contexte spatial ou architectural pour et dans lequel elles ont été conçues et réalisées. Les principaux travaux de Mario Merola s'inscrivirent dans une telle perspective, de même que les murales extérieures de Rita Letendre et les œuvres intégrées de Laure Major.

Mario Merola

Dès la fin des années cinquante, Mario Merola fut considéré comme artiste-designer. Dans le domaine de l'intégration de l'art à l'architecture, il contribua à la mise en place d'une nouvelle figure de l'artiste au profil plus fonctionnaliste, pour qui l'expression de la subjectivité était remplacée par un intérêt marqué pour des problèmes d'organisation spatiale et colorée.

Contrairement à la plupart des artistes qui, pour s'inscrire dans une perspective d'intégration, réorientaient leur pratique picturale (Marcelle Ferron, Jean Lefébure, Laure Major, par exemple), Merola produisit dès le début de sa carrière pour et dans l'espace public et pour des édifices urbains. À vingt-six ans, il gagnait le premier prix du Concours national pour l'exécution d'une murale au pavillon du Canada de l'Exposition internationale de Bruxelles tenue en 1958. Par la suite, il exécuta annuellement des murales dans des écoles, des centres commerciaux, des banques, des centres sportifs et autres lieux publics.

Le souci de s'adresser à un nouveau public et à un public plus large fut au centre du projet créateur des artistes intéressés à réaliser des œuvres destinées à un lieu public déterminé. Cette dimension d'*art public* fut marquée institutionnellement par la présentation d'une exposition traitant justement du rapport art-architecture au Musée d'art contemporain à Montréal en 1965: un ensemble de photographies portant sur des recherches architecturales et sculpturales d'André Bloc était présenté en même temps que des photographies de murales réalisées au Québec par Jordi Bonet, Charles Daudelin, Mario Merola, Ulysse Comtois, Maurice Savoie en collaboration avec des architectes. La même année, la galerie Soixante exposa différents types d'échantillons du savoir-faire technique et plastique des muralistes (Ferron, Bonet, Lefébure, Merola, Mousseau, Alleyn) dans le cadre précis de l'intégration de l'art à l'architecture. Si pour Merola l'expérience n'était pas nouvelle, elle l'était pour plusieurs qui réorientaient ainsi leur pratique picturale vers une fonction différente et collective de l'art. C'est dans la perspective d'un tel courant que le rôle de Mario Merola est à réévaluer aujourd'hui. Mais cet artiste n'axa pas sa pratique sur l'utopie d'un art total auquel aspiraient alors Jean-Paul Mousseau, Yvette Bisson ou Maurice Demers. Ses réalisations rendaient accessible l'art abstrait autrement peu fréquenté par le grand public: ses interventions dans les édifices publics étaient moins un ajout décoratif à l'architecture existante (dans le sens de simple enjolivement) qu'une insertion fonctionnelle d'éléments visuels et plastiques qui rehaussaient ou bien encore unifiaient un espace architectural préexistant.

Comme nous l'avons mentionné, Merola se situa entre l'artiste et le designer et proposa ainsi l'image d'un artiste non héroïque mais efficace, se soumettant à des besoins précis reliés aux espaces de l'architecture industrielle et urbaine. C'était là une position révolutionnaire, et il n'est pas surprenant que certains considérèrent que la vraie relève en art se manifestait davantage chez les architectes que chez les peintres (c'est d'ailleurs dans une telle perspective historique qu'il faut situer l'œuvre actuelle de Melvin Charney, architecte-artiste). Merola fut alors l'un des rares artistes avec Jean-Paul Mousseau à tenir et à justifier cette position mitoyenne qui l'avait fait engager dans un bureau d'architectes à titre de coloriste-conseil. Certains critiques voyaient même en lui la preuve qu'un nouveau rôle social était possible pour l'artiste[84].

Les valeurs prônées ne visaient pas un changement culturel radical (telle la modification des comportements et des perceptions). Merola souhaitait une harmonisation de l'architecture par l'art plutôt qu'une intégration nécessaire de l'art aux structures architectoniques — ce que Mousseau avait réussi à faire dans ses Moussespathèque. Les murales de Merola consistaient en la modulation colorée de surfaces et en des jeux de textures. Elles étaient souvent faites de bois: bandes verticales formées d'angles de bois peint, les effets optiques variaient selon les changements d'éclairage ou le déplacement des spectateurs. Merola utilisait le bois, mais aussi le ciment texturé, la céramique, la brique, les polymères. Le souci de préserver des valeurs culturelles et symboliques fondait l'utilisation des matériaux au naturel. Pour une raison analogue, Mariette Rousseau-Vermette faisait exclusivement usage de la laine des moutons de l'île aux Coudres et teinte dans la région de Charlevoix. Merola affirmait au sujet du bois qu'il utilisait: «Je me fabrique un langage, des symboles, une sorte de sémantique. Pour moi, les bois utilisés, c'est la forêt; les bronzes traités chimiquement, c'est l'industrie; certains agrégats verts, c'est les cours d'eau; et ainsi de suite[85].» Ces deux artistes conférèrent une *mémoire* aux matériaux traditionnels qu'ils utilisaient comme antidote à la froideur et à la sécheresse des espaces architecturaux modernes. Merola souhaitait, comme Mousseau avec sa murale chez Hydro-Québec, contribuer à l'«esthétisation» de l'environnement et établir un consensus au sujet des valeurs reliées à l'art dans les édifices publics.

Merola assuma à ce titre un double rôle — celui de designer et celui d'artiste —, en tentant d'amener dans ces champs respectifs les traits de la modernité. En tant qu'artiste, il se rattacha au formalisme géométrique reconnu dans le courant plasticien[86], ses recherches picturales étant axées sur la modulation de l'espace tridimensionnel par les variations de la lumière, les réflexions colorées des surfaces murales, et cela bien que l'effet visuel produit soit indissociable de l'espace ambiant. Merola ne dérogea pas de l'espace plan et stable du mur; il avait quelque affinité avec l'artiste européen Agam qui exploita davantage les valeurs cinétiques des modulations colorées: l'œuvre se modifiait littéralement au fur et à mesure des déplacements du spectateur. Chez Merola, cette dimension cinétique n'était pas, contrairement à Agam, le principal effet visé: «Je cherche avant tout à affirmer la frontalité dans des œuvres plus rapprochées des exigences architecturales que cinétiques[87]», disait-il.

L'œuvre majeure de Merola, dans le domaine de l'intégration des arts, fut une fontaine réalisée pour l'Expo 67 (*Kalena*, 1967, ill. 45), installée à côté du pavillon de l'URSS: quatre plans de ciment gris à la surface modulée étaient disposés autour d'un plan d'eau. La réalisation de cet ensemble contrastait avec l'activité qui avait été sienne jusque-là en tant que muraliste, mais cette œuvre représentait l'aboutissement d'une démarche dans laquelle artiste et designer se confondaient.

La polémique engagée à l'occasion de la décoration du métro de Montréal au cours de ces années montre bien que, pour une majorité d'artistes, de critiques et de membres du milieu artistique, il y avait une opposition grandissante entre ce milieu artistique et les pouvoirs politiques municipaux personnifiés par le maire Jean Drapeau et le responsable de la décoration du métro, le caricaturiste Robert Lapalme. Pour ces derniers, l'art décoratif public devait véhiculer un message et être figuratif et narratif.

Vue d'abord comme agrément visuel à valeur didactique, la décoration du métro de Montréal devait comporter des thèmes historiques destinés à être lus par des publics considérés de prime abord comme passifs plutôt que comme mobiles et transitoires. Deux exceptions y figurent toutefois: la station Champ-de-Mars et la station Peel, où respectivement Marcelle Ferron et Jean-Paul Mousseau surent imposer leur projet.

Il faut rappeler ici des éléments de ce débat sur la fonction didactique de l'art moderne dans le contexte d'un art public. L'argument des autorités municipales était le suivant: «Nous n'allons pas prendre l'art et mettre l'histoire dedans; l'histoire vient en premier», soutenait Robert Lapalme. Merola, lui, était le porte-parole des artistes en tant que président de la Société des artistes professionnels du Québec (SAPQ); une pétition avait été envoyée[88] dénonçant une conception de l'art public contraire aux vues de la communauté artistique. Celle-ci voulait prendre en charge le site, alléguant que la rapidité de circulation des passagers les empêcherait de déchiffrer des thèmes quelque peu élaborés sur le plan narratif. Cela fut une des rares occasions où les questions de perception et de réception de l'art actuel furent abordées publiquement; il faudra attendre la «loi du 1 %» pour que la rencontre art-architecture soit considérée comme lieu de véritable pratique artistique par les autorités municipales et gouvernementales.

De plus, on hésitait à conférer la qualité d'art actuel aux manifestations d'art public tantôt désignées *art*, tantôt *arts appliqués*. Encore en 1967, les œuvres gagnantes achetées par le Musée d'art contemporain de Montréal et le Musée du Québec après les Concours artistiques furent présentées en deux temps et deux lieux, selon leur appartenance à l'art (autonome) ou à l'art décoratif (intégré, appliqué...). À Montréal furent présentées les œuvres dites d'«arts gratuits», à Québec les œuvres d'arts appliqués (tissu, tapisserie, céramique, orfèvrerie); une œuvre de Merola faisait partie de cette dernière exposition.

Bien que les œuvres bidimensionnelles de Merola se soient rattachées sur le plan pictural à un géométrisme abstrait proche des peintres plasticiens, elles étaient présentées dans un contexte d'arts appliqués, car elles étaient réalisées pour s'intégrer à l'architecture. L'ambiguïté de cette situation révélait le positionnement difficile de cette forme d'art public dans le champ de l'art savant de l'époque.

Rita Letendre

Rita Letendre réalisa dans la seconde partie de la décennie 1960 quelques peintures murales sur des murs extérieurs d'édifices publics. Son engagement dans le domaine de l'art public coïncida avec une modification stylistique qui la fit passer, à partir de 1965, d'une gestualité lyrique à un géométrisme *hard-edge* dans sa peinture et ses œuvres gravées. Cette artiste avait été reconnue jusqu'alors comme l'une des représentantes majeures de la peinture gestuelle post-automatiste. En 1965, lors d'un séjour en Californie, elle avait participé au premier symposium américain de sculpture — le California International Sculpture Symposium — au California State College[89] de Long Beach. Seule peintre et seule femme du groupe, elle y participa à titre de muraliste. Le site de son intervention fut un mur[90] situé à trois mètres au-dessus d'un passage très fréquenté du campus. Cette murale en résine époxy intitulée *Sunforce* (6,4 m sur 7,6 m) fut conçue comme un élément dynamisant: c'était la projection à travers l'espace d'une forme jaune vif contre une autre forme noire qui, sous l'impact, se fragmentait. Les passants entraient littéralement dans la peinture et en éprouvaient un choc visuel. L'expérience du grand format, des formes simplifiées et *hard-edge* destinées à être vues de loin et dans un espace ouvert eurent des conséquences immédiates sur la production picturale de Rita Letendre: «Il fallait adapter ma peinture à ces exigences. Impossible d'employer des jeux de textures, de matières qui seraient imperceptibles à cette distance. L'ensemble aurait paru sale et confus», déclarait l'artiste[91]. Quelques réalisations de ce genre la confortèrent dans ses nouvelles options formelles et réorientèrent profondément sa carrière d'artiste en la confirmant comme peintre et graveure.

Laure Major

La démarche de Laure Major dans le domaine de l'intégration de l'art fut tout autre et l'amena au contraire en marge du champ de l'art moderniste.

L'importance de cette artiste dans le domaine étudié ici s'évalue en fonction d'une intégration plus structurelle à l'environnement architectural que ce ne fut le cas pour Rita Letendre. Cette pratique canalisa la quasi-totalité de sa production artistique à partir de 1960.

La reconnaissance de Major comme peintre avait été suivie de peu par son engagement dans des projets d'intégration de l'art à l'architecture, en collaboration avec l'architecte Louis J. Lapierre et des artistes tels Yves Trudeau, Marcel Braitstein, Roland Giguère. Dès 1960, elle réalisa plusieurs projets de murales pour des piscines[92], pour des espaces extérieurs et intérieurs dans les régions d'Ottawa et de Montréal. En 1965, son apport à l'intégration de l'art à l'architecture était assez important pour qu'on l'inclue dans une exposition intitulée *Collaboration Artistes-Architectes* (juin 1965[93]) où trente et une œuvres réalisées en collaboration furent présentées. Laure Major avait continué à peindre des œuvres autonomes et les avait régulièrement exposées. Une exposition chez Denyse Delrue[94], en 1969, d'œuvres reliées à l'architecture et intitulée *Peintures et Murales*, donna un aperçu du travail plastique de cette artiste[95]. Les grandes murales en plexiglass exposées étaient destinées à être accrochées *in situ* dans l'espace[96]. Laure Major rejoignait ainsi des artistes, tel Mousseau, qui utilisaient les matériaux synthétiques et plastiques dans le contexte précis d'un art destiné aux espaces publics, dégagé de la fonction exclusive de contemplation.

Cette exposition fut la dernière manifestation de Laure Major dans le champ de l'art actuel; elle y exposait des murales faites de plusieurs couches de plexiglass, accrochées dans l'espace et traversées par la lumière. Ces murales étaient transpercées de tubes et de tiges de même matériau qui rediffusaient la lumière dans des directions multiples selon la position des tiges. Il s'agissait en fait d'échantillons plutôt que d'œuvres autonomes, et c'est probablement cette ambiguïté qui attira des commentaires peu enthousiastes sinon négatifs de la part de critiques d'art. Laure Major disparut par la suite définitivement de la scène de l'art.

On se rend bien compte de la fragilité du statut de l'artiste qui consacrait sa pratique à l'intégration de l'art à l'architecture. L'autonomie de l'art comme objet, projet majeur de toute la modernité, avait en effet exclusivement privilégié une conception de la création artistique vue comme acte individuel, prenant sa source dans une vision du monde unique, personnelle. Ici, le travail d'équipes multidisciplinaires devenait nécessaire. Laure Major, Jean-Paul Mousseau, Mario Merola, Marcelle Ferron affirmèrent ponctuellement, ou définitivement selon le cas, une conception différente de l'art. Mais pour la majorité des artistes qui se consacrèrent alors à l'intégration, cela ne modifia qu'en surface (ce qui n'est pas contradictoire) l'acte de contemplation qui sous-tend une pratique traditionnelle en art. Néanmoins, l'autonomie de l'art moderniste chez plusieurs des artistes étudiés ici s'est remarquablement adaptée aux nécessités d'un art public et monumental.

Yves-Alain Bois a fait remarquer à propos de nombreux artistes des années soixante que:

> Leur conception de l'artiste comme éveilleur demeure [...] la seule qui soit tenable. Ce rôle critique n'est pas nécessairement directement politique: dès que l'art n'est plus tenu pour un pur spectacle narcissique, [...] le ronron de l'idéologie dominante est mis en crise. Cette critique, cette mise en crise fut la tâche de l'avant-garde de ce siècle, même lorsque les œuvres ne semblaient pas aborder directement la question[97].

Les artistes québécois qui pratiquèrent l'art public et l'intégration de l'art à l'architecture contribuèrent ainsi davantage à accroître la sensibilisation à l'art actuel qu'ils et qu'elles ne fournirent un apport véritablement nouveau et original à la définition d'un art social — pour employer les termes de Marcelle Ferron. Même si l'ambition de Jean-Paul Mousseau était de changer les comportements et attitudes du public par un art total, la fonction de réchauffement d'une architecture urbaine froide et ingrate correspondait davantage à la volonté de Marcelle Ferron et de la plupart des artistes engagés dans cette problématique. Leur réflexion et leur pratique ne s'articulaient pas sur une critique négative de «l'idéologie du bon usage de la ville» telle que la définira Tafuri[98] pour qui «la ville est considérée comme une superstructure et l'art est désormais chargé d'endosser une image superstructurelle». Cette position d'arrière-garde est, selon cet auteur, renoncement à résoudre les contradictions de la ville et fait de l'art un moyen pour convaincre le public que le chaos des villes est inévitable, qu'il renferme même des richesses inexplorées.

Il importe donc de voir et de comprendre l'œuvre des artistes dont il a été ici question dans la perspective de mise en crise d'un art limité à la contemplation privée plutôt que voué à une entreprise de changement profond du rapport art-environnement et art-société. Ces artistes jouèrent néanmoins un rôle de modificateurs de l'objet d'art traditionnel par leur perspective multidisciplinaire, par la réappropriation de techniques artisanales traditionnelles à des fins tout à fait autres, par la réflexion sur la fonction de l'art public.

Il faut ajouter ici que les femmes artistes qui s'engagèrent dans ce domaine contribuèrent par ailleurs à modifier radicalement la figure traditionnelle de la femme décoratrice de son intérieur. Si le cliché d'un art décoratif spécifiquement féminin se perpétuait encore dans les années soixante au Québec, il était mis en question par le rapport établi par les femmes artistes entre l'art et l'architecture actuels. Rappelons que l'École des beaux-arts avait eu pour mission depuis 1923 l'éducation, la culture et le goût. Une grande partie de la population étudiante avait été composée de femmes: ces dernières fréquentaient l'École des beaux-arts pour parfaire leur culture et leur goût afin d'être de meilleures épouses. Trois générations de femmes (de 1923 à 1953) furent éduquées à l'activité artistique, avant qu'il y ait véritablement chez certaines d'entre elles une visée professionnelle. C'est dans ce contexte que se sont formées des artistes telles Micheline Beauchemin, Mariette Rousseau-Vermette, Marcelle Ferron, Laure Major. Chacune à sa façon et dans le contexte social et historique qui était le sien a contribué à changer le paysage idéologique lié à la position sociale des femmes dans le champ artistique de cette période mais aussi dans la société.

La dimension novatrice de leur art doit se voir en l'absence de tout modèle direct tant sur le plan de l'identité sexuelle que sur celui de leur réalisation artistique proprement dite. Elles surent utiliser toutes les ressources de leur savoir culturel (traditionnel) et de leur pratique artistique (actuelle).

Notes

1. Jean-Paul Morrisset, «Plus cent ans...», *Vie des Arts,* n° 46, 1967, p. 19.

2. Caroll Joy, «Architects, artists and engineers — Can they work together for space-age cities?», *Canadian Art,* n° 96, mars-avril 1965, p. 17-21.

3. Moriyama, architecte du Centre culturel nippon-canadien de Toronto, pensait que chaque édifice public devrait recevoir des œuvres d'art, et non seulement une sculpture dans une cour extérieure, et que les architectes devaient convaincre leur client que les beaux-arts ne sont pas uniquement un ajout décoratif, qu'ils comportent un aspect humanisant.

4. John Parkin, architecte torontois, alors président du Conseil national de design.

5. Patrick Blouin, «Sculpture au-delà, la sculpture sur la place, une promesse», *Vie des Arts,* n° 54 (spécial sculpture), printemps 1969, p. 27.

6. Le *Public Works of Art Project* fut un projet élaboré pour aider les artistes pendant la dépression en 1933. En 1934, il fut remplacé par le *Federal Art Project,* au sein de la Works Progress Administration (WPA) jusqu'en 1943, année où le projet fut abandonné.

7. Voir la revue *Architecture,* août 1965.

8. Rodolphe de Repentigny, «Le problème mural posé, mais non résolu, par plusieurs peintres», *La Presse,* 6 décembre 1957.

9. Rodolphe de Repentigny, «Photos des projets», *La Presse,* 30 novembre 1957. L'absence de moyens techniques adéquats pour réaliser ses projets poussera Micheline Beauchemin à chercher au Japon les ressources qui lui faisaient défaut au Canada.

10. Cité par Gilles Hénault, *Le Devoir,* 27 avril 1960.

11. *Ibid.*

12. Il réunissait dans un noyau initial Marcelle Ferron, Yves Trudeau, Claude Goulet, Gilles Hénault, Diane Ferron et Pierre Gauvin.

13. Bernard Lévy, «Création: opération "pourquoi pas?"», *Vie des Arts,* n° 62, printemps 1971. Cet article donne une image assez précise du groupe Création.

14. Voir à ce propos la publication sur l'*underground* en arts, dans Yves Robillard (dir.), *Québec Underground,* Montréal, Éd. Médiart, 1973, 3 vol.

15. Ne seront étudiées ici que les productions de Jean-Paul Mousseau, Marcelle Ferron, Mario Merola, Micheline Beauchemin et quelques-unes de Laure Major.
16. Gilles Hénault, préface du catalogue, *Jean-Paul Mousseau, Aspects*, pour la rétrospective consacrée à son œuvre au Musée d'art contemporain de Montréal, du 14 décembre 1967 au 28 janvier 1968.
17. *Ibid.*
18. *Objets lumineux* exposés à la galerie Delrue en 1960.
19. Édifice Hydro-Québec, boulevard René-Lévesque Est , Montréal.
20. Rodolphe de Repentigny, «Une collaboration à encourager», *La Presse*, 26 avril 1958.
21. Rodolphe de Repentigny, «De la peinture à la fabrication d'objets de plastique lumineux», *Le Droit*, 3 mars 1960.
22. Propos recueillis par Yves Lasnier, «Grâce au *plastique translucide*, le peintre Jean-Paul Mousseau a pu franchir le mur de la peinture», *Le Devoir*, 4 février 1961.
23. Exposition des œuvres de Jean-Paul Mousseau et de Mariette Rousseau-Vermette au Musée d'art contemporain de Montréal, automne 1961. Cette dernière artiste présentait de somptueuses tapisseries murales dont l'effet principal était de créer des ambiances.
24. Exposition à la galerie Soixante, 1964. Les titres de ces tableaux mobiles: *Espace-temps, modulation vert-jaune, Espace-temps, modulation rose-bleu*. Ils mesuraient chacun 91,44 cm de diamètre.
25. Pierre Bourgault, «Je ne suis pas né pour un petit pain», *La Presse*, 8 février 1964.
26. Rapporté dans «Un défilé de la Saint-Jean qui collera au peuple», *La Patrie*, 18 juin 1964.
27. *Ibid.*
28. Gérald Godin, «"Ici tu plies ou tu crèves", Mousseau», *Maclean*, octobre 1964.
29. *Ibid.*
30. *Ibid.*
31. Galerie Soixante, Montréal, automne 1965.
32. Il y avait cinquante cercles de 1,82 m de diamètre, six cercles de 3,64 m de diamètre, sur les murs et les planchers. On comptait vingt-six couleurs.
33. Claude Daigneault, «Mousseau et la conscience du moment présent dans l'art», *Le Soleil*, 20 mai 1967.
34. Manuel Maître, «La Moussespacthèque [*sic*]», *La Patrie*, 28 août 1966.
35. *Ibid.*
36. Propos recueillis par Yves Lasnier, *loc. cit.*
37. *Ibid.*
38. Marcelle Ferron y avait présenté deux «vitraux plasticiens». Claude Jasmin, le critique d'art de *La Presse*, avait écrit qu'elle était «la sœur de l'écrivain». («Muralistes à la galerie Soixante», *La Presse*, 9 octobre 1965.)
39. Laurent Lamy, «L'art du vitrail: Marcelle Ferron», *Catalogue Marcelle Ferron de 1945 à 1970*, Montréal, Musée d'art contemporain, exposition du 8 avril au 31 mai 1970.

40. Glenn Howarth, «Glass to look at», *The Montreal Star*, 31 octobre 1970. «*The most advanced technique in modern stained glass was invented by Marcelle Ferron, a French Canadian artist.* [...] *She calls this technique Thermo Stained Glass.* [...] *The windows of the Champ de Mars Metro station were made with this technique and will weather the Canadian climate indefinitely.* [They] *are one of the boldest uses of stained glass in Montreal.*»

41. *Ibid.*

42. Claude Jasmin, *loc. cit.*

43. *Ibid.*

44. La plupart étaient de 7,62 cm sur 25,4 cm, quelques-uns de 25,4 cm sur 25,4 cm.

45. L'exposition eut lieu du 29 novembre 1966 au 8 janvier 1967.

46. «Musée d'art contemporain», *Culture vivante*, n° 4, 1966.

47. *Verrières Marcelle Ferron*, catalogue d'exposition, Montréal, Musée d'art contemporain. Propos recueillis par France O'Leary, 1966.

48. Une technique appropriée avait été mise au point par Jacques Michel en France. La fiche technique publiée par Marcelle Ferron, concernant l'utilisation du verre écran à la station de métro Champ-de-Mars (1967), rend compte des propriétés et des modes d'utilisation du verre écran: «Le verre. Le verre couleur Saint-Just fabriqué par Saint-Gobain, est un verre soufflé à la canne, teinté dans la masse, dont les irrégularités et les dégradés lui donnent une riche beauté. Les 3000 teintes disponibles donnent à l'artiste des possibilités d'expressions pratiquement illimitées. La haute qualité et la richesse du verre de couleur Saint-Just en font un matériau de choix pour les architectes et les décorateurs...» (*Ibid.*)

49. Donna Flint, *ibid.* «Je veux que mon art entoure le monde ordinaire de bonheur et de couleur», déclarait Marcelle Ferron.

50. Normand Thériault, «Marcelle Ferron: peindre sans peindre», *La Presse*, 11 avril 1970. Lors de sa rétrospective au Musée d'art contemporain en 1970, l'artiste traça la trajectoire de sa conception de l'art et de son rapport au social en ces termes: «En 1965, regardant ce qui avait été jusque-là mon activité, j'ai senti pour moi l'obligation de décider si oui ou non je poursuivais, acceptant alors d'être un peintre qui vit dans le système de l'art tel qu'établi, visant alors la carrière internationale. J'ai vite découvert qu'une telle aventure ne m'intéressait plus. J'ai alors rompu avec tout ce qui m'entourait: j'ai quitté Paris, ma maison et les gens avec qui j'étais en relation. Quelque chose de neuf débutait. [...]. J'étais fatiguée du système des galeries. Non seulement on doit produire beaucoup dès que l'on devient connu, mais aussi il arrive qu'il faut surveiller son style, ne pas trop le transformer parfois, car la galerie n'aime pas avoir une autre "image" à créer de l'artiste auprès des collectionneurs. [...] on vit dans un milieu restreint dont il est facile de faire le tour, que l'œuvre qui se veut universelle est finalement faite pour quelques amateurs.»

51. C'est ce qu'avait d'ailleurs prôné le groupe EAT (Experiments in Arts and Technology) ainsi que, beaucoup plus tôt et sans l'aide d'une nouvelle technologie, les artistes européens du groupe COBRA dont on pouvait lire

le constat du déclin de l'art au profit de la création généralisée dans le manifeste *Reflex* de 1948.

52. Herta Wescher, «Les secrets de Marcelle Ferron», *Vie des Arts*, n° 43, 1966.

53. Réa Montbizon, «Les verrières de Marcelle Ferron au Musée d'art contemporain», sous la rubrique «À Montréal», *Vie des Arts*, n° 46, printemps 1967.

54. École Jean XXIII, Ottawa, 1962; caisse populaire de Bordeaux, Montréal, 1963; école Saint-Laurent, Ottawa, 1964; école Pontiac, Ottawa, 1963; école Mont-de-La-Salle, Laval-des-Rapides, 1964; Caisse des pompiers, 1965.

55. Exposition intitulée *Peintures et Murales*.

56. William Kirby, conservateur d'art contemporain, catalogue de l'exposition du Musée de Winnipeg, 1974. Citation de l'artiste.

57. André Kuenzi, *La nouvelle tapisserie*, Genève, Éd. Bonvent, 1973.

58. Il fut offert par le gouvernement canadien au John F. Kennedy Center for the Performing Arts de Washington.

59. *La tapisserie murale, Mariette Rousseau-Vermette*, Montréal, Éd. Formart, coll. «Initiation aux métiers d'art du Québec», 1972.

60. *Ibid.*

61. L'importance de Denise Beaudin dans le domaine de la transformation d'une pratique traditionnelle et artisanale en pratique artistique moderne est à souligner ici, même si elle n'entre pas dans la problématique qui nous concerne, à savoir l'intégration de l'art à l'architecture. Sa recherche sur le textile, commencée en 1965, l'amena à renouveler l'objet-sculpture par l'utilisation de textiles, par sa conception de la fabrication et de l'exposition de l'objet. Sa pratique fut une réflexion sur le médium et sur le processus de la création formelle. Ces objets qui pouvaient être suspendus n'importe où furent comparés par la critique des années soixante à des primitifs, à des objets tribaux, sortes de trophées où l'iconographie amérindienne aurait eu une part.

62. Les œuvres de Micheline Beauchemin, les panneaux des *Quatre saisons* de Mariette Rousseau-Vermette, la tapisserie au crochet de F. Daudelin, des batiks de Tib Beament et de Thérèse Guité y étaient présentés. Ces œuvres à Osaka étaient destinées à un espace intérieur précis: celles de Merola occupaient des murs entiers (murales), celles de Micheline Beauchemin soulignaient des espaces architecturaux.

63. *Exposition environnement*, pièces de Réal Arsenault, Mariette Rousseau-Vermette, Maurice Savoie, à la place Bonaventure.

64. Normand Thériault, «La tapisserie devenue majeure», *La Presse*, 7 décembre 1968.

65. Broderies exécutées au cours de cette période: *Visage de Mistra* (25 cm sur 25 cm), 1954; *Mistra* (57,5 cm sur 87,5 cm), 1955; *Les ailes* (62,5 cm sur 75 cm), 1956-1957.

66. Mariette Rousseau-Vermette était parmi les artistes exposants. Elle y présentait une tapisserie exécutée d'après un dessin de Fernand Leduc.

67. *Numéro 4, Inobu, Pétallique et Mervillon, Mille-pattes*; cette dernière œuvre fut reproduite sur la couverture de la revue *Vie des Arts*, n° 14, été 1958.

68. Paul Gladu, «Des tapisseries via les tapis crochetés», *Le Petit Journal*, 26 mai 1957.

69. Ces œuvres furent exposées en 1958 dans la section des arts appliqués du pavillon du Canada à Bruxelles.

70. Lucy Lippard, «Sweeping exchanges: The contribution of feminism to the art of the 1970s», *Art Journal*, automne-hiver, 1980, p. 155.

71. Louis Jaque, «Un cas de jeunesse ardente», *Vie des Arts*, n° 14, printemps 1959.

72. Elle ne joue pas «sur leur valeur affective comme l'ont fait les dadaïstes, les sculpteurs qui amassent les déchets, les artistes qui utilisent des affiches ou des objets de consommation courante comme des boîtes de cachets d'aspirine».

73. Yves Robillard, «Micheline Beauchemin et la tapisserie», *La Presse*, 4 février 1967.

74. Claude Gauvreau, (sans titre), *Culture vivante*, n° 3, 1966, p. 16. L'auteur indique la différence entre les deux types d'entreprise: «[...] qu'entre l'état d'esprit qui procède à la création d'une tapisserie et celui qui procède à la création d'un rideau de scène il n'y a pas de parenté très forte, puisqu'une tapisserie est une affaire personnelle entre elle et des formes et couleurs, un problème ou une fête; tandis que, pour un rideau de scène, il faut tenir compte de toutes les exigences techniques, du contexte architectural et que, par conséquent, cette entreprise est plus sociale et fonctionnelle.»

75. Yves Robillard, *loc. cit.*

76. Claude Gauvreau, *loc. cit.*

77. Laurent Lamy et Suzanne Lamy, *La renaissance des métiers d'art au Québec*, Québec, ministère des Affaires culturelles, 1967, p. 38.

78. *Beauchemin, Vermette,* catalogue de l'exposition *Canadian Artists Series III,* The National Gallery of Canada, 1960.

79. Sur seize tapisseries exécutées entre 1968 et 1974 pour des collections, à l'exception d'une seule qui était au crochet, toutes étaient des tapisseries de haute et de basse lice.

80. *Mur flexible* en acrylique pour le Piano Nobile de la salle Maisonneuve, Place des Arts à Montréal (76,2 m sur 10,66 m), 1967, et *Mur d'aluminium mobile,* pour la discothèque Le Cercle, édifice Les Remparts, Montréal, 1967.

81. Rideau de scène (25,6 m sur 10,6 m). Architecte Fred Lebensold, Montréal.

82. Des ministres inauguraient des expositions et les médias transmettaient l'événement: ainsi Paul Gérin-Lajoie faisait l'éloge de la tapisserie de Micheline Beauchemin, Jean Lesage manipulait, à l'occasion d'un vernissage, les œuvres de Jean-Paul Mousseau...

83. Le ministre avait déclaré, lors de l'ouverture de l'exposition des Concours artistiques qui regroupait arts décoratifs et esthétique industrielle au Musée de la Province (à Québec) en 1960: «Le gouvernement du Québec a l'intention de prouver qu'il ne reste pas indifférent à la renaissance de l'art décoratif chez nous, dont la tradition s'était perdue depuis longtemps [...] Le public acheteur se tourne vers les œuvres de chez nous, qui ne sont pas inférieures à une multitude d'œuvres étrangères.» («Inauguration des Concours artistiques; révolution dans les arts au Québec», *L'Action catholique*, 30 septembre 1960.)

84. Claude Jasmin, «Mario Merola: du Sault-au-Récollet à la place Ville-Marie», *La Presse*, 14 août 1990. Le critique présentait Merola comme «le représentant typique d'une nouvelle génération d'artistes» du fait entre autres qu'il n'avait ni barbe ni cheveux longs, qu'il arborait un sourire chaleureux et qu'il travaillait pour une firme spécialisée dans l'esthétique industrielle.

85. *Ibid.*

86. Il participa à l'exposition *Deuxième panorama: dix ans de peinture québécoise*, organisée au Musée d'art contemporain en 1967.

87. Fernande Saint-Martin, «Le dynamisme des Plasticiens de Montréal», *Vie des Arts*, n° 44, automne 1966, p. 44-48.

88. Cette pétition avait été signée par les membres de la direction de la SAPQ: Molinari, Claude Goulet, Réal Arsenault, Jordi Bonet, Rita Briansky.

89. Les huit sculpteurs présents étaient: Kosso Eloul, Piotr Kowalski, Robert Murray, J. J. Beljon, Kengiro Azuma, Claire Falkenstein, Gabriel Kohn et André Bloc.

90. Édifice Liberal Arts Building.

91. Laurent Lamy, «Évolution et continuité», *Vie des Arts*, vol. LXXV, n° 1, novembre 1969.

92. Piscine Alfred, Alfred, Ontario; piscine du centre récréatif Saint-Charles, Ville Émard, 1960.

93. Voir la revue *Architecture*, août 1965.

94. Expositions en 1960, 1961, 1963 et 1969. En 1963, elle exposa à la galerie du Siècle.

95. Anonyme, «Un art de surface», *La Presse*, 14 juin 1969.

96. Irène Heywood, «Trudeau-Major teams meet again», *The Gazette*, 21 juin 1969.

97. Yve-Alain Bois, «Historisation ou intention: le retour d'un vieux débat», *Les Cahiers du Musée national d'art moderne*, décembre 1987, p. 66.

98. Cité par Frederic Jameson, «Architecture et critique de l'idéologie», *Territoires 3*, printemps 1983, p. 49.

SUZANNE LEMERISE

CHAPITRE VI

L'art — l'artiste — l'école

Comme l'ont démontré les chapitres précédents, la scène montréalaise de l'art contemporain des années soixante était bien engagée dans le grand mouvement de la Révolution tranquille; on assistait à la fondation d'institutions et d'organismes responsables de la diffusion et de la promotion de l'art contemporain. On peut se demander comment les milieux de l'enseignement des arts réagirent à l'effervescence du milieu de l'art. Durant cette période, la société québécoise a connu des changements importants, particulièrement dans le domaine de l'éducation qui connut une réforme complète du système scolaire. Dans une première partie, il est donc important de rendre compte de l'ampleur et de l'esprit des réformes qui furent proposées par la commission Parent.

Dans une deuxième partie, nous décrirons et comparerons les différentes conceptions de l'artiste et de l'art véhiculées par les institutions d'enseignement chargées de la formation professionnelle de l'artiste. Puis nous nous interrogerons sur la place et le rôle des arts plastiques dans l'élaboration des politiques éducatives visant la formation générale des enfants et des adolescents aux niveaux primaire et secondaire. Enfin, dans une quatrième partie, nous nous concentrerons sur l'étude d'un document majeur de la décennie, le rapport de la Commission d'enquête sur l'enseignement des arts — la commission Rioux — où s'articule une représentation interactive de l'art, de l'artiste et de la société.

L'éducation au Québec,
une priorité des années soixante

L'instruction? pas trop! Nos ancêtres nous ont légué un héritage de pauvreté et d'ignorance, et ce serait une trahison que d'instruire les nôtres.

ANTOINE RIVARD,
20 janvier 1942[1]

Le premier problème que nous aborderons dans notre œuvre de restauration, la grande œuvre qui s'impose aujourd'hui avec une intensité nouvelle chez nous comme dans tous les pays du monde, c'est l'éducation. L'éducation, je tiens à le proclamer très haut, ce sera la principale préoccupation de notre gouvernement.

JEAN LESAGE,
1958[2]

Personne aujourd'hui ne peut croire qu'Antoine Rivard, solliciteur général sous Duplessis, ait prononcé de telles paroles en 1942. Cette simple phrase nous permet de mesurer l'importance de la réforme scolaire entreprise à l'aube de la Révolution tranquille, sous la gouverne du Parti libéral arrivé au pouvoir en 1960. Cette décennie est entièrement traversée par des débats sur l'éducation. Le livre de Paul Gérin-Lajoie, *Combats d'un révolutionnaire tranquille*[3], relate avec humour les tribulations de la fondation du ministère de l'Éducation entre

1961 et 1964. La première phase de la réforme est libellée dans le texte de la grande charte de l'éducation de 1961 qui trace le programme du Parti libéral en matière d'éducation et qui définit dans ses grandes lignes le mandat qui sera donné à la commission Parent.

Le rapport Parent

Un des événements majeurs des années soixante est la formation, en 1961, de la Commission royale d'enquête sur l'enseignement au Québec, la commission Parent. Les travaux de la Commission — publiés sous l'appellation *Le rapport Parent* — furent déposés en plusieurs tranches entre 1963 et 1966. Il s'agissait essentiellement d'instaurer un ministère de l'Éducation responsable devant l'électorat, d'assurer la démocratisation complète du système scolaire en abolissant les barrières entre le système public et l'université, d'éliminer les inégalités régionales en rationalisant le financement des commissions scolaires, d'affirmer un nouvel humanisme qui tienne compte de la pensée scientifique et technique et de la culture de masse, de proposer une pédagogie active découlant d'une connaissance plus approfondie des théories du développement de l'enfant et surtout d'envisager un type de formation professionnelle qui réponde aux besoins d'une société industrielle avancée.

Comme l'ont bien saisi plusieurs analystes, la commission Parent a tenté de concilier des idéologies contradictoires, celle du respect de l'individu qui implique une pédagogie centrée sur l'enfant et celle de la rationalité technocratique qui vise d'abord les besoins d'une économie de marché et qui conçoit la gérance des affaires scolaires sur le modèle de l'entreprise et de l'usine.

Pour expliquer leur vision de la société de demain, les commissaires consacrent le premier tome de leur rapport à décrire le nouvel environnement scientifique et technologique de la société moderne à l'âge de l'automation et à l'aube d'une société de loisirs. Plusieurs paragraphes traitent du rôle de l'éducation dans la compréhension des médias de masse et de l'utilisation des techniques audiovisuelles dans les classes. S'énoncent ici des thèmes qui ont particulièrement marqué la réflexion et la pratique des jeunes artistes.

Les arts dans le rapport Parent

Il est important de se demander comment les commissaires ont défini et situé les arts dans leur vision de la société: «L'homme moderne est multiple, sollicité par des univers de connaissances à la fois unis et divergents. Nous distinguons quatre principaux univers de connaissances qui partagent ainsi la culture moderne: celui des humanités classiques, celui de la science moderne, celui de la technique et celui de la culture populaire[4].» Notons ici — comme l'a relevé plus tard la commission Rioux, dont nous discuterons plus loin — que les arts ne furent pas intégrés aux univers de connaissances.

C'est uniquement dans le chapitre consacré à l'enseignement secondaire que les commissaires s'attardèrent à bien définir la place des arts dans un projet de formation équilibrée: «C'est en offrant à tous les écoliers l'occasion d'une certaine formation et dans le domaine des langues, et dans celui des sciences, et dans celui des arts et dans celui de la technique que l'enseignement secondaire répondra à leurs besoins […]. Ceux qui ne seront pas ainsi équipés risquent de n'être demain que des robots dans une société fortement technique et culturellement plus évoluée qu'aujourd'hui[5].» Dans le tome consacré aux programmes d'études, trois chapitres (XIV, XV et XVI[6]) furent réservés aux disciplines artistiques: la formation musicale, les arts plastiques, l'éducation cinématographique.

En arts plastiques, on insista sur l'importance de l'expression artistique intégrée à une formation générale et sur la nécessité d'embaucher des enseignants dûment qualifiés, c'est-à-dire possédant une formation artistique complète. On récusa toute orientation artistique trop centrée sur la prouesse technique ou visant la copie de modèles. Le cinéma mérita cependant la part du lion dans l'argumentation sur l'importance des arts dans le programme scolaire: «Le cinéma synthétise tous les arts et formes d'expression. C'est un langage auquel la jeunesse communique avec une aisance pour ainsi dire immédiate. [...] Que l'on entende culture au sens traditionnel et esthétique ou au sens anthropologique, le cinéma en est l'un des éléments les plus vivants[7].»

Dans cette perspective, le rapport Parent accorda une extrême importance à la culture de masse, estimant même qu'elle était le nouveau mode d'expression de «l'âme populaire». Les valeurs véhiculées par les commissaires au sujet de la société postindustrielle et de la culture de masse étaient positives et visaient à transformer radicalement les mentalités des décideurs et les finalités d'un projet éducatif.

Nous insistons sur cette vision anthropologique de la culture, car les événements que nous nous proposons de décrire concernant l'enseignement des arts ne peuvent être interprétés qu'à la lumière de la position prise par les commissaires, particulièrement en ce qui concerne la culture de masse et les médias. Le rapport Parent témoigna publiquement de préoccupations fondamentales à l'égard de la société actuelle, lesquelles furent inlassablement reprises pendant plus de dix ans.

Entre 1963 et 1968, toutes les mesures découlant de la réforme scolaire furent mises en place: fondation du ministère de l'Éducation, création des polyvalentes et des cégeps (collèges d'enseignement général et professionnel), instauration des programmes-cadres pour les niveaux primaire et secondaire et planification d'une université d'État — l'Université du Québec. Mais, faille importante dans ce projet de restructuration, le statut des différentes institutions, vouées à la formation spécialisée dans les divers arts, demeura assez ambigu[8]. Pour les conservatoires et les écoles d'art, on suggéra une harmonisation des diplômes équivalant soit aux études collégiales, soit aux programmes universitaires, mais on demeura muet quant à l'appartenance administrative des institutions. Cette ambiguïté quant au statut institutionnel des écoles d'art et des conservatoires aura des conséquences alors insoupçonnées sur la suite des événements de la décennie et même encore aujourd'hui.

Dans l'ensemble du système scolaire, les années soixante ont été marquées par d'importants changements de structures imbriqués dans des débats idéologiques qui dépassaient largement une réforme technocratique. Certains changements se feront dans l'harmonie, d'autres dans un climat de crise et de rupture, particulièrement si on se réfère aux agitations provoquées par le mouvement étudiant.

Le mouvement étudiant

À la fin de la décennie, les étudiants du monde occidental s'engagèrent dans des mouvements de contestation qui critiquaient le pouvoir politique et la société capitaliste dans son ensemble. Nul n'ignore ce que fut le mouvement étudiant de mai 1968; on en parle encore abondamment; la majorité des sociétés industrialisées virent les jeunes prendre la parole et réclamer un nouveau projet de société, de nouveaux modes de vie et surtout une responsabilité accrue dans la gestion des institutions et des programmes scolaires.

Selon les contextes nationaux, les jeunes s'attaquaient à des phénomènes précis: l'opposition à la guerre du Viêt-nam et à la ségrégation raciale américaine marquèrent l'Amérique, tandis que la jeunesse européenne réussissait à mobiliser le mouvement ouvrier et à inquiéter sérieusement les pouvoirs politiques. La communauté étudiante québécoise s'anima, surtout dans les cégeps nouvellement institués, dans quelques facultés universitaires et dans certaines écoles d'art. La laïcisation rapide de l'enseignement au Québec, la croissance subite des effectifs scolaires et la confiance générale que l'on mettait dans la jeunesse et l'éducation facilitèrent la conscientisation de cette jeunesse qui voulait un monde meilleur, ouvert aux réalités sociales et planétaires, mais surtout qui réclamait une réflexion fondamentale sur les finalités et la gestion de l'éducation. Les thèmes les plus prégnants dans les revendications étudiantes tournaient autour des notions d'engagement, d'autogestion, de cogestion et de participation. Le contexte politique québécois baigné par les conflits linguistiques et syndicaux engageait les jeunes sur la voie de l'indépendantisme, du socialisme et de la pensée marxiste. On ne peut négliger de signaler l'immense influence exercée par le mouvement hippie que l'on peut intégrer dans le phénomène global de la contre-culture. C'est généralement dans ce contexte d'une nouvelle manière de vivre et de penser qu'ont été exprimées et expérimentées les aspirations de la jeunesse des années soixante.

Le milieu de l'enseignement des arts, comme l'ensemble du milieu scolaire universitaire, professionnel et public, a connu, entre 1965 et 1970, des chambardements importants résultant de la réforme scolaire et du mouvement étudiant et a participé, à différents degrés, aux secousses qui ébranleront la fin de la décennie.

La formation de l'artiste dans les écoles d'art de la région montréalaise

Qui d'entre nous n'a pas entendu cet adage: «L'art ne s'enseigne pas.» Or les écoles d'art existent et il s'y enseigne quelque chose. Bourdieu[9], dans ses nombreuses analyses du champ de l'art et de l'école, a largement contribué à rationaliser ce système de relations qui confèrent à l'institution scolaire un rôle actif et déterminant dans la reproduction de certaines valeurs véhiculées par le milieu artistique se réfractant de différentes manières selon la conjoncture historique générale et l'histoire interne de l'institution étudiée.

À Montréal, l'enseignement spécialisé visant la formation de l'artiste se concentrait dans trois institutions, deux anglophones (l'Université Sir George Williams, aujourd'hui l'Université Concordia, et le Musée des beaux-arts de Montréal) et une francophone (l'École des beaux-arts de Montréal). Par un bref aperçu de ce qui se déroulait dans ces lieux de formation, nous verrons que les écoles d'art sont interrogées à la fois par les événements de la scène artistique et par ceux qui affectent l'ensemble du système d'éducation, et nous tenterons de dégager les similitudes et les différences dans la conception de l'art et de l'artiste qui s'y tracent durant la décennie.

Dans le cadre de ce chapitre, il s'agit moins de présenter une version exhaustive de l'histoire de chacune des institutions que de signaler et de commenter les changements de perspectives dans les programmes de formation de l'artiste. Compte tenu de la relation étroite existant entre la formation de l'artiste et l'enseignement des arts plastiques dans les écoles, nous accorderons une importance à tout ce qui se rapporte à la formation de l'artiste-enseignant qui complète sa formation d'artiste par des cours de pédagogie artistique[10].

Les indicateurs qui nous permettent de reconstruire cette trajectoire de la formation de l'artiste sont les suivants: les changements de programmes, l'embauche de nouveaux professeurs, les prises de position publiques de professeurs et d'étudiants, les déclarations de la presse écrite. Quelques entrevues ont permis de compléter certains dossiers.

De nombreux auteurs se sont penchés sur l'étude des grands modèles qui ont orienté les finalités des systèmes scolaires en rapport avec la formation sociale. Parmi eux, H. Giroux[11] postule que trois modes de rationalité orientent la conceptualisation des programmes scolaires: la rationalité disciplinaire, la rationalité herméneutique et la rationalité émancipatrice. La première considère prioritairement les structures fondamentales des différents savoirs afin de déterminer un contenu séquentiel des programmes; la deuxième définit les objectifs d'apprentissage à partir du sujet apprenant et de l'interrelation entre le maître et l'élève; la troisième oriente la réflexion pédagogique sur la nécessité de modifier par l'éducation les rapports sociaux et le contrat social. Cette catégorisation nous sera utile, car chacune de ces rationalités a polarisé très fortement les idéologies des programmes à des degrés divers.

Cependant, ce modèle d'analyse qui concerne la définition du savoir artistique est incomplet quand il s'agit de discuter des écoles professionnelles, puisqu'il ne tient pas compte de la définition implicite de l'artiste qui lui est corollaire, définition qui renvoie au statut et au rôle de l'artiste dans la société. Dans l'étude des changements qui s'opérèrent dans les écoles d'art, nous tenterons de spécifier ces deux aspects: la définition de l'art comme objet ou mode de connaissance et la définition de l'artiste comme acteur dans un système de relations sociales.

L'École des beaux-arts de Montréal

Notre analyse de l'École des beaux-arts de Montréal (EBAM) est ici la plus documentée, car cette institution a reçu énormément d'attention de la part des médias écrits durant les années soixante et a joué un rôle déterminant dans les rapports tumultueux entre étudiants, professeurs et instances gouvernementales. C'est là que se cristallisèrent les conflits sur la meilleure définition de la formation de l'artiste, ce qui entraîna la formation de la commission Rioux qui demeure un des documents clés de cette période.

Fondées en 1922, les écoles des beaux-arts de Montréal et de Québec furent considérées comme des jalons importants dans l'instauration d'un cadre institutionnel visant à assurer le développement des arts et de l'architecture dans un Québec francophone. Les premières missions de ces écoles étaient d'assurer une formation complète des artistes et des architectes en terre québécoise, afin de répondre aux commandes officielles de l'État et de l'Église et de promouvoir l'enseignement du dessin dans les écoles publiques.

L'enseignement de type académique qui prévalait à l'EBAM fut vivement contesté à l'aube des années quarante par les groupes d'artistes gravitant autour de Borduas et de Pellan. Au début des années cinquante, l'embauche de quelques jeunes artistes permit à l'EBAM de s'engager graduellement sur les voies d'un changement de paradigmes dans la définition de l'art et de la formation de l'artiste. Une importante modification de programmes qui concrétisait les aspirations des tenants de l'*art vivant* s'effectua sur l'initiative du directeur Robert Élie, à la fin des années cinquante. Le règne de l'imitation de la nature et de la soumission à la commande, aux modèles académiques ou aux arts décoratifs fut remplacé par celui de l'autonomie du projet créateur. Il s'agissait surtout de la valorisation de l'abstraction lyrique ou d'un renouveau de la figuration, ce qui portait le discours de l'EBAM au même diapason que celui sur l'art contemporain à Montréal. On peut classifier ces préoccupations pédagogiques et artistiques dans la rationalité herméneutique, alors que le dialogue intime entre l'artiste et l'œuvre était privilégié.

Sur ce modèle de l'artiste libre se greffa celui de l'artiste-enseignant. À partir de 1958, un programme complet de pédagogie artistique coiffa la formation artistique. Cette formation pédagogique épousait les valeurs du modernisme et les adapta aux théories du développement de l'enfant, théories énoncées par J. Piaget et V. Lowenfeld. Le rôle d'Irène Sénécal est déterminant en ce début de décennie. Ardente pionnière d'un enseignement renouvelé du dessin dès le milieu des années quarante, elle réclama, comme les artistes novateurs, des changements radicaux dans la formation de l'artiste et du pédagogue. Elle contribua très largement à la démocratisation des valeurs artistiques nouvelles à l'échelle de la province et à la reconnaissance, en 1963, du diplôme d'aptitudes pédagogiques en arts plastiques comme équivalent du diplôme d'une école normale.

À l'EBAM, un conflit larvé entre la conception de l'artiste, centrée sur la liberté intérieure, et celle de l'artiste-enseignant, focalisée sur l'apprentissage progressif des codes de l'art, vint s'ajouter à celui qui opposait les traditionalistes (toujours en place) aux novateurs. Très vite, de vives tensions agitèrent le corps professoral sur la manière de former des artistes modernes; les uns demeuraient attachés aux exercices scolaires, les autres préconisaient une liberté presque totale, certains s'attachaient à la technique, au «beau» métier, particulièrement en gravure et, enfin, les pédagogues réclamaient une rationalisation des apprentissages qui tiennent compte à la fois du langage plastique et des techniques artistiques diversifiées que plusieurs considéraient comme de l'éclectisme.

Dans ce contexte de conflits latents, la section «Art publicitaire» tenta de se démarquer de plus en plus distinctement des autres programmes et proposa même une nouvelle définition de l'école d'art. Les professeurs de la section de publicité entrevirent le destin de l'école comme un deuxième Bauhaus. En 1966, Paul Gladu, dans *Le Petit Journal*, décrivait les nombreuses difficultés de l'école; il s'interrogeait sur la prédominance de «l'idée de création» et «sur l'absence de l'esthétique industrielle dans une école qui s'occupe d'arts. Ce domaine, disait-il, est un des plus beaux exemples d'intégration ou de synthèse des arts[12]». Gladu avait entièrement raison de soulever publiquement ce débat, car dès 1962, Edmond Labelle, successeur de Robert Élie, proposa la création d'une école d'esthétique industrielle, sous le nom d'Institut de design[13].

Ces mouvances d'ordre interne vers une redéfinition de la formation de l'artiste et du pédagogue prirent place alors que des changements profonds agitaient la société québécoise, particulièrement dans le domaine éducatif: la réforme du système d'éducation, l'insertion de presque toutes les institutions d'enseignement au sein du nouveau ministère de l'Éducation, la syndicalisation des enseignants y compris des artistes de l'EBAM, l'augmentation des effectifs scolaires même à l'EBAM, tout cela arriva en même temps que la constitution d'une scène de l'art contemporain, la formation d'associations d'artistes, la modernisation urbaine et la préparation d'Expo 67, le développement de plus en plus important des médias, principalement du cinéma et de la télévision. Tous ces facteurs constituaient des enjeux importants et nouveaux pour toute institution souhaitant répondre à des besoins spécifiques et actuels. Cette effervescence qui caractérisa la décennie explique en partie les imbroglios et les drames qui se jouèrent au sein de l'École des beaux-arts de Montréal quand les étudiants décidèrent de s'en mêler:

> La lutte que nous engagions un peu plus chaque jour s'inscrivait dans le processus de la «Révolution tranquille». Nous avions confiance au gouvernement qu'on qualifiait d'«équipe progressiste libérale»; le rapport Parent régénérait le système d'enseignement. Nous assistions à la naissance du syndicalisme étudiant avec la création de l'UGEQ. [...] Nos discussions s'attachaient particulièrement aux problèmes inhérents à l'art dans notre société[14].

Pendant cinq ans, de 1965 à 1970, l'institution sera déchirée par des crises successives, dont une, plus sévère, en 1968. Les premières crises prirent naissance dans des ateliers de sculpture trop petits, souvent insalubres et pauvrement équipés; certains étudiants dénoncèrent l'hégémonie de la peinture abstraite au détriment des autres formes d'expression; la section «Art intégré», créée en 1964, tardait à s'implanter sérieusement, faute de fonds et d'espace. Plusieurs, à l'EBAM, étaient parfaitement au courant des tendances du milieu professionnel de l'art, qui s'orientaient vers la sculpture, l'art cinétique et l'art intégré à l'architecture.

Les grands mots étaient lancés: l'école d'art, selon les étudiants, ne répondait pas aux besoins de la société et de l'artiste contemporains. Aux grands maux les grands remèdes: une première grève en 1965 dénonça les conditions d'enseignement qui prévalaient dans l'institution, mais les étudiants s'inquiétaient surtout de la validité de leurs diplômes et de l'absence d'orientations professionnelles clairement désignées. Dans leurs textes, les étudiants se référaient au modèle du Bauhaus. L'école du Bauhaus, les travaux d'Itten et d'Albers hantaient les esprits et les cours d'atelier à cette époque, mais cela demeurait un modèle un peu mythique, une sorte de leitmotiv qui permettait de poser la question de la place de l'art dans la société.

Voyant que leurs revendications dépassaient largement le cadre de leur école, les étudiants frappèrent aux portes des instances gouvernementales en interpellant publiquement le ministre de l'Éducation, lui demandant à grands cris une enquête sur la situation globale de l'enseignement des arts au Québec. En mars 1966, une deuxième grève regroupa cette fois plusieurs institutions vouées à la formation professionnelle en art: écoles d'art et d'arts appliqués, conservatoires de musique et d'art dramatique. Les positions se durcirent; se sachant laissés pour compte dans le vaste projet de restructuration du système scolaire, les étudiants réclamèrent une «vraie» commission d'enquête. Les journaux véhiculèrent abondamment les doléances des étudiants. Le gouvernement libéral de l'époque céda en tout point aux pressions étudiantes, juste avant de perdre le pouvoir aux mains de l'Union nationale en juin 1966.

Marcel Rioux, sociologue déjà engagé dans des recherches sur la jeunesse, présida la docte commission. Le mandat de la commission était très large et nous y reviendrons plus loin. Il ne s'agissait plus pour les étudiants de se contenter d'une petite réforme interne de structures, mais bien de poser publiquement et globalement la question de la formation artistique et de l'importance de l'art dans le développement social.

Les étudiants ne limitèrent pas leur action au seul niveau interne de l'école et du ministère de l'Éducation. Ils tentèrent de s'engager activement dans le milieu même de l'art contemporain. En 1966, quelques étudiants finissants fondèrent la galerie de la Masse en dehors des locaux de l'EBAM et diffusèrent un manifeste qui posait d'excellentes questions sur l'art, l'artiste et la société à partir de l'assertion suivante:

> La société dans l'effervescence de son évolution est en train de faire son unification sociale en assimilant la technique et la science. L'artiste contemporain s'efforce de s'identifier aux problèmes de cette société et de l'exprimer dans ce qu'elle a de plus contemporain. [...] Si les sciences contemporaines nous ouvrent les portes de l'observation, elles nous offrent aussi d'autre part une multitude de moyens pour concrétiser notre expression avec une maîtrise de plus en plus poussée de la matière[15].

Ce texte, très révélateur, rejoint certaines conclusions des chapitres qui précèdent, à savoir que l'avant-garde artistique québécoise réclamait l'ouverture et le décloisonnement du champ de l'art à partir d'une prise de conscience des effets «intégrateurs» de la science et de la technologie.

À la direction de l'EBAM, rien ne se figea. En 1967, une nouvelle direction entreprit une double réforme, l'une de structures et l'autre de contenu, la première devant tuer l'autre. En prévision d'une éventuelle intégration au système universitaire, un niveau collégial (cycle de deux ans) fut clairement séparé du niveau supérieur (cycle de trois ans); les cours du soir devinrent équivalents aux cours du jour et le système de crédits et d'options fut instauré. Le temps alloué à chaque cours diminua de façon draconienne. La définition de nouvelles options s'inséra dans une perspective de formation professionnelle, comme la décrivait le rapport Parent.

Plusieurs professeurs réagirent très mal à la nouvelle grille d'horaires qui modifiait considérablement la tradition de l'atelier, où le contact personnel avec le professeur-artiste se déroulait dans un temps long et non dans un temps réglé sur le système de crédits. De plus, la focalisation sur les notions de professionnalisation et de pédagogie au détriment de valeurs strictement artistiques choqua les tenants d'un art autonome, lequel art se réclamait de la libération de toutes contraintes qui pouvaient altérer le projet personnel.

L'ampleur des réformes de structures et la résistance conservatrice de plusieurs enseignants ont laissé peu de marge de manœuvre à ceux qui, dans l'institution, expérimentaient de nouvelles approches artistiques et pédagogiques. Plusieurs professeurs prônaient des activités novatrices, mais l'ampleur des problèmes soulevés par la réforme et par les étudiants ne permit pas d'endiguer la débâcle. En octobre 1968, la revue *Maclean* publia un article intitulé: «Fini le cénacle». Jacques Larue-Langlois et Charles Meunier interrogèrent tour à tour les membres de la direction et quelques représentants des étudiants et des professeurs. Les enjeux étaient clairement cernés: les élèves et la direction voulaient une nouvelle école et les professeurs résistaient. Selon les journalistes, la direction admettait que: «La société moderne offre aux artistes de nouvelles fonctions où trouveront de l'emploi tous ceux qui veulent véritablement s'adapter aux besoins nouveaux des créateurs dans tous les domaines de l'art à condition que l'on veuille bien accepter qu'en 1968 l'art doit tenir compte des multiples inventions et recours de la technologie moderne[16].»

Les professeurs opposèrent à cette vision dynamique un attentisme prudent. Comme le précisèrent les journalistes, les professeurs n'avaient pas été préparés à remplir les nouvelles fonctions qui leur étaient assignées. Cet article étala publiquement les difficultés qui déchiraient l'EBAM depuis plusieurs années et une ultime tentative de modifier abruptement le cours de cette histoire se concrétisa dans l'occupation de l'École des beaux-arts à l'automne 1968.

Le mouvement étudiant américain et Mai 1968 en France ont profondément marqué les esprits au Québec, particulièrement dans les cégeps et dans quelques départements universitaires. À la rentrée de l'automne 1968, les élèves de l'EBAM s'impatientèrent, car rien ne se concrétisait malgré leurs nombreuses revendications; de plus, ils n'arrivaient pas à obtenir la cogestion qu'ils réclamaient depuis 1966, soit une participation active à la gestion de l'école.

Le 11 octobre 1968, les étudiants de l'EBAM décidèrent d'occuper leur institution et de réactiver les activités pédagogiques courantes de l'école à partir du modèle de l'autogestion, soit la souveraineté de l'association étudiante. Il s'agissait d'ouvrir les ateliers aux étudiants sans la présence des professeurs réguliers; ils pouvaient solliciter l'intervention ponctuelle de «conseillers» choisis en fonction de leurs besoins.

Plus précisément que dans les années antérieures, les revendications des jeunes étudiants visaient une définition de l'art axée sur les nouveaux savoirs scientifiques, les nouvelles technologies et les nouveaux médias. On décèle également des préoccupations professionnelles, à savoir la gérance efficace d'une carrière d'artiste. La volonté de pénétrer l'univers des techniques et des matériaux contemporains, de promouvoir le décloisonnement par des contacts avec les autres disciplines et l'industrie, d'assurer des liens avec le marché du travail, de développer la recherche artistique au sein même des ateliers demeura constante au beau milieu des déclarations les plus virulentes contre l'enseignement, le milieu traditionnel de l'art et la société capitaliste en général.

En effet, dans certains comités de travail, le ton monta: on engagea à l'action et aux ruptures plus radicales. On peut déceler une influence certaine de l'Internationale Situationniste, mouvement dirigé par G. Debord et R. Vaneigem dans la promotion de l'«ULAQ» (Université libre d'art quotidien): «Ce comité (art et contestation) n'a pas de rapport à remettre, il n'a qu'un seul mot d'ordre: PROVOQUER UNE SITUATION JUSQU'À L'ÉCLATEMENT; [...] Tous les échelons de la violence doivent vibrer sous nos pas dans une escalade machiavélique: CLANDESTINITÉ, SUBVERSION, GUÉRILLA, SABOTAGE, ANARCHIE, GUERRE OUVERTE[17].» «Ne devons-nous pas devenir les animateurs d'une révolution culturelle permanente?» Des «éveilleurs de conscience[18]»?

Dans les textes issus de la contestation des beaux-arts, l'ambivalence entre les appels à la rupture ou à l'intégration à la société était permanente. Aux slogans et actions, invitant à déstabiliser la société et à apprendre aux gens à transgresser les normes, succédaient les propos de ceux qui demandaient un art intégré à la vie sociale.

Lors de l'occupation, l'EBAM fonctionnait à partir de plusieurs comités, et les réunions générales étaient des forums où s'énonçaient des points de vue différents selon les affinités des groupes. L'occupation fut pour plusieurs une «expérience de vie». Cette valorisation extrême de l'expérience vécue au détriment de l'efficacité des actions entreprises ressort très clairement des entrevues faites avec d'anciens occupants. Il faut être très prudent dans l'interprétation des textes publiés. Les étudiants étaient très jeunes, peu familiers avec l'écriture, mais avides de vivre et d'expérimenter de nouvelles relations avec le savoir, le milieu de l'art et la vie professionnelle. L'autogestion leur fournissait un cadre exemplaire d'exploration. Les préoccupations qu'ils ont affirmées ont très souvent été transposées dans d'autres milieux sociaux après l'échec de la contestation.

Le ralliement des étudiants non occupants réussit à mettre fin à l'occupation le 19 novembre 1968. Les négociations du retour à la normale aboutirent à la mise sur pied de projets-pilotes répondant aux aspirations de ceux (une quarantaine d'étudiants) qui souhaitaient une forme d'apprentissage différant du programme régulier en ateliers. Sept projets spéciaux, fortement marqués par une vision interdisciplinaire et professionnelle de l'activité artistique, furent acceptés: deux concernaient la sculpture; deux autres s'inséraient dans les arts intégrés et le design industriel; trois autres projets se rattachaient au design graphique et à la communication.

L'intégration de l'EBAM à la nouvelle Université du Québec engloutit tous les questionnements artistiques, politiques et professionnels sous la nouvelle priorité de s'adapter à un milieu nouveau, le contexte universitaire. Chaque ancienne section de l'EBAM retrouva sa place par la création de plusieurs modules très spécifiques où des cours spécialisés couronnaient une formation artistique générale. L'innovation institutionnelle fut la création d'un module «Design 3D» qui comprenait alors le design industriel, le design d'environnement et l'architecture scénique, activités qui correspondaient d'assez près aux demandes des étudiants énoncées dès 1965. En même temps se trouva régularisée l'épineuse question de la validité des diplômes qui inquiétait si fortement les jeunes. De plus, les disciplines artistiques avec leur tradition d'ateliers accédèrent au rang de disciplines intellectuelles, mais le grand projet d'un artiste polyvalent capable d'intervenir dans différents projets interdisciplinaires était définitivement absent des structures et des objectifs des nombreux programmes offerts.

On a pu noter qu'à l'EBAM, la décennie a été très tumultueuse, traversée par un climat conflictuel quasi permanent, les crises, les grèves, les revendications, les réformes de structures et de programmes se bousculant à un rythme angoissant. Malgré la complexité et l'enchevêtrement des conflits, on peut affirmer que la question dominante gravitait autour de la définition de l'artiste dans une société en profonde mutation. On voulait remplacer l'artiste libre et isolé par un artiste professionnel et reconnu par la communauté; à un art d'expression, on opposait un art d'expérimentation et d'intégration. On peut se demander si une telle concentration d'enjeux caractérisait les autres écoles d'art.

L'École d'art du Musée des beaux-arts — The School of Art and Design

Appendice d'un musée — l'Art Association —, l'École d'art du Musée des beaux-arts avait été fondée en 1880 sur le modèle des institutions britanniques; cette école semble avoir privilégié une structure de cours très souple et ouverte à la fois aux beaux-arts et à l'art commercial, tradition anglaise oblige. La plupart des directeurs et des enseignants étaient des personnalités connues du monde des arts et généralement agréés par la Société royale du Canada. Cette école connut une certaine notoriété avant la fondation de l'École des beaux-arts de Montréal. Avant 1940, William Brymner avait introduit l'esthétique française post-impressionniste dans les cours, tandis qu'Arthur Lismer participait activement à la promotion de la peinture du paysage au Canada. Dans les années cinquante, Lismer tenta, sans succès, une intégration de l'École du musée à l'Université McGill.

L'École du musée a maintenu sa notoriété grâce aux cours du samedi destinés aux enfants et organisés par Anne Savage dès 1937. Un important travail de sensibilisation à l'art enfantin a été poursuivi par Lismer, grand admirateur de Cizek, artiste autrichien rattaché à la sécession viennoise au début du siècle et initiateur d'une conception nouvelle de l'enseignement aux enfants. À cet égard, le Musée des beaux-arts a joué un rôle éducatif important, car on peut affirmer que les nouveaux paradigmes définissant un art dit «enfantin» ont été légitimés et valorisés dans le cadre de cette institution muséale. C'est également à l'École du musée que des jeunes artistes francophones comme Jacques de Tonnancour et Louis Archambault, alors en rupture avec l'École des beaux-arts de Montréal, ont fait leurs premières armes comme enseignants. C'est également là que Robert Roussil accomplit ses premiers exploits avec grand émoi. Ainsi, l'École d'art prit clairement position quant à un nouvel enseignement du dessin aux enfants et à la reconnaissance d'esthétiques modernistes prônés par les signataires de «Prisme d'Yeux». Dans les années soixante, G. Molinari, J. Goguen et C. Tousignant, représentants bien connus de l'esthétique plasticienne, sont souvent cités comme des «anciens» étudiants de l'École du musée.

Au début des années soixante, cette école offrait un cours du jour échelonné sur trois ans (peinture, sculpture, gravure, art commercial), des cours du soir pour adultes et adolescents, quelques cours de pédagogie artistique pour les enseignants et des cours du samedi aux enfants. Il s'agit donc d'un registre assez complet d'activités pédagogiques, centré exclusivement sur l'atelier. L'école ne semble pas avoir été concernée par les changements survenant dans la province avec la fondation du ministère de l'Éducation, et la direction n'a pas présenté de mémoire à la Commission d'enquête sur l'enseignement des arts (commission Rioux). Elle demeura totalement privée et isolée.

À compter de 1967, le climat un peu sage de l'école se dynamisa sous le directorat d'un jeune sculpteur de vingt-huit ans, Hugh Leroy, qui remplaça la figure déjà légendaire de Lismer. Ce jeune sculpteur formaliste engagea les étudiants dans des projets sculpturaux et «communautaires», c'est-à-dire conçus et exécutés par un groupe, projets axés sur les dernières tendances de l'art contemporain, qu'il s'agisse d'un art minimal, conceptuel ou pop. En 1969, Leroy quitta Montréal pour Toronto et il fut remplacé par Richard Halliday (artiste d'origine britannique) qui lui aussi donna aux cours une coloration expérimentale, car il organisa des cours de cinéma d'animation, de photographie et de design; les cours de cinéma d'animation obtinrent une certaine notoriété au début des années soixante-dix et ouvrirent l'école à un registre d'activités plastiques qui sortaient de la catégorie traditionnelle des beaux-arts. Dans une critique sur les travaux des étudiants, Christian Allègre nota d'ailleurs l'importance de Leroy et d'Halliday dans les productions exposées[19]. Il y a un lien direct et immédiat — un dialogue — entre la pratique artistique personnelle des deux directeurs et les innovations à caractère pédagogique qu'ils mirent sur pied.

À la suite des travaux de réaménagement du Musée des beaux-arts, l'École du musée ferma ses portes en 1977 pour des raisons économiques, syndicales et conjoncturelles. Rattachée à une institution artistique prestigieuse et non au système scolaire, l'école jouissait d'une certaine liberté dont plusieurs auraient pu revendiquer l'importance. Les autorités du musée ne semblent pas avoir senti le besoin ou la capacité de maintenir une formule différente de formation. Le besoin grandissant des diplômes universitaires et la concurrence avec les autres institutions d'art, avec Sir George Williams en particulier, peut également expliquer ce désengagement.

L'Université Sir George Williams et le Département des beaux-arts

L'école d'art de l'Université Sir George Williams est encore moins connue que l'École du musée qui bénéficiait de la réputation du musée lui-même. Il nous faut situer très brièvement cette institution, afin de bien saisir la portée des innovations qu'on observe durant les années soixante. Le collège Sir George Williams fut fondé en 1926 et les cours qu'il offrait se concentraient dans certaines branches généralement liées au marché du travail. Ce n'est qu'en 1948 que le collège obtint une charte universitaire, devenant ainsi la seconde université anglophone de Montréal. Cette université se différencia cependant de l'Université McGill par des structures d'accueil plus démocratiques et par des programmes orientés en fonction de l'éducation des adultes.

Dès la fin des années vingt, une petite école d'art était associée au Collège où quelques cours de peinture, de dessin, de sculpture et surtout d'art commercial et de mode étaient dispensés; on offrit bientôt un diplôme après trois années d'études; cependant, aucun titre universitaire ne sanctionnait ce diplôme. L'atmosphère de ce collège se rapprochait davantage du club privé que d'une institution formellement organisée, et le registre des cours était moins élaboré que celui de l'École d'art du Musée des beaux-arts[20]. Néanmoins, au début des années soixante, deux professeurs faisaient partie du personnel régulier de l'Université Sir George Williams: il s'agit d'Alfred Pinsky, peintre canadien figuratif lié aux artistes de la modernité, et de Leah Sherman, détentrice d'une maîtrise en éducation artistique de l'université de New York. D. Burns Clarke, professeur de langue et d'art dramatique, croyait profondément à l'importance des arts dans une formation universitaire et travailla avec ardeur à la création d'un département des beaux-arts (Fine Arts Department), lequel obtint son accréditation en 1965; le programme intégrait les matières scolaires et les ateliers d'art et menait à un baccalauréat spécialisé en beaux-arts.

Qui plus est, une maîtrise en éducation artistique (*art education*) fut également instituée; cette maîtrise était d'ailleurs le deuxième programme d'études avancées de l'Université Sir George Williams. L'innovation était de taille: les artistes-enseignants voyaient leur formation couronnée par une inscription dans la recherche universitaire. De plus, les titulaires d'un diplôme d'une école des beaux-arts, option pédagogie artistique, obtinrent la reconnaissance de leurs études et furent autorisés à s'inscrire dans ce programme de deuxième cycle.

Les promoteurs de ce département avaient bénéficié d'une conjoncture sociale et économique extrêmement favorable pour promouvoir leur projet. Comme nous l'avons précisé plus haut, durant les années soixante, la société québécoise avait accepté d'investir dans l'éducation et dans la formation universitaire. Les artisans du nouveau département des beaux-arts ont su proposer des orientations qui ouvraient leur institution à l'ensemble de la communauté québécoise.

Le Département des beaux-arts connut un essor très rapide, car il répondait à un besoin nouveau, soit une formation universitaire qui impliquait une relation plus étroite entre les savoirs théoriques et la pratique spécifique en atelier et, en outre, il accordait aux artistes un titre comparable aux autres intellectuels. En 1962, on comptait deux artistes comme professeurs réguliers; en 1969, ils étaient vingt et un. Plusieurs tendances et disciplines artistiques étaient représentées au sein de ce corps enseignant, mais on discernait clairement un regroupement autour de l'esthétique plasticienne avec Kyooka, Gaucher, Goguen, artistes au faîte de leur reconnaissance dans le milieu de l'art officiel canadien. L'Université Sir George Williams affirma donc la crédibilité de son programme en s'appuyant sur le pluralisme esthétique et sur la légitimité d'artistes représentant une tendance précise dans le milieu de l'art actuel; de plus, l'important développement de l'éducation artistique répondait en tout point aux grands idéaux énoncés dans le rapport Parent.

Contrairement à l'École des beaux-arts qui publiait des annuaires de cours assez élaborés, le Département des beaux-arts de l'Université Sir George Williams définissait très peu la philosophie globale de ses programmes. Les seuls indices que nous avons pu retracer se limitent aux descriptions des cours publiés dans les annuaires. Dès 1960, le programme d'art regroupait plusieurs disciplines artistiques: une majeure en beaux-arts était constituée des matières traditionnelles en peinture, dessin, sculpture, sur lesquelles se greffaient des cours en design, en histoire des arts (arts plastiques, théâtre, musique et cinéma); il s'agissait d'une sorte de «campus des arts» en miniature. Les descriptions de cours faisaient appel aux notions suivantes: exploration plastique et technique, expression personnalisée, acceptation de différentes tendances et démarche analytique et critique.

Au cours de la décennie, on assista surtout à la différenciation progressive des concentrations: en 1963-1964, dessin/peinture et sculpture/modelage devinrent deux majeures distinctes; en 1966-1967 s'ajoutèrent des majeures en graphisme, design et pédagogie artistique. Des concentrations en cinéma, musique et art dramatique se développèrent parallèlement. La tendance générale de chaque majeure allait vers la spécialisation disciplinaire au détriment d'une formation polyvalente.

Comme nous l'avons mentionné plus haut, le programme en beaux-arts comportait une option en pédagogie artistique; Leah Sherman joua un rôle très important dans le développement de cette concentration et dans l'implantation de la maîtrise en éducation artistique. L'organisation des séminaires de recherche du programme de maîtrise, dirigés par Sherman, fut articulée étroitement autour de quatre composantes: les ressources du milieu institutionnel québécois, les différentes théories américaines en enseignement des arts, les expériences personnelles en pratique des arts et l'enseignement concret dispensé en classe par les enseignants eux-mêmes. Les mémoires de maîtrise, écrits soit en anglais, soit en français, et déposés à partir de 1967, témoignent à la fois d'une grande diversité de questionnements et d'un ancrage dans un contexte scolaire précis. De plus, il est intéressant d'observer un intérêt certain, partagé par plusieurs candidats, pour le cinéma, la télévision et l'environnement visuel étudiés dans des perspectives de développement pédagogique.

Dans la planification des axes de développement de la recherche en pédagogie artistique, Leah Sherman a bénéficié de la collaboration dynamique de jeunes professeurs dont Stanley Horner. Ce dernier manifesta très tôt de l'intérêt pour l'innovation pédagogique: dès 1967, dans un mémoire adressé à l'Office national du film, il développa une solide argumentation expliquant l'importance des nouveaux médias en pédagogie artistique. En 1968, à la Galerie nationale d'Ottawa, il organisa un atelier où les enfants étaient initiés à des techniques très expérimentales en photographie, en fabrication de diapositives et en cinéma. Il transposa ces intérêts dans un cours universitaire appelé *Multimedia Workshop* à l'intention des futurs enseignants. Il s'agissait d'un cours d'atelier intégré, où l'étudiant était encouragé à s'initier aux médias électroniques et aux techniques audiovisuelles. L'originalité de cette démarche vient du fait qu'il y avait une continuité entre les pratiques traditionnelles en arts plastiques et les médias contemporains et non une rupture entre deux univers distincts.

Un cas particulier: le collège Loyola

Au sujet de l'insertion du cinéma et des nouveaux médias dans les programmes du Département des beaux-arts de l'Université Sir George Williams, il nous apparaît important de faire une mise au point qui permettra de comprendre plus globalement la dynamique de cette décennie et de situer les lieux où s'amorçait une réflexion pédagogique sur la conjoncture contemporaine. Plusieurs institutions, particulièrement le collège Loyola, n'avaient aucune tradition d'enseignement artistique. Ce collège anglophone, géré par les Jésuites depuis 1896, était très orienté vers les sciences, l'ingénierie et le commerce, mais les programmes se diversifièrent peu à peu au début des années cinquante. En 1965, un département d'arts et communication y est fondé et on prévoit offrir des cours dans les disciplines suivantes: cinéma, art dramatique, radio et télévision ainsi que théorie de la communication. On relève même un cours d'initiation au cinéma conçu pour les enseignants des écoles. Dès 1967, on fait appel à Charles Gagnon, artiste connu en arts visuels, comme professeur invité; par la suite, il est nommé professeur régulier. Ainsi, on observe dans trois institutions — l'École du musée avec R. Halliday, Sir George Williams avec S. Horner et Loyola avec C. Gagnon — une sorte de cheminement parallèle, puisque chacune des institutions s'intéressa aux nouveaux médias pendant la même période et opéra un transfert de cours du champ de la communication visuelle à celui des beaux-arts et de la pédagogie artistique.

La fondation de l'Office national du film, consacrant une politique nationale du cinéma comme agent culturel d'une population, les succès remportés par les films d'animation de Norman McLaren, l'importance accordée par le rapport Parent aux nouveaux médias, et particulièrement au cinéma, l'influence des courants artistiques américains comme le pop art, sont autant de facteurs qui expliquent le développement simultané de nouvelles orientations pédagogiques et artistiques à l'Université Sir George Williams, au collège Loyola et à l'École d'art du Musée des beaux-arts.

À la lumière de ces données, on comprend mieux l'impatience des étudiants de l'École des beaux-arts de Montréal qui réclamaient des orientations artistiques nouvelles; on peut aussi se demander si, à l'Université Sir George Williams, les étudiants prenaient la parole. Le point de vue des étudiants nous est fourni uniquement par la lecture de leur mémoire déposé à la commission Rioux en 1967. Ils étaient très conscients de la renommée du nouveau département qui s'étendait à tout le Canada. Aussi appréciaient-ils leurs professeurs à 84 %. La majorité de leurs recommandations se résumèrent à demander que le gouvernement octroie les ressources financières nécessaires pour offrir davantage d'encadrement matériel et technique tout en assurant un solide développement des études avancées. Leurs insatisfactions se manifestèrent dans leur perception de la pauvreté de l'enseignement des arts dans les écoles du Québec et dans leur inquiétude du préjudice que pourraient subir les artistes unilingues anglophones dans le milieu de l'art. Cependant, ils prirent soin de manifester leur solidarité à l'égard de leurs collègues de l'EBAM qui connaissaient des difficultés plus grandes que les leurs. Dans les dernières pages du mémoire, les étudiants interprétèrent la place de l'art dans la société contemporaine comme un antidote au matérialisme et à l'utilitarisme ambiant. L'argumentation était courte, peu élaborée et assez décevante; les étudiants appréciant leurs professeurs et bénéficiant de l'énergie d'une nouvelle institution, il n'y a pas eu de véritables débats.

On ne trouve aucune trace officielle d'un engagement des étudiants en arts dans les mouvements de contestation de 1968, ni aucune réaction à la révolte du 11 février 1969, alors que le centre d'informatique de l'Université Sir George Williams fut mis à sac par des étudiants qui accusaient l'institution de racisme. Néanmoins, le journal étudiant de l'Université, *The Georgian,* publia plusieurs chroniques relatives à l'occupation de l'École des beaux-arts, car les dirigeants de la contestation de l'EBAM envoyaient régulièrement des articles.

Quelques entrevues avec Stanley Horner et John Miller révèlent qu'il y eut des «événements» apparentés au théâtre de rue où étudiants et professeurs du Département manifestèrent contre la violence et la guerre au Viêt-nam. Entre autres, on peut signaler qu'en mars 1968, Peter London, jeune professeur au Département, organisa un événement public multimédia et multidisciplinaire extrêmement sophistiqué, titré *Nights Thoughts,* et les étudiants des différents arts participèrent à cette activité[21]. Un deuxième événement important, davantage apparenté au happening de provocation, se déroula en novembre 1968 à l'instigation du peintre John Miller. Invité à une table ronde sur la violence, ce dernier organisa, avec P. London et quelques étudiants, une sorte de happening où des poulets furent décapités devant une salle pleine; tout se termina dans la plus grande confusion, on dirait même dans une bagarre entre la salle et les «acteurs.» Il semble que la réaction des autorités universitaires ait été très négative vis-à-vis de J. Miller. Ce dernier lors d'une entrevue précisa d'ailleurs que cet événement, lié à un engagement politique qui l'avait provoqué, ne fut pas discuté dans les salles de classe. Cela demeurait une activité d'artiste et non une démarche pédagogique et, selon Sherman, les étudiants en arts étaient plus romantiques que politisés. Ces deux événements ne trouvèrent aucun écho dans la presse écrite, mais le réseau anglais de télévision couvrit le second événement.

La création du nouveau département de beaux-arts à Sir George Williams a suscité l'attention des médias, surtout quand on y a engagé comme professeurs des artistes déjà choyés par la presse, tels les Kyooka, Gaucher et Molinari. Mais il semble que ce soit la fondation en 1966 de la galerie d'art de cette université qui ait davantage permis de soutenir l'intérêt de la presse écrite. Cette galerie s'insérait dans une politique institutionnelle de soutien des arts, car, dès 1962, Samuel Schecter amorça pour l'Université une collection d'œuvres d'art canadien. Les expositions des professeurs et des étudiants s'y succédèrent au milieu d'une programmation bien établie.

Les expositions des professeurs furent généralement bien couvertes par les différents critiques. En 1967, Yves Robillard soulignait que la qualité des travaux des étudiants de l'Université Sir George Williams «réside dans une conception apparemment plus moderne de l'enseignement. Beaucoup d'élèves de Sir George présentent des travaux que l'on pourrait comparer à des études de formes, couleurs, de *basic design* ou de design avancé alors que l'impression des travaux de l'école des B.A. est celle d'une figuration vieillotte[22].»

Plus succinctement, Virginia Lambe, du journal *The Gazette*, partagea le même point de vue[23]. C'était vraisemblablement l'influence de l'esthétique formaliste et de la théorie pédagogique du Bauhaus qui pénétrait l'esprit de la majorité des cours, esthétique qui pouvait être considérée comme l'esthétique dominante.

Cette brève description des principaux événements qui se déroulèrent dans le domaine de l'enseignement des arts permet de saisir l'importance de cette décennie dans la réflexion sur la formation de l'artiste. Le phénomène qui marqua l'histoire institutionnelle est celui de l'intégration de la formation de l'artiste dans l'université (1965 à Sir George Williams et 1969 à l'Université du Québec à Montréal), soit une légitimation d'une formation professionnelle autrefois considérée comme autonome, voire marginale. C'était aussi l'acceptation graduelle, par le système des beaux-arts, d'une formation plus élargie tenant compte d'aspects intellectuels autrefois minimisés. C'est par la pédagogie artistique que les arts parvinrent à se définir un créneau dans les études de deuxième cycle et la recherche universitaire. On assista également à une centralisation des différents arts dans des unités administratives unifiées, sorte de campus des arts en gestation, système qui s'implantera plus solidement dans la décennie suivante.

De façon générale, les programmes des trois institutions tentèrent de s'adapter à la configuration du milieu de l'art contemporain; on assista à un immense effort en vue de dynamiser l'apprentissage soit par de nouvelles orientations artistiques, tels le cinéma ou les arts intégrés, soit par l'engagement d'artistes reconnus par le milieu officiel de l'art, soit par la promotion des nouveaux matériaux, techniques et savoirs scientifiques comme le réclamaient les étudiants de l'EBAM.

Deux phénomènes différencient l'EBAM des autres institutions. En premier lieu, c'est là que le mouvement étudiant, si important dans cette décennie, a réellement pris un certain contrôle des événements, minimisant de ce fait les visions progressistes de plusieurs professeurs: les étudiants ont averti les autorités gouvernementales et surtout l'opinion publique des problèmes des institutions d'enseignement artistique et leur ont fait connaître leurs aspirations essentiellement axées sur l'intégration de l'artiste à la société et aux savoirs contemporains. Évidemment, le mouvement étudiant n'a pas la stabilité d'une réforme institutionnelle, mais il est révélateur des tensions qui déchiraient le milieu de l'art: les étudiants posèrent de façon abrupte et révoltée les contradictions d'un art contemporain qui, d'une part, s'officialisait et s'institutionnalisait et qui, d'autre part, cherchait à briser les limites qu'il venait à peine de tracer.

Si nous reprenons la catégorisation définie auparavant des différentes rationalités qui modulaient les discours et décisions qui orientèrent la formation de l'artiste, nous pouvons observer que la rationalité herméneutique, c'est-à-dire l'importance accordée à la signification intime et intrinsèque de la pratique artistique, prédomine dans la définition des cours au début de la décennie.

À la suite de la publication du rapport de la commission Parent et de l'implantation rapide des réformes, la rationalité disciplinaire liée à une orientation professionnelle prédomina: les innovations institutionnelles et les aspirations des différents participants visaient surtout une meilleure articulation entre l'institution et le milieu officiel de l'art, particulièrement à l'Université Sir George Williams. Il y eut également émergence d'une volonté d'harmonisation entre l'art et les savoirs institués et prestigieux comme la science et la technologie; cette rationalité disciplinaire s'appliqua également à une volonté de répondre adéquatement aux changements en architecture et environnement urbains, en design graphique et industriel et dans le monde des médias visuels.

C'est dans l'expérience de la contestation à l'École des beaux-arts qu'une certaine forme de rationalité émancipatrice fut revendiquée. L'occupation de l'école et la multiplicité des attentes qui s'y révélèrent exprimaient magistralement la tentative d'une transformation des institutions traditionnelles anticipant une transformation éventuelle des pouvoirs et peut-être de la définition de l'art. L'expérimentation de la formule de l'autogestion défiait intuitivement et spontanément l'ensemble des valeurs qui définissaient et définiront la société québécoise, le milieu de l'art et son enseignement. D'ailleurs, il est très important de préciser qu'après l'échec de la contestation, plusieurs étudiants conserveront leur mépris pour «l'establishement artistique» et s'engageront activement dans des groupes d'intervention ayant pour objectifs de travailler à l'émancipation des citoyens considérés comme des victimes de différents systèmes de domination.

On remarque donc que les écoles d'art furent préoccupées par les mêmes défis que ceux qu'affrontèrent la société québécoise en général et le milieu de l'art en particulier. Si on restreint un peu les réseaux de relation, on peut reconnaître que le rapport Parent — avec tout ce qu'il affirmait, anticipait et proposait — apparaît comme une instance déterminante dans les orientations que nous venons de décrire, surtout à l'EBAM. Nous avons vu que les arts occupèrent une place importante dans la planification des matières des cours primaire et secondaire dans les recommandations de la commission Parent. De plus, les commissaires reconnurent la nécessité d'une formation artistique adéquate pour assurer ces enseignements. Nous avons également signalé l'importance de la pédagogie artistique dans la conception des programmes tant à Sir George Williams qu'à l'EBAM. Ainsi, on peut se demander comment se définissait l'enseignement des arts plastiques dans le système public et quel rôle était dévolu aux artistes-enseignants.

L'enfant créateur:
les programmes d'arts plastiques aux niveaux primaire et secondaire

Les enfants qui ne me quittent plus m'ouvrent toute large la porte du surréalisme de l'écriture automatique. La plus parfaite condition de peindre m'était enfin dévoilée.

PAUL-ÉMILE BORDUAS,
1949[24]

Dans cette troisième partie, nous préciserons d'abord la problématique générale de l'enseignement des arts plastiques dans les écoles en regard du modernisme et de la définition d'un art enfantin. Ensuite, nous décrirons les grandes tendances qui ont marqué l'éducation artistique dans le système public québécois.

Modernisme et art enfantin

L'idée d'élargir le cadre de notre recherche à l'ensemble des considérations qui touchent la formation artistique, que celle-ci s'adresse aux artistes professionnels ou aux enfants et adolescents des écoles, n'est pas dépourvue de fondement, car cela est étroitement associé au développement de l'art du xxe siècle. La découverte et la valorisation du dessin spontané de l'enfant par les artistes de différentes tendances sont intimement liées au modernisme. Dans une étude sur Courbet,

M. Schapiro a exposé tout le débat de la fin du xixe siècle au sujet de la découverte du dessin spontané de l'enfant[25]. Plusieurs textes issus du mouvement du Blaue Reiter, certaines déclarations de Klee, de Kandinsky, de Borduas, entre autres, ont célébré la fraîcheur de l'expression enfantine. En 1949, une exposition sur le monde des formes, organisée par F. Minkowska, avait établi des liens précis entre les œuvres d'artistes du modernisme et les dessins d'enfants[26].

De nombreux artistes-enseignants familiers avec les esthétiques modernistes s'intéressèrent au développement d'une pédagogie artistique qui renversait les normes du modèle académique et surtout interrogeait les finalités instrumentales et fonctionnelles des programmes de dessin des écoles publiques. On enseignait alors les rudiments du dessin industriel et des arts décoratifs, de même que des codes de représentation de la nature. Au début du siècle, la méthode de F. Cizek, basée sur la nécessité de favoriser l'expression libre de l'enfant, connut un immense retentissement; elle fut suivie plus tard par celles de M. Richardson en Angleterre et de V. Lowenfeld aux États-Unis. La majorité des innovations proposées en éducation artistique s'appuyait à la fois sur les découvertes artistiques du xxe siècle, sur les théories psychologiques du développement de l'enfant et sur des pensées philosophiques et pédagogiques telles celles de J. Dewey et H. Read et de C. Rogers. Ainsi, en Europe, aux États-Unis et même au Canada existait-il de nombreux courants visant à renverser l'enseignement académique par l'introduction de nouveaux paradigmes dont l'élaboration tenait compte à la fois de la psychologie enfantine et des théories et formes esthétiques de l'art du xxe siècle.

Au Québec, ce mouvement se concrétisa dans les cours du samedi aux enfants, donnés au Musée des beaux-arts de Montréal, sous le patronage d'Arthur Lismer et d'Anne Savage, tandis qu'il provoqua un débat public autour de Maurice Gagnon, Paul-Émile Borduas et le père F.-M. Couturier dans les querelles qui les opposèrent à Charles Maillard (directeur de l'EBAM) et à Maurice Lebel (directeur de l'enseignement du dessin à la CECM), ces derniers défendant avec acharnement un enseignement utilitaire et académique du dessin[27], alors que les premiers revendiquaient la nécessité de laisser l'enfant s'exprimer librement afin de ne pas brimer son élan créateur.

Irène Sénécal assuma chez les francophones le leadership d'une vision nouvelle de l'enseignement du dessin au sein même des classes de l'école primaire et secondaire. Mais elle eut à composer avec les autorités en place peu enclines au changement et ne put implanter «la nouvelle méthode» d'enseignement du dessin que très progressivement. Dès le début des années cinquante, elle mit à la disposition de l'enfant un grand nombre de matériaux nouveaux, favorisa les travaux en trois dimensions et les travaux collectifs. Les exercices de mémorisation et d'imagination supplantèrent graduellement les exercices d'observation et de décoration. Les nouveaux thèmes proposés étaient généralement reliés à la vie scolaire, familiale et sociale de l'enfant et engageaient à une représentation narrative permettant d'articuler un registre complexe de signes plastiques. Pour Sénécal, il y avait continuité entre la formation de l'artiste et la vision d'une nouvelle pédagogie des arts plastiques. On pouvait et même on devait revendiquer simultanément le titre d'artiste et d'enseignant.

Ces paramètres furent exprimés avec force à une époque qui était favorable à l'émergence de nouvelles dispositions esthétiques et à la conquête de nouveaux publics: la réforme des programmes en éducation artistique est contemporaine d'un nouveau discours social sur le rôle essentiel de l'art et de la culture dans une société, soit l'idéologie de la «démocratisation de l'art» concrétisée par la création du ministère des Affaires culturelles en 1961. Il faut nous rappeler également l'action de quelques jeunes artistes (Demers, Fusion des arts) qui donnaient une nouvelle définition de l'art basée sur la participation du spectateur et la conquête d'un large public.

Les quelques recommandations de la commission Parent décrivant la nécessité de reconnaître une nouvelle vision de l'enseignement des arts plastiques et de former des enseignants compétents ont constitué un soutien essentiel au développement de cet éthos où était bienvenue la participation d'une population avide des bienfaits de l'art et désireuse de s'inscrire dans les nouveaux programmes d'arts plastiques instaurés en 1968.

Les nouveaux programmes d'arts plastiques du MEQ

En 1968, le ministère de l'Éducation scella sa réforme du système scolaire par l'implantation de nouveaux programmes-cadres incluant deux programmes d'arts plastiques, l'un pour le niveau primaire et l'autre pour le niveau secondaire; ce dernier se divisait en deux volets optionnels — «arts plastiques» et «arts plastiques: moyen de communication de masse». Les nouveaux programmes avaient pour objectifs le développement de l'esprit créateur, le plein épanouissement de la personnalité de l'élève et l'acquisition (on parle même «d'inculcation») d'une formation artistique orientée suivant les capacités expressives et créatives de l'enfant. Le contenu des activités des programmes était centré sur l'énumération de nombreuses notions de langage plastique se concrétisant par l'exploration des techniques et des matériaux les plus divers; l'étude de certaines périodes ou thématiques en histoire de l'art était clairement décrite. Il faut consulter les guides pédagogiques pour voir apparaître les thématiques, mais, dans tous les cas, elles étaient inféodées à l'apprentissage d'une notion ou d'une technique bi ou tridimensionnelle.

Comme dans le modernisme, on assiste dans la rédaction des programmes à une sorte de tension entre les valeurs expressives de l'art et l'accent mis sur les qualités formelles et esthétiques de l'objet. On est très loin de l'expression libre ou spontanée revendiquée par d'autres groupes — dont les enseignants de catéchèse et les titulaires de classe — prônant la pédagogie française d'A. Stern ou du frère Jérôme dont nous parlerons plus loin.

La création du programme «arts plastiques: moyen de communication de masse» répondait aux vœux de la commission Parent qui favorisait l'art de la culture de masse, particulièrement le cinéma: les objectifs et le contenu du programme visaient à initier les élèves des troisième, quatrième et cinquième années du secondaire aux moyens d'expression suivants: les techniques d'impression — surtout l'affiche —, la maquette et le décor, la photographie, le cinéma ou la radio-télévision.

Dès 1966, Wim Huysecom implanta, à la commission scolaire régionale des Mille-Îles, une expérience-pilote d'initiation aux différentes formes d'expression cinématographique à la suite de laquelle il participa activement à la rédaction du nouveau programme. L. Belzile, peintre connu et responsable de la division des beaux-arts au ministère de l'Éducation, assura la coordination de la rédaction de tous les programmes; il était particulièrement sensible à l'importance de la participation des artistes dans les nouveaux médias, principalement la télévision. Cet intérêt pour les nouveaux médias incita les concepteurs à utiliser de nouvelles références bibliographiques et à modifier le vocabulaire traditionnel des arts plastiques: dans des documents de travail, on discutait «d'atelier-laboratoire, de cours d'expression et de recherche, des lois de la perception». Les emprunts à l'univers scientifique poursuivaient leur pénétration dans le vocabulaire de l'artiste-enseignant. On reconnaît là un discours qui fait écho à celui des étudiants de l'EBAM ou de certains artistes comme M. Demers et qui démontre éloquemment le registre des références de ceux qui anticipaient un élargissement professionnel du métier d'artiste ou qui souhaitaient l'émergence de nouveaux paradigmes pour définir l'art, paradigmes empruntés aux univers de la science et de la communication.

L'insertion du volet «arts plastiques: moyen de communication de masse» à l'intérieur du champ de l'enseignement des arts plastiques constitua une importante innovation pédagogique et institutionnelle. Elle répondait parfaitement aux recommandations explicites du rapport Parent qui, comme nous l'avons précisé précédemment, accorda une extrême attention aux arts dits populaires ou de masse; cette option élargissait le domaine de l'enseignement des arts visuels en recourant aux codes formels du design et du cinéma et en réintégrant à l'intérieur des arts plastiques des orientations professionnelles clairement désignées. Ce nouveau volet étendait la sphère d'influence de l'artiste-enseignant et répondait aux attentes de plusieurs jeunes artistes et d'une société traversée et fascinée par la magie des nouveaux médias. Tout le débat soulevé par l'EBAM, avant et pendant la contestation visant à élargir le rôle professionnel de l'artiste, est ici harmonisé par la cohabitation de deux volets qui répondaient à une diversification des talents ou des intérêts des élèves.

On peut cependant faire une autre interprétation de l'existence de deux volets séparés qui consacraient ainsi officiellement une dichotomie entre des pratiques que l'on tentait de réconcilier par ailleurs à l'Université Sir George Williams, du moins dans certains cours de pédagogie artistique. S'y trouve accentuée la différence entre les pratiques visuelles issues de la tradition des beaux-arts et celles de la culture de masse, ce que Huyssen appelle *The Great Divide*[28]. Ce dernier a très bien analysé comment les échecs des avant-gardes historiques désireuses de changer la vie ont résulté en une séparation entre l'art savant, autonome et détaché des contingences sociales, et l'art de masse, ce dernier, instrumental et efficace. La réconciliation souhaitée par plusieurs s'est effectuée au seul niveau de la personne de l'enseignant qui est appelé dans sa pratique pédagogique à opter pour la tradition des beaux-arts ou pour l'enseignement des nouveaux médias.

Quelques écoles secondaires offrirent ce programme alors que la majorité se limita à l'option «arts plastiques» parce que, disait-on, moins coûteuse; mais on sait que les programmes des écoles d'art francophones n'assuraient pas aux futurs enseignants une formation suffisante dans l'utilisation créatrice des nouveaux médias. De plus, il semble que l'on craignait de retomber dans le piège de la commande et des normes d'efficacité que l'idéologie moderniste avait dénoncé. Ainsi, on aurait tort de penser que le milieu de l'enseignement des arts était homogène et reflétait une même idéologie. Quelques autres tendances s'affichèrent et même s'affrontèrent: le courant pédagogique dominant issu de l'École des beaux-arts de Montréal fut critiqué par le frère Jérôme, tenant de l'avant-garde automatiste des années quarante. Allant à l'encontre de la didactique sénécalienne, qui tentait une réconciliation entre instruction et expression, le frère Jérôme souhaitait l'intervention minimale de l'enseignant au profit de l'expression la plus libre possible. Cette pensée du frère Jérôme et celle d'A. Stern suscitèrent l'intérêt des enseignants généralistes non formés dans les écoles d'art. Sur le terrain de l'école, deux visions du modernisme se dessinèrent: l'une valorisant l'intervention minimale de l'enseignant au profit de l'expérience de la pulsion créatrice, l'autre spécifiant l'importance de l'enseignant comme guide dans la conquête des différentes stratégies plastiques permettant une expérience apprise de la liberté créatrice.

De quelques pratiques pédagogiques émancipatrices

Malgré une orientation hésitant entre une rationalité disciplinaire et une rationalité herméneutique, les programmes-cadres d'arts plastiques autorisaient une grande latitude dans leur application concrète en classe et les enseignants pouvaient privilégier l'une et l'autre des polarités. Certains ont même conféré à leurs objectifs pédagogiques une mission émancipatrice. Quelques artistes-enseignants s'engagèrent dans des actions pédagogiques réformistes ou radicales en prenant part activement, avec des groupes, à la lutte contre les inégalités sociales ou contre les normes scolaires et institutionnelles que l'on venait tout juste d'instaurer.

À titre d'exemples concrets, nous citons le cas de deux artistes-enseignants qui ont témoigné de leur engagement dans des activités de conscientisation. En 1970, Suzanne Blouin Rafie déposa un bilan écrit de son expérience d'enseignante en milieu défavorisé, alors qu'elle travaillait de concert avec d'autres enseignants et des personnes-ressources. Cet engagement entraîna une réflexion critique et dynamique sur les moyens à mettre au point en arts plastiques pour mieux répondre aux douloureux constats des inégalités sociales. Elle expérimenta avec les jeunes plusieurs stratégies pédagogiques nouvelles, particulièrement la photographie du milieu urbain, et tenta de favoriser par les arts l'interaction et la communication entre les jeunes.

Jean-Eudes Fallu, quant à lui, avait participé comme étudiant à la contestation des beaux-arts et, dès sa première année de professorat dans les écoles, il se joignit à des enseignants qui favorisaient une pratique pédagogique «progressiste» dans l'école. Contrairement à l'enseignante précédente, ses rapports avec les autorités furent conflictuels et il participa à plusieurs luttes syndicales visant à assurer la cogestion pédagogique entre l'administration et les enseignants. Il intégra son intérêt personnel pour le pop art à des projets pédagogiques. Il s'opposa très tôt à un enseignement uniquement notionnel et il utilisa des thématiques de «conscientisation» afin de développer, par l'art, le sens de la responsabilité sociale de l'élève.

Une œuvre collective de grande dimension et en relief, exécutée par les élèves du secondaire à partir de la *Guernica* de Picasso, illustre éloquemment le registre des ruptures qu'il opéra par son enseignement. Ce travail fut produit à la suite de l'instauration de la Loi sur les mesures de guerre au Québec, en 1970, qui limitait les libertés civiles et la liberté de presse. Les élèves interprétèrent une œuvre d'art choisie comme modèle, ce qui dans les croyances courantes était fortement déconseillé. Ensuite, ils intégrèrent un texte de B. Brecht dans le tissu même du travail plastique, ce qui encore une fois n'était pas encouragé. Le texte de Brecht interpellait chaque spectateur par la forme syntaxique du «je» et reliait du même coup le massacre de Guernica et l'actualité scandaleuse de l'application des mesures de guerre. Par la justesse de son propos formel, historique et critique dans le contexte d'une crise sociale vécue par une collectivité, cette activité artistique témoigne de la possibilité de pratiques de résistance à l'intérieur même du cadre scolaire.

Bref, dans les deux cas décrits, nous pouvons noter l'importance accordée aux travaux collectifs, rejoignant ici l'une des préoccupations de plusieurs artistes comme M. Demers ou R. Lacroix qui affirmaient la nécessité de quitter l'espace privé du sujet créateur pour favoriser la participation à des expériences artistiques collectives.

Une autre grande vague de démocratisation des valeurs dites essentielles de l'art se propagea dans les centres d'art où de nombreux cours d'arts plastiques furent offerts à toute la population. Des expositions attiraient un large public, et personne n'a encore mesuré l'incidence de ces activités sur une familiarisation accrue avec les esthétiques contemporaines ou sur une éventuelle amélioration de la qualité de la vie. Parmi toutes ces aventures pédagogiques hors du cadre scolaire, l'apport de Françoise Bujold, artiste et poète, est très singulier et malheureusement peu connu; elle organisa en Gaspésie nombre d'ateliers d'été et elle s'engagea dans la publication d'albums où on retrouvait des gravures enfantines accompagnant des poèmes qu'elle créait à l'intention des enfants. F. Bujold fit travailler les enfants micmacs de la réserve amérindienne de Maria à partir de thèmes mythologiques micmacs. Cette forme d'engagement entre la poésie, le folklore autochtone et l'expression enfantine est unique et constituait une heureuse possibilité d'articuler des rapports étroits entre l'art, la culture et l'enfance.

Au début de la décennie, le rapport Parent avait inclus l'éducation artistique dans son grand projet de démocratisation scolaire. On a également saisi qu'il existait une relation intime entre les valeurs du modernisme et celles proposées par l'éducation artistique où l'expérience de l'art l'emportait sur la connaissance du milieu de l'art. Dans la rédaction des programmes, on a ainsi noté des hésitations entre la rationalité disciplinaire qui nécessite l'acquisition de connaissances précises et la rationalité herméneutique qui privilégie l'expression. On a également assisté à l'insertion des nouveaux médias dans un programme scolaire conçu pour l'école publique, ce qui devançait largement l'enseignement dispensé dans le cadre des programmes de formation professionnelle de l'artiste.

On peut avancer que l'éducation artistique a largement participé de l'idéologie de la démocratisation des valeurs de l'art contemporain, car c'est par l'entremise des cours d'arts plastiques (dans les écoles et les centres d'art) que les différentes régions du Québec ont été sensibilisées à l'existence de systèmes d'arts visuels autres que ceux issus de la tradition académique et des arts et traditions populaires.

L'éducation artistique dans les écoles dont nous venons de tracer les grandes orientations s'est affirmée alors qu'une importante commission d'enquête, la commission Rioux, siégeait pour étudier la situation globale de l'enseignement des arts au Québec. Il est donc important de terminer notre survol de la décennie par une évaluation de ce nouveau discours sur l'art, l'école et la société.

Le rapport Rioux, l'art et l'artiste dans un projet de société[29]

Le début de notre étude décrivait les changements majeurs recommandés par la commission Parent. Elle se clôt par un résumé de la pensée de la commission Rioux, qui synthétise les aspirations du milieu de l'enseignement des arts articulées autour d'un projet de société. Formée en 1966, conséquemment à des grèves dans les écoles d'art, la commission Rioux fut créée dans une période de réorganisation complexe des milieux de l'art et de l'éducation. Son mandat était très large puisqu'elle devait «étudier toutes les questions relatives à l'enseignement des arts y compris les structures administratives, l'organisation matérielle des institutions affectées à cet enseignement et la coordination de ces institutions avec les écoles de formation générale[30]».

Les orientations de la commission Rioux ont été fortement influencées par la personnalité et le statut de son président, Marcel Rioux, professeur au Département de sociologie de l'Université de Montréal. Réputé pour ses études anthropologiques sur des micro-milieux de la société québécoise, Rioux affichait, au début des années soixante, des convictions socialistes et indépendantistes; en 1964, il dirigea avec Robert Sévigny une importante étude sur les jeunes Québécois, ce qui explique en partie le choix des étudiants de l'EBAM de demander Marcel Rioux pour présider la Commission d'enquête.

Bien avant la publication du rapport final, la commission Rioux a très souvent servi de caution ou de catalyseur aux nombreuses démarches entreprises par le milieu de l'enseignement des arts dont nous avons traité précédemment. Les représentants du ministère de l'Éducation, la direction et les étudiants de l'EBAM, les professeurs dans les écoles et surtout les planificateurs de la nouvelle Université du Québec, plusieurs ont admis avoir bénéficié ou réclamé des avis de la commission avant même qu'on ne publie le rapport, lequel fut déposé en 1968 et diffusé publiquement en 1969, mais de larges extraits circulèrent entre ces dates.

Les premiers chapitres du rapport Rioux contiennent une analyse savante de la société actuelle. La Commission a démontré le rôle actif de l'art comme mode de connaissance et comme fonction sociale dans une société technologique et bureaucratique. On y explique la dissociation entre l'art et la société actuelle par la prédominance de la technique, des valeurs quantitatives et de la rationalité au détriment de l'ouverture aux sens, aux sentiments, aux symboles. On confie aux disciplines artistiques le rôle de donner à l'homme et au monde un sens nouveau et de «resémantiser les produits». À la dépossession de l'homme du xxe siècle on oppose l'ouverture sur le désir et l'imaginaire inhérents à la pratique et à l'appréciation de l'art: «Il ne s'agit pas d'aller diffuser le bon message à des masses considérées comme incultes mais de mettre tous les citoyens en mesure de participer à la création de la bonne vie et de la bonne société de notre époque[31].»

Afin d'étayer leurs recommandations sur toutes les questions relatives à l'enseignement des arts au Québec, les commissaires ont opté pour une approche globale du problème, soit une solide réflexion sur la société, la culture, l'art et l'éducation appliquée à la question d'un Québec en mutation.

La société industrielle et postindustrielle, l'éducation, la culture

La commission Parent avait dégagé certains traits de la société industrielle: rationalisme, individualisme et spécialisation professionnelle; la commission Rioux questionna davantage les effets de cette société industrielle et postindustrielle. À l'homme normal, souhaité par la société de consommation, la commission Rioux opposa l'homme normatif, celui qui pourrait créer et assumer des normes lui permettant ainsi de bénéficier des acquis de la technologie sans être dominé par elle.

On souhaitait donner à l'éducation en général et à l'éducation artistique en particulier la fonction de «former des hommes qui puissent retrouver un sens à leur vie et contribuer à créer une nouvelle culture, un *nouveau code de mise en ordre de l'expérience humaine*. Il s'agit de passer de la culture humaniste, culture de l'élite dans la société industrielle, pour en arriver à une culture ouverte [en italique dans le texte] qui sera mieux adaptée à la société postindustrielle[32]».

L'art, mode de connaissance et fonction critique

La commission Rioux entreprit la tâche difficile de définir l'art comme mode de connaissance ayant une fonction critique dans la société. Michael White, critique d'art anglophone, a su synthétiser en quelques lignes le projet global de la Commission: «*Art is Art in itself, a philosophical and even metaphysical study. Art is also art in the world; art as communication and art as environment. All of those things are interwoven and the understanding must be of a poetic nature[33].*» Par l'art, il s'agissait de rejoindre chaque individu et de construire un nouvel homme — un homme apte à développer la totalité de ses capacités. De plus, l'art, défini comme liberté, ouverture et transgression, assume une fonction à la fois de critique et d'instauration, soit de créer une nouvelle culture (culture ouverte) qui donnerait un sens au devenir sociétal de l'homme.

La commission Rioux élargit considérablement la définition traditionnelle de l'art; l'art savant (des galeries, des musées) serait le fruit d'un processus historique et une catégorie de la première étape de la société industrielle.

> Désormais, ce n'est plus seulement dans les musées que les œuvres d'art sont rassemblées, mais dans tout ce qui

nous entoure; l'environnement lui-même se confond avec le musée qui devient un mécanisme de communication populaire. [...] L'Exposition universelle de Montréal en 1967 a bien mis en lumière le fait de l'environnement global qui tend à intégrer tous les médias et dans lequel les arts sont eux-mêmes des médias[34].

Ainsi, quand il s'agissait de décrire les «arts en eux-mêmes», tout y était: aux arts traditionnels s'ajoutaient les arts de l'environnement et le design, les arts du son et de l'image, les arts audiovisuels et la communication de masse. Cet élargissement du concept d'art finit par englober la majorité des interventions de l'homme; toute pratique portait en elle — à des degrés divers certes — la possibilité de signifier et de définir une culture ouverte dans la sphère même de la production industrielle. Et c'est dans ce sens que l'art pouvait prétendre à donner un nouveau sens au monde.

Si la commission Rioux refusa d'établir une hiérarchie, elle n'évita pas la nécessité de créer des catégories permettant de regrouper les pratiques artistiques; on proposa de distinguer «deux grands secteurs d'activités artistiques reliés et sous-tendus, l'un par le phénomène de la communication, l'autre par le phénomène de l'environnement d'où une classification des pratiques dans l'un des deux secteurs[35]». Les pratiques artistiques ont ainsi été insérées dans le réseau des fonctions sociales et non plus situées dans les aires du ludique, du superflu ou de la marginalité.

Le rôle de l'État

La commission Rioux confia à l'art la fonction de donner un nouveau sens au monde, et à l'État le rôle d'en démocratiser les valeurs. Le ministère de l'Éducation, en assurant une formation artistique adéquate, pourrait permettre à chacun de développer toutes ses facultés afin de participer activement à la définition d'une culture ouverte. Conformément à son mandat, la Commission décrivit en détail les objectifs et les structures devant permettre cette intégration du champ total de l'art dans le réseau de l'éducation. Mais, pour les commissaires, le rôle de l'État ne devait pas se limiter au secteur éducatif; ils mandatèrent un futur «ministère du développement culturel» de faire la jonction entre les artistes et le public par l'animation culturelle: «Il est donc essentiel que le Conseil des ministres veille à l'application des recommandations proposées par la Commission afin que chaque homme, chaque artiste et l'État puissent collaborer ensemble à définir la bonne vie et la bonne société dans une économie de création et de solidarité[36].»

Les recommandations

Trois cent soixante-huit recommandations couronnèrent toute cette argumentation théorique, lesquelles étaient fondées sur la déclaration de principe suivante: le devoir de l'État est d'assurer «la démocratisation de l'enseignement des arts en rendant accessible à tous la formation artistique[37]». Elles précisèrent les partages de compétence des ministères de l'Éducation et des Affaires culturelles. On confia au ministère des Affaires culturelles un mandat extrêmement large visant à assurer surtout la diffusion de tous les arts, mais on lui retira toute fonction liée à la formation professionnelle, d'où le retrait des conservatoires de l'autorité de ce ministère.

Tous les niveaux scolaires, de la maternelle à l'enseignement aux adultes, étaient concernés par des recommandations: la place des arts comme matières obligatoires fut clairement désignée jusqu'au niveau collégial et surtout on réclama une augmentation considérable des périodes allouées aux disciplines artistiques dans la grille d'horaires. On proposa également que l'enseignement professionnel des arts se répartisse entre les niveaux collégial et universitaire; conformément à la philosophie globale énoncée plus haut, on élargit considérablement le registre des activités artistiques et on mandata la nouvelle Université du Québec pour l'implantation de nouveaux programmes en vue de répondre à un besoin accru de personnes compétentes dans les arts de la communication et de l'environnement.

Plus de vingt ans après la publication du rapport Rioux, on est encore étonné par l'ampleur de la réflexion des membres de la commission et des réformes qu'ils ont proposées, tant sur le plan idéologique que sur le plan organisationnel. Pour ce qui est de la réforme du système scolaire, les recommandations arrivèrent trop tard, car les nouveaux programmes d'arts au primaire et au secondaire étaient déjà officiels et les grilles répartissant la plage horaire de chaque matière déjà implantées; qui plus est, le Conseil supérieur de l'éducation chargé d'étudier les recommandations loua la qualité du travail déposé mais jugea son application irréaliste. Les conservatoires de musique et d'art dramatique demeurèrent affiliés au ministère des Affaires culturelles, alors que de nombreux programmes d'arts furent introduits de façon anarchique au niveau collégial; l'UQAM créa la Famille des Arts regroupant plusieurs disciplines artistiques, chevauchant partiellement la formation donnée dans les conservatoires. Ainsi, la rationalisation de la formation artistique proposée par la commission Rioux fut loin de se concrétiser. Chaque discipline artistique eut plutôt tendance à se délimiter en toute hâte un petit territoire fermé mettant systématiquement en échec toutes les tentatives d'interrelation et de pluridisciplinarité et même de concertation.

On pourrait commenter longuement le contenu et la portée des réformes proposées. Par rapport à la description de la situation globale de l'enseignement des arts de cette décennie que nous avons esquissée plus haut, il est certain que le rapport de la commission Rioux doit être considéré comme un document majeur et historiquement très important par la rigueur théorique de l'argumentation définissant le rôle actif de l'art dans la société postindustrielle. Il synthétisa admirablement les aspirations de nombreuses personnes concernées qui réclamaient un enseignement artistique adapté aux besoins d'une société moderne et à ceux de la formation globale de la personne.

Le rapport répondait également aux aspirations de ceux qui croyaient en l'avenir d'un Québec politiquement et culturellement souverain, puisqu'il accorde à la culture «ouverte» le pouvoir de définir les aspirations fondamentales d'un peuple, aspirations partagées par des cinéastes, des poètes, des chanteurs et des gens de théâtre. La pensée de la commission Rioux est tributaire d'une idéologie du salut culturel par l'art, dans le sillage de l'école de Francfort, particulièrement de Marcuse, qui accordait à l'art une fonction émancipatrice. Pour Rioux, cette responsabilité culturelle échoit à la jeunesse représentée par des leaders novateurs de chaque milieu artistique. Tout le rapport est baigné par cet immense espoir des possibles.

Une citation du sociologue S. N. Eisenstadt, tirée d'un article intitulé «L'éducation, la science, la technologie et les crises culturelles», synthétise bien le cadre général de la grande réforme de l'éducation dans les années soixante. Le sociologue explique comment les systèmes d'éducation de l'Occident ne pouvaient plus être politiquement voués au maintien et au contrôle d'une tradition culturelle — comme c'était le cas antérieurement: «Le phénomène le plus important fut la spécialisation croissante des organisations et des rôles, l'unification et la coordination plus poussées des différentes activités éducatives dans le cadre d'un seul système général[38].» Nos considérations sur l'enseignement des arts ne peuvent faire l'économie d'une interprétation à partir de ce grand cadre général.

Plusieurs réseaux de relations peuvent être tissés à partir des événements dont nous avons traité. Globalement, on peut affirmer que les institutions responsables de la formation de l'artiste furent interpellées par trois grandes questions: la légitimation, par l'attribution de diplôme, l'ajustement du contenu des programmes aux enjeux du champ de l'art contemporain et l'adaptation aux besoins d'une société en voie de modernisation, particulièrement en tout ce qui touche les médias.

Ce qui se déroula à l'Université Sir George Williams, ce qui se profila à l'Université du Québec et les recommandations de la commission Rioux sur la création d'un campus des arts au niveau universitaire confirment une tendance d'influence américaine axée sur l'insertion graduelle des études artistiques dans le système universitaire, d'où une légitimation des diplômes et une inscription des disciplines artistiques parmi les champs du savoir universitaire.

L'adéquation entre le contenu de la formation et le champ de l'art contemporain s'observa par l'abandon progressif des valeurs d'un art expressionniste au profit d'une conception syntaxique de l'objet d'art et de la valorisation des connaissances scientifiques et des nouveaux matériaux. L'Université Sir George Williams et l'École d'art du musée optèrent pour des orientations de formation qui élargirent le registre des moyens d'expression artistique à l'intérieur même du champ de l'art sans toutefois remettre en question le champ de l'art tel qu'il était constitué. À l'instar des jeunes artistes qui animaient la scène artistique, les futurs artistes de l'EBAM rêvèrent d'une plus grande harmonie entre leurs œuvres et l'esprit contemporain baigné du discours de la science et de la technologie. On voulait être au diapason du monde actuel, être efficace et être compris. Les élèves des beaux-arts ne pouvaient se contenter des réformes offertes par les autres institutions, car ils avaient une vision plus critique et plus globale des valeurs véhiculées par le système des beaux-arts dans une communauté qui tentait de préciser son identité nationale et culturelle au sein d'une société moderne.

Au Québec, ces années furent cruciales dans la définition de nouveaux secteurs professionnels et dans la planification correspondante de programmes de formation spécialisée. Il ne faut pas oublier que l'enseignement du cinéma, de la photographie, de la télévision, du design industriel et d'environnement n'existait que de façon embryonnaire. La commission Rioux a d'ailleurs réussi à synthétiser et à rationaliser tous ces besoins en regroupant les disciplines artistiques en deux champs d'application: les arts de l'environnement et les arts de la communication.

Cette revendication du rôle actif de l'art dans la société se refléta dans les programmes d'enseignement des arts pour les classes du primaire et du secondaire où l'on définit deux programmes, l'un visant l'épanouissement de la personne par l'art et l'autre lui ouvrant les horizons des nouveaux médias.

Quand on jette un coup d'œil rapide sur la décennie, on ne peut s'empêcher de penser aux débats de la fin du XIXᵉ siècle et du début du XXᵉ siècle quand le développement industriel encouragea des artistes, des politiciens, des éducateurs à promouvoir un enseignement utilitaire de l'art, tandis que d'autres valorisèrent un enseignement qui bannissait l'académisme pour le remplacer par les valeurs du modernisme. L'art et la société, l'art et la personne, l'art pour l'art, trois pôles qui déchirent les décideurs, qui animent les débats depuis un siècle et qui se concrétisent en des programmes qui privilégient tantôt l'un tantôt l'autre des paradigmes en lice.

Ces considérations sont cependant incomplètes si on ne tient pas compte des revendications de ceux qui donnaient à l'art une fonction émancipatrice et qui cherchaient à concevoir une pratique éducative et artistique susceptible de modifier les rapports de forces de la société capitaliste. On retrouve un exemple concret et exacerbé de ces attentes dans l'expérience de l'autogestion qu'ont vécue les élèves de l'EBAM; on peut relever quelques actions isolées chez certains artistes-enseignants actifs dans le milieu scolaire et on retrouve la formulation de cette grande utopie dans la pensée de la commission Rioux: grâce aux arts dont les valeurs se ramifieraient dans toutes les pratiques sociales, on espère bâtir une société où les jeunes sauront définir une «bonne vie et une bonne société». Cet idéal réactualisait pour le Québec tout le projet de la modernité, et la commission Rioux confia ce mandat à l'éducation et particulièrement à l'éducation artistique.

Plus de vingt ans nous séparent de ces grands chambardements et de ces grands rêves. Chacun sait que les promoteurs de changements radicaux ont vu leurs idéaux se transformer en «désillusions tranquilles». Dans le système scolaire, au technocentrisme ministériel a correspondu un corporatisme syndical militant; au besoin de spécialisation a correspondu une étanchéité presque totale des différents programmes de formation. La pratique artistique s'est effectivement diversifiée, mais en des territoires autonomes, étanches et bien balisés selon des cheminements très distincts. La formation de l'artiste, bien que conservant toujours des liens avec l'éducation artistique, ne se définit plus comme porteuse de projets émancipateurs et, de ce fait, renforce l'autonomie du champ de la production artistique. Les crises et les utopies des années soixante se sont résorbées dans la normalisation des enjeux institutionnels, lesquels balisent également une grande partie des énergies d'autres groupes professionnels et sociaux.

Notes

1. Rapporté dans J.-L. Gagnon, *Les apostasies*, Montréal, Éd. La Presse, 1988, t. II, p. 33, cité par Paul Gérin-Lajoie, *Combats d'un révolutionnaire tranquille*, Montréal, Centre éducatif et culturel, 1989, p. 29.

2. Rapporté dans *Les Éditions politiques du Québec*, Montréal, L'Agence de distribution populaire, 1959, p. 31 et suiv., cité par Paul Gérin-Lajoie, *op. cit.*, p. 178.

3. Paul Guérin-Lajoie, *op. cit.*, p. 210.

4. *Rapport Parent*, gouvernement du Québec, 1965, vol. II, p. 5.

5. *Ibid.*, p. 126.

6. *Rapport Parent*, gouvernement du Québec, 1965, vol. III, p. 85-111.

7. *Ibid.*, p. 101.

8. *Rapport Parent*, *op. cit.*, vol. II, p. 225.

9. Pierre Bourdieu, «Le marché des biens symboliques», *L'année sociologique*, vol. XXII, 1971-1972, p. 49-126.

10. Dans ce texte, nous utiliserons les termes «enseignement des arts» pour traiter de la formation professionnelle de l'artiste et «pédagogie artistique» et «éducation artistique» pour ce qui concerne l'enseignement des arts dans les écoles primaires et secondaires. Cette terminologie est aujourd'hui désuète, mais elle nous paraît utile pour mieux différencier les registres de réflexion et elle correspond au vocabulaire utilisé à l'époque.

11. H. A. Giroux, *Theory and Resistance in Education*, London, Heinemann Educational Books, 1983, p. 168-204.

12. Paul Gladu, «Cela se résoudra-t-il en simple activité syndicale?», *Le Petit Journal*, 3 avril 1966.

13. Edmond Labelle, *Mémoire de l'École des beaux-arts de Montréal à la Commission royale d'enquête sur l'enseignement*, mai 1962, p. 21.

14. Anonyme, «Climat général de l'époque», dans Yves Robillard (dir.), *Québec Underground, 1962-1972*, Montréal, Éd. Médiart, 1973, t. II, p. 33.

15. «Galerie de la Masse: manifeste», *ibid.*, p. 64.

16. Jacques Larue-Langlois et Charles Meunier, «Fini le cénacle», *Maclean*, octobre 1968, p. 20 et suiv.

17. Université d'Art quotidien, «De la violence over my dead body», cité dans Yves Robillard (dir.), *op. cit.*, p. 268.

18. «Tract de l'ULAQ», «70 questions», été 1968, cité dans *ibid.*, p. 109-111.

19. Christian Allègre, «Les travaux des élèves de l'École des BA», *Le Devoir*, 16 mai 1970.

20. Entrevue avec Alfred Pinsky, février 1990.

21. Entrevues avec Stanley Horner et John Miller, juin 1990.

22. Yves Robillard, «Une confrontation entre l'École des Beaux-Arts et Sir George Williams», *La Presse*, 1er avril 1967.

23. Virginia Lambe, «The progression of Peter London, and an impressive student show», *The Gazette*, 27 janvier 1967.

24. Paul-Émile Borduas, «Projections libérantes», *La Barre du Jour*, coll. «Les automatistes», janvier-août 1969, p. 14.

25. Meyer Schapiro, «Courbet et l'imagerie populaire. Étude sur le réalisme et la naïveté», dans *Style, artiste et société*, Paris, Éd. Gallimard, 1982, p. 273-329.

26. F. Minkowska, *De Van Gogh et Seurat aux dessins d'enfants*, guide catalogue illustré, édité à l'occasion de l'exposition du Musée pédagogique, 20 avril-14 mai 1949, cité par I. Wojnar, *Esthétique et pédagogie*, Paris, PUF, 1963, p. 278.

27. Suzanne Lemerise, «A new approach to art education in Quebec: Irène Sénécal's role in the school system and the art field 1940-1955», *Histories of Art and Design Education*, Essex, Longman/NSEAD, 1991, p. 131-142.

28. A. Huyssen, *After the Great Divide*, Indianapolis, Indiana University Press, 1986, 244 p.

29. Les idées et plusieurs phrases du texte qui suit sont tirées des articles suivants: Suzanne Lemerise, «L'enseignement des arts, liens avec la technologie moderne», *Technologies et art québécois*, Cahiers du département d'histoire de l'art, UQAM, 1988, p. 67-99; «Le Rapport Rioux et la place de l'art dans une société postindustrielle», *Practising the Arts in Canada/Pratique des arts au Canada*, Montréal, Association d'études canadiennes, 1990, p. 35-51.

30. Arrêté en Conseil, chambre du Conseil exécutif, numéro 600, Québec, le 31 mars 1986, *Rapport de la Commission d'enquête sur l'enseignement des arts au Québec*, Québec, Éditeur officiel du Québec, 1969, vol. I, page liminaire.

31. *Rapport de la Commission d'enquête sur l'enseignement des arts au Québec*, *op. cit.*

32. *Ibid.*, p. 306.

33. M. White, «"Liberal-democratic" Rioux probe of Arts gives Quebec another education headhache», texte dactylographié, 28 juin 1969.

34. *Rapport de la Commission d'enquête sur l'enseignement des arts au Québec*, *op. cit.*, p. 47.

35. *Ibid.*, p. 255-256.

36. *Ibid.*, p. 71.

37. *Ibid.*, recommandation 40, vol. II, p. 52.

38. S. N. Eisenstadt, «L'éducation, la science, la technologie et les crises culturelles», *Sociologie et sociétés*, vol. V, n° 1, mai 1973, p. 13.

Table des illustrations

10. Rita Letendre, *Trajectoire*, 1964, huile sur toile, 46 cm x 50 cm. Banque d'œuvres d'arts du Canada. Photo: Yvan Boulerice.

11. Jacques Hurtubise, *Katia*, 1965, acrylique sur toile, 167,6 cm x 325 cm. Photo: Yvan Boulerice.

12. Charles Gagnon, *La fenêtre*, 1962, huile sur toile, 132 cm x 147,3 cm. Photo: Yvan Boulerice.

13. Paterson Ewen, *Elongated Rectangles*, 1964, huile sur toile, 127 cm x 127 cm. Photo: Yvan Boulerice.

14. Fernand Leduc, *Chromatisme binaire jaune-rouge*, 1965, huile sur toile, 58,4 cm x 71,6 cm. Photo: Yvan Boulerice.

15. Denis Juneau, *Rond noir*, 1958, huile sur toile, 91,4 cm x 81,3 cm. Photo: Yvan Boulerice.

16. Claude Tousignant, *Cible*, 1964, acrylique sur toile, 129,5 cm x 142 cm. Photo: Yvan Boulerice.

17. Guido Molinari, *Asymétrique rouge*, 1962, acrylique sur toile, 106 cm x 119 cm. Photo: Yvan Boulerice.

18. Guido Molinari, *Bi-sériel vert-bleu*, 1967, acrylique sur toile, 254 cm x 205 cm. Photo: Yvan Boulerice.

19. Guido Molinari, *Sériel vert-violet*, 1968, acrylique sur toile, 92 cm, x 144 cm. Photo: Yvan Boulerice.

20. Marcel Barbeau, *Rétine vinaigrette*, 1964, acrylique sur toile, 204 cm x 204 cm. Photo: Yvan Boulerice.

21. Claude Tousignant, *La dernière nature morte*, 1964, acrylique sur toile, 173 cm x 208 cm. Photo: Yvan Boulerice.

22. Yves Gaucher, *Circular Motion*, 1965, acrylique sur toile, 213 cm x 213 cm. Photo: Yvan Boulerice.

23. Les artistes du groupe Fusion des arts, 1965. Des tableaux à configuration irrégulière d'Henry Saxe sont accrochés au mur. Photo: Archives nationales du Québec.

24. Fabrication en atelier de la sculpture *Synthèse des arts*, 1967. Photo: Yvan Boulerice.

37. Micheline Beauchemin, *Rideau de scène*, Centre national des arts, salle d'opéra, Ottawa, 1968. Photo de l'artiste.

38. Mariette Rousseau-Vermette, *Vers l'azur des lyres*, 1968, textiles, 246 cm x 550 cm, pour le Groupe de la place Royale. Photo: Formart.

39. Marcelle Ferron, *Verre-écran*, station de métro Champ-de-Mars, Montréal, 1967, verre antique dans un double vitrage.

40. Jean-Paul Mousseau, station de métro Peel, Montréal, 1966, céramique. Photo: UQAM.

41. Jean-Paul Mousseau, *Murale lumineuse*, 1961-1962, fibre de verre, 5 m x 22 m. Édifice Hydro-Québec, Montréal.

42. Mario Merola, *Murale souple*, 1970, bois peint, Exposition universelle d'Osaka. Photo de l'artiste.

43. Yvette Bisson, *Architectome n° 1*, 1967, bois de merisier, 103,8 cm x 43,8 cm x 27 cm. Photo: Yvan Boulerice.

44. Rita Letendre, *Sunforce*, 1965, résine époxy, 647 cm x 600 cm. California State College.

45. Mario Merola, *Kalena*, 1967, fontaine en béton et émail. Expo 67. Photo de l'artiste.

46. Jean-Paul Mousseau, *Sans titre*, 1961, polystyrène, 61 cm x 40,6 cm x 40,6 cm. Photo: Yvan Boulerice.

47. *Le cimetière*, œuvre collective produite durant la contestation à l'École des beaux-arts de Montréal, octobre 1968. Photo: Suzanne Lemerise.

48. *Performance*, 1967, avec Alfred Pinsky, Stan Horner, Roy Kyooka, Carol Zemel; à l'arrière-plan, des peintures de John Miller, Université Sir George Williams.

49. Les étudiants de l'École des beaux-arts de Montréal durant la contestation de l'automne 1968. Photo: Marc-André Gagné.

50. Œuvre collective en vue de la production d'un film, atelier de sculpture, École des beaux-arts de Montréal. Professeur: Georges Dyens, 1967.

Index

Table

CET OUVRAGE
COMPOSÉ EN PALATINO 11 POINTS SUR 13
A ÉTÉ ACHEVÉ D'IMPRIMER
LE DIX-NEUF-AOÛT MIL NEUF CENT QUATRE-VINGT-TREIZE
PAR LES TRAVAILLEURS ET LES TRAVAILLEUSES DES PRESSES
DE L'IMPRIMERIE GAGNÉ
À LOUISEVILLE
POUR LE COMPTE DE
VLB ÉDITEUR.

IMPRIMÉ AU QUÉBEC (CANADA)